Schnittpunkt 8

Mathematik – Differenzierende Ausgabe
Rheinland-Pfalz und Saarland

Arbeitsheft

Herausgegeben von Matthias Janssen

Erarbeitet von
Ilona Bernhard, Emilie Scholl-Molter, Colette Simon

Ernst Klett Verlag
Stuttgart · Leipzig

Liebe Schülerin, lieber Schüler,

auf dieser Seite stellen wir dir dein Arbeitsheft vor.

Die Kapitel und das Lösungsheft

Mit dem Kapitel **Grundwissen sichern** am Anfang des Heftes kannst du die Grundlagen aus vorangegangenen Jahren wiederholen. In den weiteren Kapiteln des Arbeitshefts werden alle Themen des Schuljahres behandelt. Wir haben versucht, viele interessante und abwechslungsreiche Aufgaben zusammenzustellen, die dir beim Lernen weiterhelfen.
Das Lösungsheft lässt sich leicht aus der Heftmitte herauslösen. Die Lösungen sind in grüner Farbe eingetragen. Damit kannst du dich selbstständig kontrollieren.

Die Übungsblätter

Die Übungsblätter sind aufgebaut wie die Lerneinheiten im Buch.

Basisaufgaben,
die das Gelernte einüben.

Lernweg
einfachere Aufgaben

Lernweg
schwierigere Aufgaben

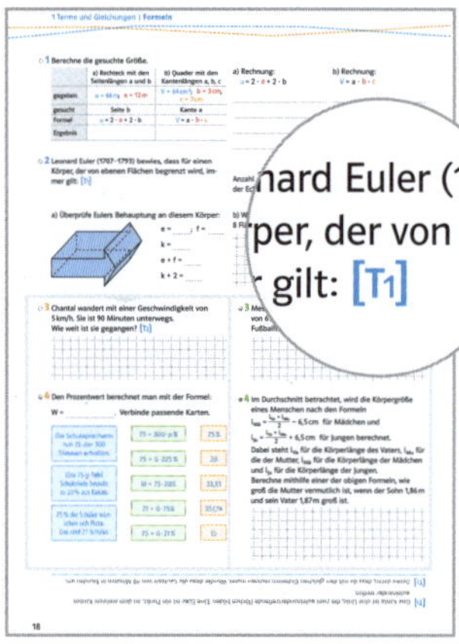

Tipps
findest du zu manchen Aufgaben am unteren Seitenrand. Sie sind z.B. mit [T1] gekennzeichnet.
Die Schrift ist auf den Kopf gestellt, damit du den Tipp nicht ungewollt liest.

Symbole
○ einfache Aufgabe
◒ mittlere Aufgabe
● schwierige Aufgabe

Die Trainingsseiten

Damit du dich gut auf Klassenarbeiten vorbereiten kannst, enthält jedes Kapitel ein Training in zwei Schritten.
Zuerst kannst du mit den **Basisaufgaben** (○ einfache Aufgabe) die Grundlagen überprüfen.
Anschließend übst du mit den **Vertiefungsaufgaben** (◒ mittlere und ● schwierige Aufgabe) auch komplexere Inhalte.

1. Auswerten
Überprüfe deine Lösungen.

2. Selbsteinschätzen
Schätze deinen Leistungsstand ein.

3. Weiterlernen
Suche dir Hilfe, lies nach und übe, was du noch nicht sicher kannst.

4. Training fortsetzen
Färbe den Smiley, wenn du die Basisaufgaben kannst. Setze dann das Training mit den Vertiefungsaufgaben fort.

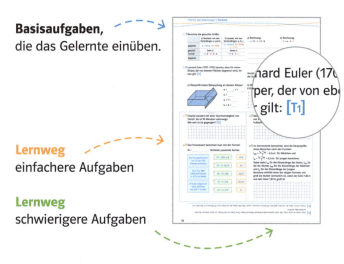

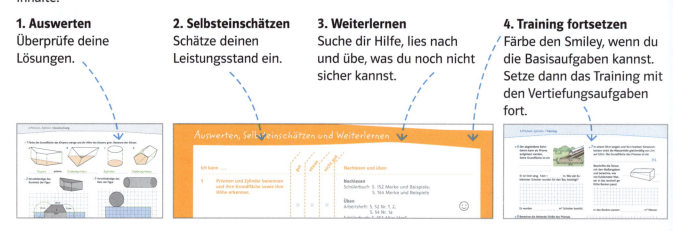

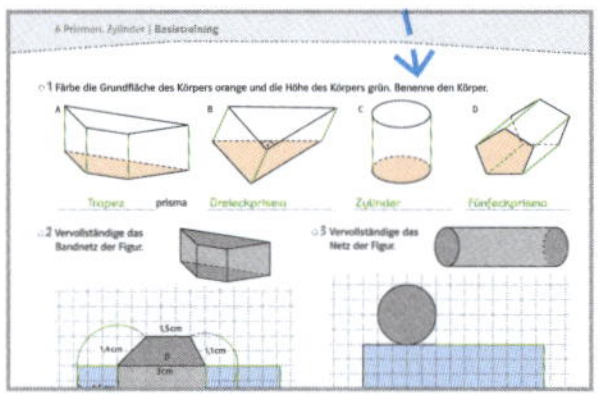

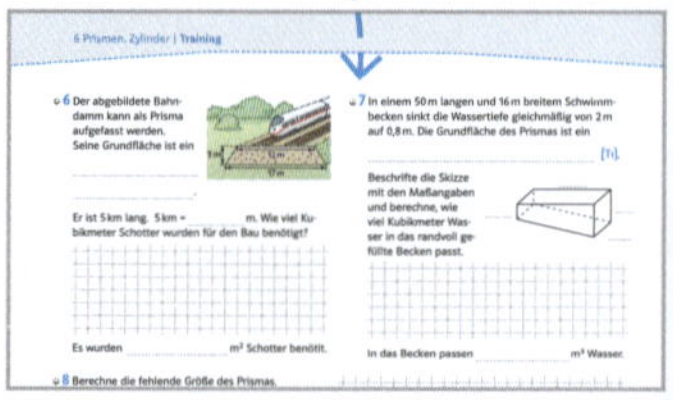

Nun kann es losgehen. Wir wünschen dir viel Spaß und Erfolg beim Lösen der Aufgaben.

Dein Autorenteam

○ **1** Löse die Klammer auf und berechne.

> Beachte:
> 3 + (+7) = 3 + 7   3 + (−7) = 3 − 7
> 3 − (+7) = 3 − 7   3 − (−7) = 3 + 7

a) 21 + (−8) = ______

b) 48 − (−57) = ______

c) 35 − (+82) = ______

○ **2** Ergänze die Zahlenmauer.

a) Addiere benachbarte Zahlen. Bestimme erst das Vorzeichen und berechne dann.

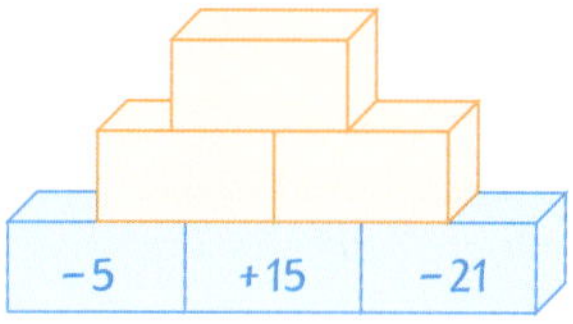

b) Subtrahiere benachbarte Zahlen.

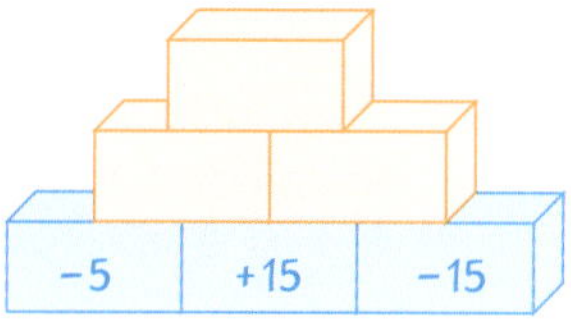

○ **3** a) Fülle die Lücken im Merkzettel.

> Wenn vor der Klammer ein Pluszeichen steht, ändern sich beim Auflösen der Klammer die Vorzeichen in der Klammer nicht.
> 18 + (−13 + 31)
> = 18 − 13 ◻ 31
>
> Wenn vor der Klammer ein ______ steht, werden die ______ in der Klammer beim Auflösen der Klammer geändert (aus + wird − und umgekehrt).
> 18 − (−13 + 31)
> = 18 ◻ 13 ◻ 31

b) Verbinde jedes gelbe Kärtchen mit dem passenden blauen Kärtchen und berechne anschließend.

28 + (+7 + 27) | 28 − (−7 + 27) | 28 + (−7 − 27) | 28 − (+7 − 27)

28 − 7 − 27 = ____ | 28 + 7 + 27 = ____ | 28 − 7 + 27 = ____ | 28 + 7 − 27 = ____

◒ **4** Berechne im Kopf und fülle die Lücken.

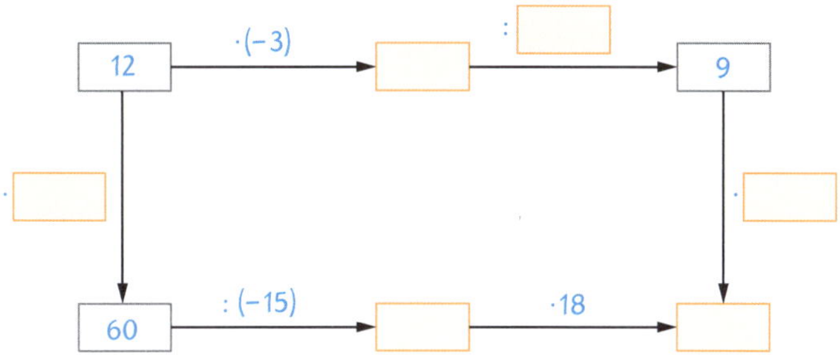

> Erinnere dich:
> + · (+) = +   + : (+) = +
> + · (−) = −   + : (−) = −
> − · (+) = −   − : (+) = −
> − · (−) = +   − : (−) = +

◒ **5** a) Berechne durch Ausmultiplizieren.

(−7) · (20 + (−3)) = ______

(100 − 32) · (−3) = ______

(−3,2 + 0,6) · 5 = ______

b) Berechne durch Ausklammern.

(−4) · 13 + (−4) · (−3) = ______

(−58) · 6 − 6 · (−18) = ______

2,5 · (−12) − (−2,5) · 14 = ______

◒ **6** In der Tabelle sind die Durchschnittstemperaturen (in °C) für die vier Jahreszeiten am Nordkap (Norwegen) dargestellt:

Frühling	Sommer	Herbst	Winter
2,6	8,8	−0,3	−4,7

Berechne die Jahresdurchschnittstemperatur.

1 Umkreise gleichartige Glieder in der gleichen Farbe. Sortiere und fasse zusammen.

$3b + 7a - 8b - 4a$
$= 3b - 8b + 7a - 4a$
$= -5b + 3a$

$5x \cdot 7y \cdot 3xy$
$= 5 \cdot 7 \cdot 3 \cdot x \cdot x \cdot y \cdot y$
$= 105\,x^2\,y^2$

a) $-9x + 7y - 4x - 13y$

= ____________________

= ____________________

b) $d + 2d - 5z - 17d$

= ____________________

= ____________________

c) $3\ x \cdot 6\ y \cdot 2$

= ____________________

= ____________________

d) $5\ a \cdot 3\ b \cdot 4\ b$

= ____________________

= ____________________

2 Notiere die Gleichung und löse sie.

a)

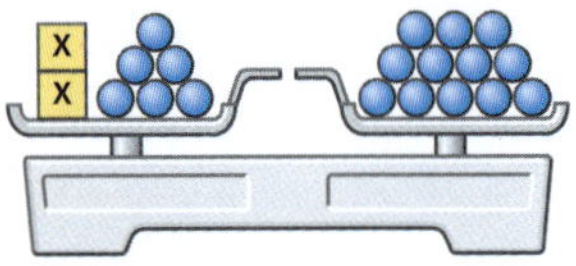

$2x + 6 = 12 \quad | -6$

____

x = ____________________

b)

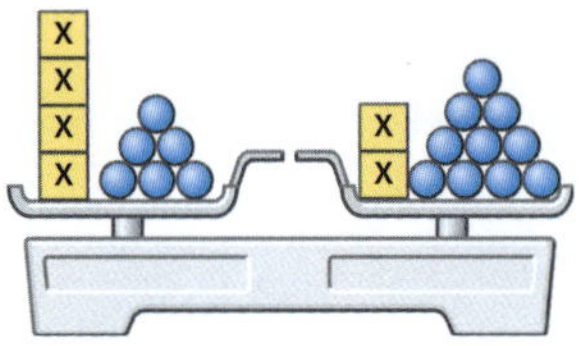

____

____

____

x = ____________________

3 Ein Ziegengehege ist 12 m breit und 30 m lang. Da Ziegennachwuchs zu erwarten ist, soll das Gehege verlängert werden.

a)

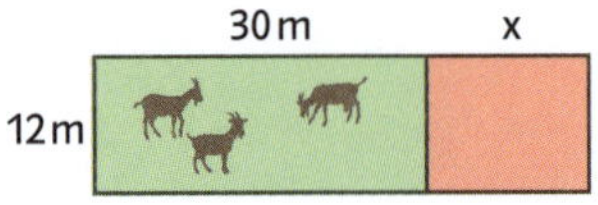

Stelle einen Term für den Flächeninhalt des größeren Geheges auf.

____

____

b) Das neue Gehege soll insgesamt einen Flächeninhalt von 600 m² haben.
Das Gehege muss dafür um

______ m verlängert werden.

____

____

____

____

4 Markiere Karten mit demselben Wert. Es gehört immer eine gelbe, blaue und grüne Karte zusammen. Drei Karten bleiben übrig. Beachte die Regeln zum Auflösen von Klammern:

Plusklammer auflösen:	Minusklammer auflösen:	Malklammer auflösen:
$7 + (2x - 5)$	$7 - (2x - 5)$	$7 \cdot (2x - 5)$
$= 7 + 2x - 5 = 2 + 2x$	$= 7 - 2x + 5 = 12 - 2x$	$= 7 \cdot 2x - 7 \cdot 5 = 14x - 35$

$13 + (2x + 5)$	$13 - (2x + 5)$	$2 \cdot (13x + 5)$	$4x - (12 - 7x)$	$4x \cdot (12 - 7x)$		
$13 - 2x + 5$	$4x - 12 + 7x$	$13 - 2x - 5$	$4x \cdot 12 - 4x \cdot 7x$	$2 \cdot 13x + 2 \cdot 5$	$13 + 2x + 5$	
$2x + 18$	$2 \cdot 13x + 5$	$11x - 12$	$-2x + 8$	$48x - 28x^2$	$20x$	$26x + 10$

5 Löse die Gleichung mit Äquivalenzumformungen.

a) $2x + 7 = 12 - 3x$ | ______

b) $2 \cdot (x - 3) = 5x$ | ______

c) $7x - (8 + 2x) = 7$ | ______

○ **1** Entscheide jeweils, welche Art der Zuordnung vorliegt. Notiere die entsprechenden Buchstaben.

A
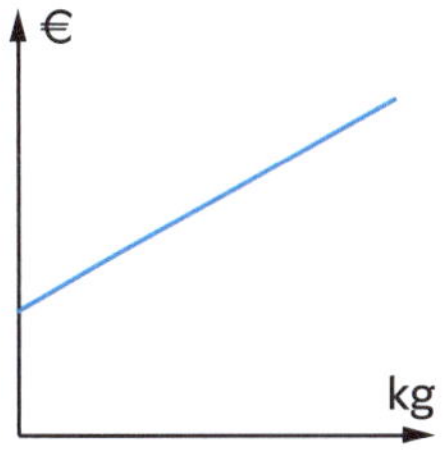

B

C
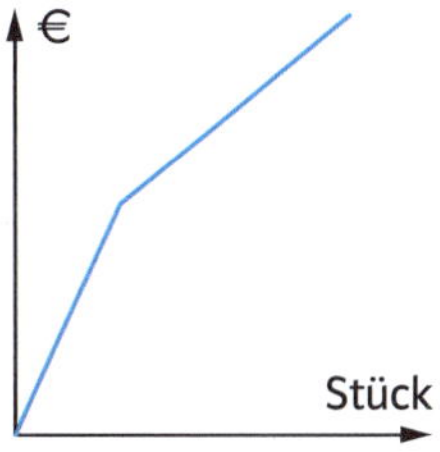

D
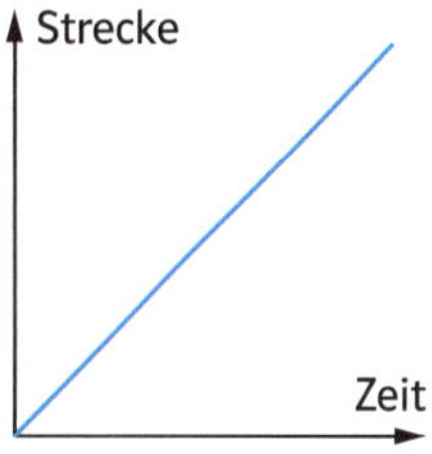

E

proportionale Zuordnung: ______ antiproportionale Zuordnung: ______ andere Zuordnung: ______

○ **2** Entscheide zunächst, ob es sich um eine proportionale oder antiproportionale Zordnung handelt. Berechne dann die fehlenden Angaben.

a) Marie will 10 Muffins mit ihren Freunden teilen. Wie viele Muffins bekommt jeder?

☐ proportional ☐ antiproportional

Anzahl der Kinder	1	2	4	5	10
Anzahl der Muffins					

b) Beim Eintritt ins Museum kostet jede Karte gleich viel. Wie viel kosten die Karten für die Gruppen?

☐ proportional ☐ antiproportional

Anzahl der Karten	1	2	3	4	5
Kosten in €			9,00		

○ **3** Zeichne die Schaubilder für beide Zuordnungen aus Aufgabe 2.

a)
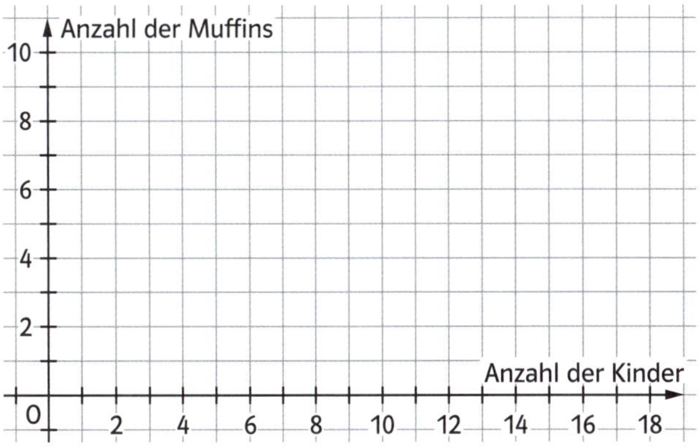

Alle Punkte liegen auf einer ______________.

b)
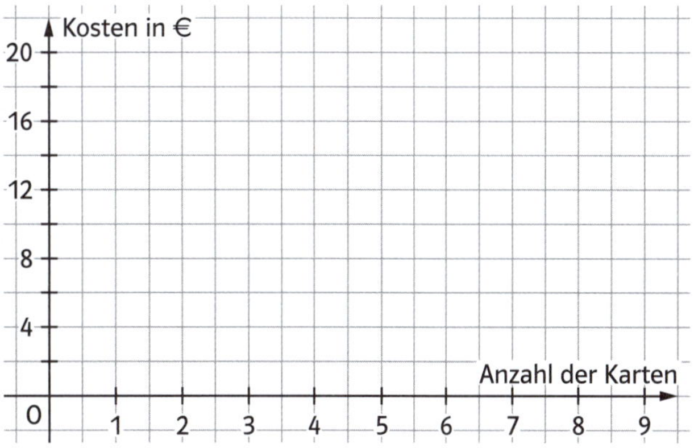

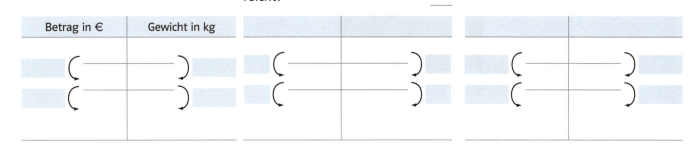

Alle Punkte liegen auf einer ______________.

◒ **4** Entscheide, ob die Zuordnung proportional (p) oder antiproportional (a) ist. Berechne dann mithilfe des Dreisatzes.

a) 5 kg Kirschen kosten 17 €. Wie viel bekommt man für 30,60 €? ___

Betrag in €	Gewicht in kg

b) Das Futter reicht bei 84 Tieren 12 Tage lang. Wie viele Tiere werden gefüttert, wenn es nur 8 Tage reicht? ___

c) Für 56 € erhält Maren 50 britische Pfund (£). Wie viel Pfund erhält sie für 44,80 €? ___

○ **1** Fülle die Lücken in der Tabelle.

	a)	b)	c)	d)
vollständig gekürzter Bruch	$\frac{3}{4}$			
Bruch mit Nenner 10; 100; 1000; …		$\frac{20}{100}$		
Dezimalbruch			0,08	
Prozent			8 %	55 %

○ **2** Beim Prozentrechnen unterscheidet man die Begriffe Grundwert G, Prozentwert W und Prozentsatz p %. Verbinde den Begriff mit der richtigen Beschreibung.

Prozentwert W | Prozentsatz p% | Grundwert G

Anteil in % | das Ganze | Anteil am Ganzen

○ **3** Welchem Begriff entspricht die Angabe: G, W oder p %? Notiere jeweils in der Klammer.
Es gibt 4 Brillenträger (____) in der Klasse.
Von den 25 Jugendlichen (____) tragen 16 % (____) eine Brille.
Zur Berechnung des Prozentwertes verwendet man die Formel W = G · p %, den Dreisatz oder das Pfeilbild.

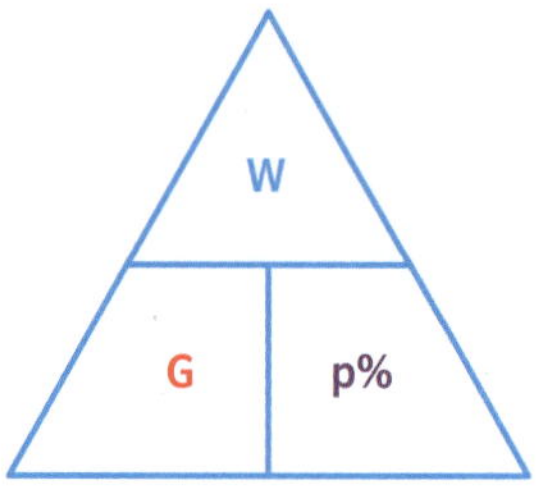

Die Formel zur Berechnung des Grundwertes lautet: ____________

Die Formel zur Berechnung des Prozentsatzes lautet: ____________

○ **4** Rechne im Kopf.

a) Berechne den Prozentwert W.

1 % von 800 g sind ____ g
5 % von 20 km sind ____ km
15 % von 500 g sind ____ g

b) Berechne den Prozentsatz p %.

15 g von 150 g sind ____ %
18 m von 200 m sind ____ %
30 € von 150 € sind ____ %

c) Berechne den Grundwert G.

20 % sind 80 €; G = ____ €
15 % sind 60 t; G = ____ t
8 % sind 4 km; G = ____ km

◒ **5** Pommes frites haben einen Fettanteil von 16 %. 250 g Pommes enthalten

____ g Fett.

	Anteil	Gewicht Pommes in g	
: 100	100 %	250	

◒ **6** Tatjana spart 15 € beim Kauf eines Pullovers, weil dieser um 40 % reduziert ist.

Der Pullover hat vorher ____ € gekostet.

Sie muss also noch ____ € bezahlen.

● **7** Die Kinovorstellung kostet von Montag bis Freitag 5 €. Am Wochenende kostet derselbe Film 6,80 €. [T1]
Am Wochenende ist der Film ____ % teurer.

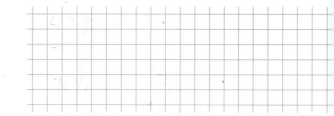

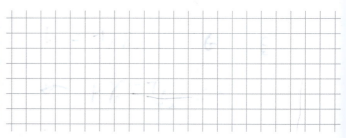

[T1] Berechne zuerst, um wie viel Euro die Vorstellung am Wochenende teurer ist.

1 Berechne die fehlenden Winkel im Dreieck.

a)
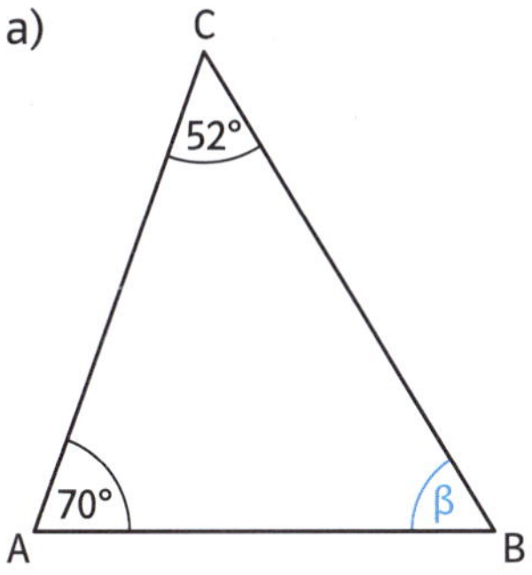

b)
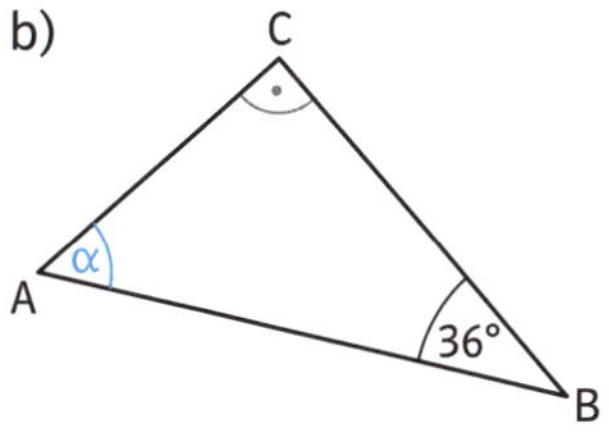

c)
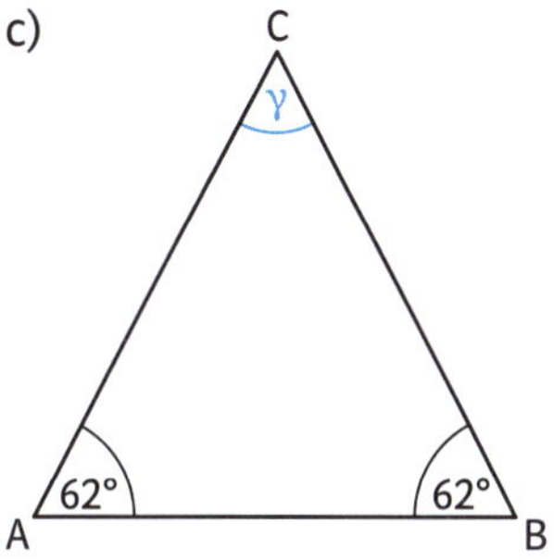

Die Winkelsumme im Dreieck beträgt 180°.

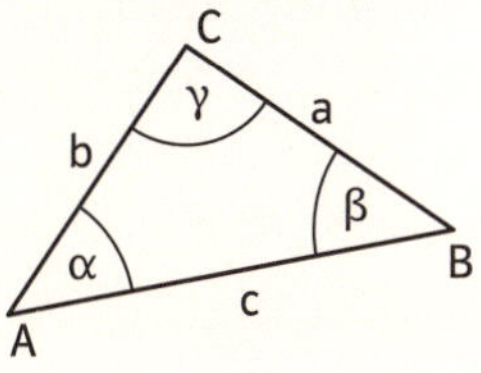

$\alpha + \beta + \gamma = 180°$

2 Zeichne die drei Höhen des Dreiecks ein und bezeichne sie mit h_a, h_b und h_c.

a)
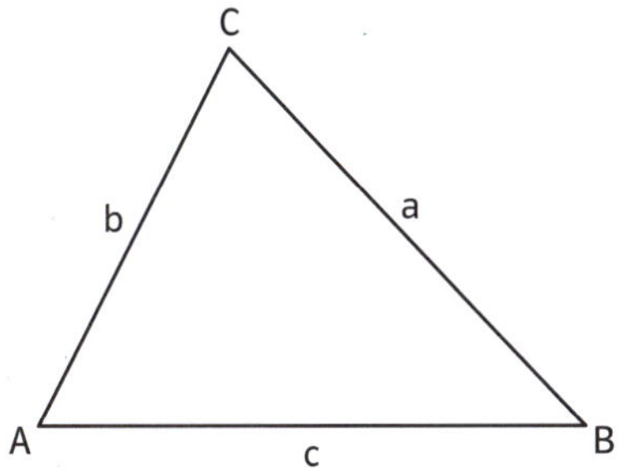

b)
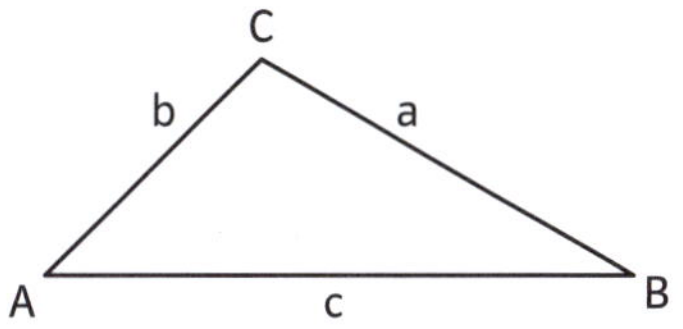

c)
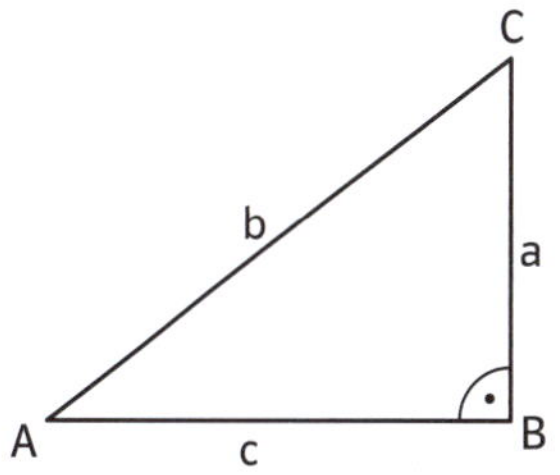

3 Markiere in der Planfigur die gegebenen Seiten und Winkel farbig. Konstruiere danach das Dreieck.

a) a = 2,5 cm
b = 3,5 cm
c = 4 cm

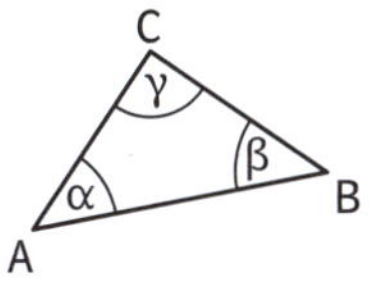

b) b = 2,5 cm
c = 4,5 cm
α = 72°

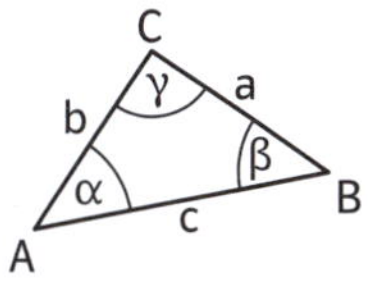

c) c = 4,5 cm
α = 31°
β = 80°

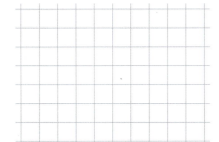

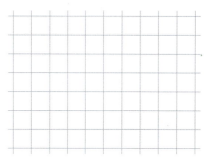

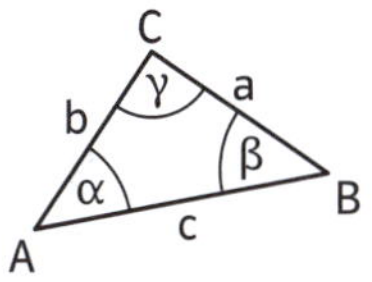

4 Für jede der Dreiecksformen gibt es eine bestimmte Bezeichnung. Fülle die Lücken.

a) Zwei Seiten eines Dreiecks sind gleich lang. Es handelt sich um ein ______ Dreieck.

b) Alle Winkel eines Dreiecks sind kleiner als 90°. Es handelt sich um ein ______ Dreieck.

c) Ein Winkel eines Dreiecks ist größer als 90°. Es handelt sich um ein ______ Dreieck.

d) Zwei Winkel eines Dreiecks sind 60°. Es handelt sich um ein ______ Dreieck.

e) Ein Dreieck hat zwei gleich lange Seiten und einer seiner Winkel ist 90°. Es handelt sich um ein

______ Dreieck.

○ **1** a) Schreibe auf jede Karte den richtigen Buchstaben. Jeder Buchstabe kommt nur einmal vor.

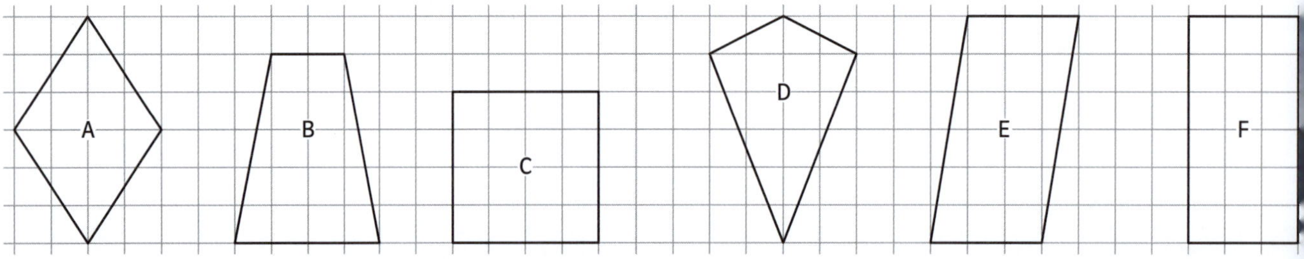

Parallelogramm: E | Drachen: ___ | Rechteck: ___ | symm. Trapez: ___ | Raute: ___ | Quadrat: ___

b) Markiere in jedem der sechs Vierecke aus Teilaufgabe a) gleich lange Seiten jeweils in derselben Farbe. Verfahre für gleich große Winkel ebenso.

c) Schreibe auf jede Karte die Buchstaben der passenden Vierecke aus Teilaufgabe a).

Die Diagonalen stehen senkrecht aufeinander: ___ | Die Diagonalen halbieren sich: ___ | Die Diagonalen sind gleich lang: ___

◒ **2** Trage die Punkte A, B und C in das Koordinatensystem ein. A(1|3); B(3|1); C(8|3)
Lege den Punkt D so fest, dass
a) ein Drachen
b) ein Parallelogramm entsteht.

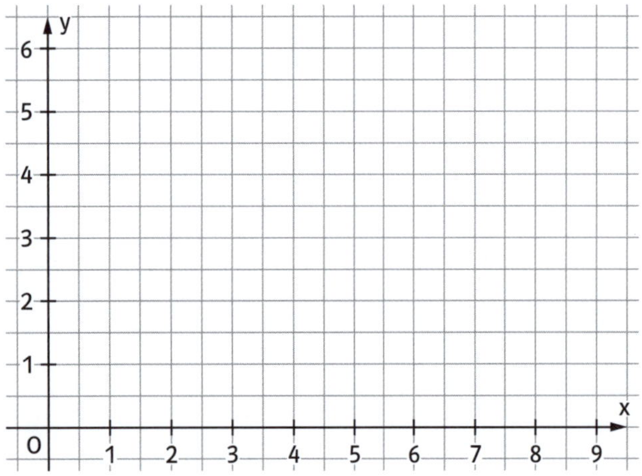

◒ **3** a) Zeichne das symmetrische Trapez ABCD ($\overline{AB} \parallel \overline{CD}$) mit a = 7 cm; d = 3 cm und α = 30°.

Planfigur:

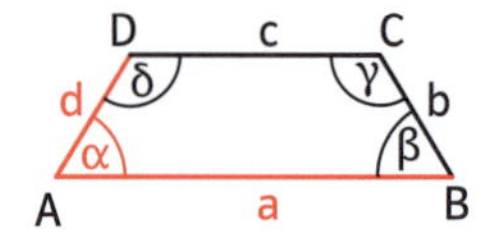

b) Berechne die Winkel β, γ und δ des Trapezes.

● **4** Welche besonderen Vierecke sind abgebildet? Kreuze alle richtigen Antworten an. [T1]

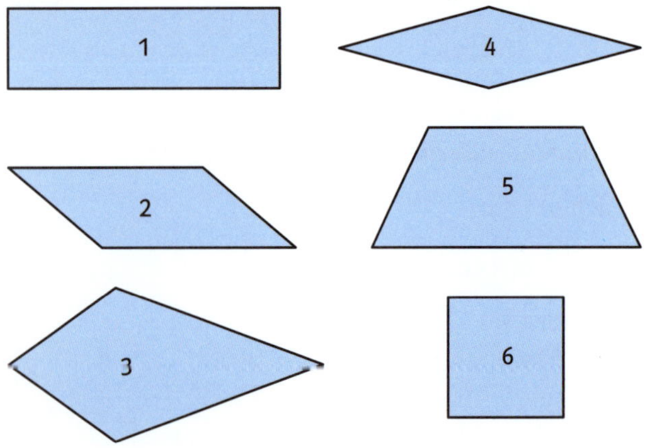

	Parallelogramm	Raute	Rechteck	Quadrat	symm. Trapez	Drachen
1						
2						
3						
4						
5						
6						

[T1] Beachte, dass für einige der Vierecke mehrere Antworten anzukreuzen sind.

○ **1** Vier verschiedene Figuren A, B, C und D sind abgebildet. Bestimme den Flächeninhalt der Figuren in cm². Zeichne dazu in die Figuren Quadrate mit dem Flächeninhalt 1 cm² ein.

So groß ist 1 cm²:

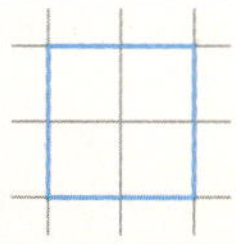

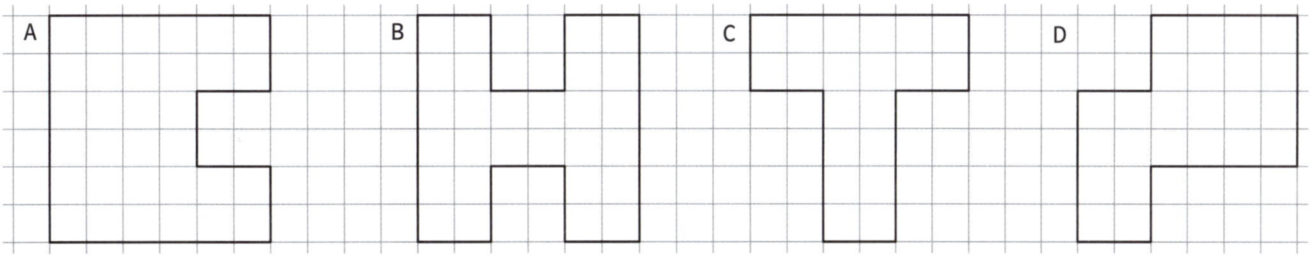

Flächeninhalt: ______ Flächeninhalt: ______ Flächeninhalt: ______ Flächeninhalt: ______

Figur ____ hat den kleinsten Flächeninhalt, Figur ____ hat den größten Flächeninhalt.

○ **2** Miss die Seitenlängen und bestimme damit den Flächeninhalt und den Umfang der Figur.

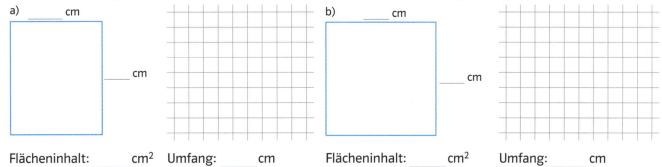

a) ____ cm

____ cm

Flächeninhalt: ____ cm² Umfang: ____ cm

b) ____ cm

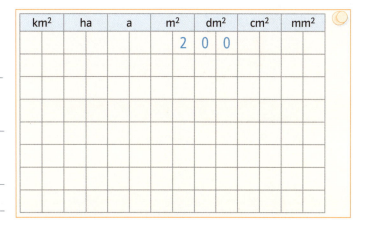

____ cm

Flächeninhalt: ____ cm² Umfang: ____ cm

○ **3** Wandle um. Die Stellentafel hilft dir dabei.

a) Schreibe in der nächstgrößeren Einheit.

200 dm² = 2 m² ; 15 000 m² = ______

b) Schreibe in der nächstkleineren Einheit.

5 km² = ______ ; 11 cm² = ______

c) Wandle in die gemischte Schreibweise um.

9540 cm² = 95 dm² 40 cm²; 3995 a = ______

202 dm² = ______ ; 7009 m² = ______

km²	ha	a	m²	dm²	cm²	mm²
			2	0 0		

◒ **4** Zerlege die Figur geschickt und berechne dann ihren Flächeninhalt.

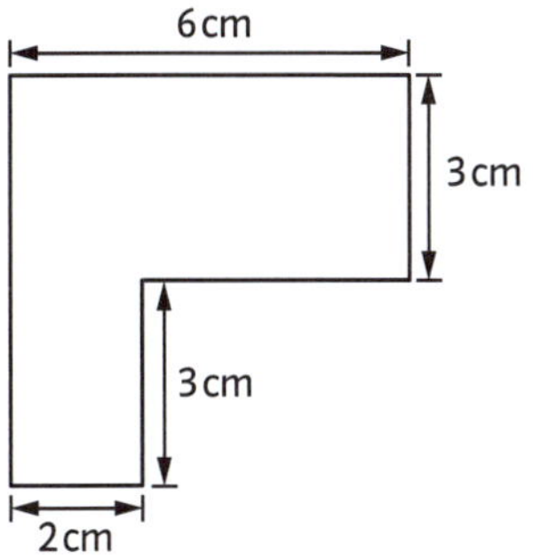

● **5** Bei jedem Rechteck fehlen einige Werte. Trage die fehlenden Werte in die Tabelle ein.

	a)	b)	c)	d)
Länge	2 cm	4 cm		
Breite	5,5 cm		3 cm	6 cm
Flächeninhalt		20 cm²		36 cm²
Umfang			22 cm	

○ **1** Vervollständige die Netze so, dass ein Würfel- oder ein Quadernetz entsteht.

a) b) c) d)

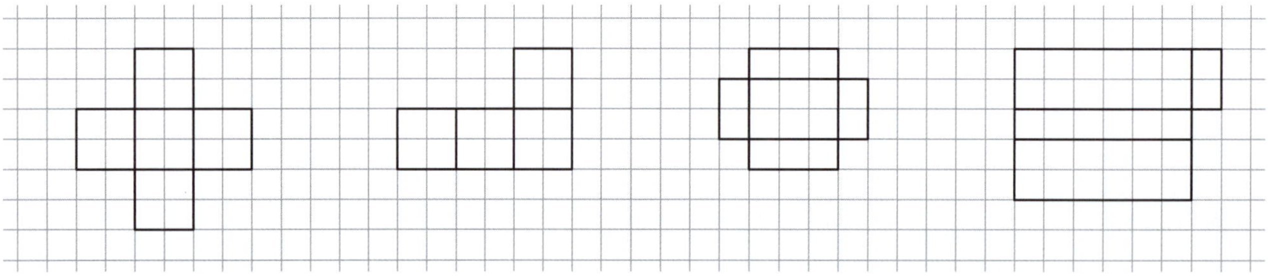

○ **2** Berechne das Volumen und den Oberflächeninhalt des Quaders.

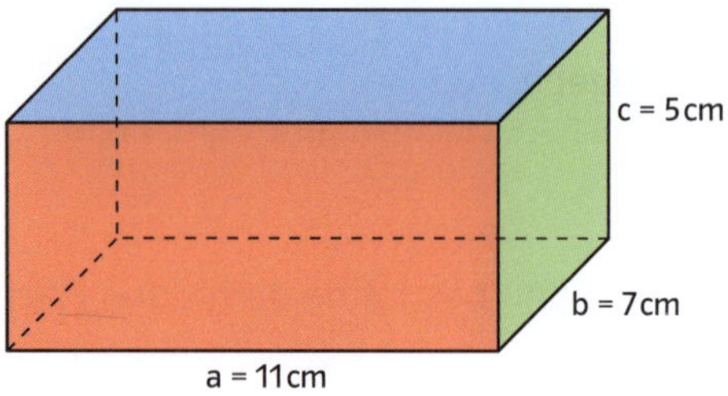

$V = a \cdot b \cdot c$

$O = 2 \cdot a \cdot b + 2 \cdot a \cdot c + 2 \cdot b \cdot c$

V = ______ cm^3 O = ______ cm^2

◒ **3** Ergänze die Tabelle.

	Quader A	Quader B	Quader C
Länge a	2cm	5cm	
Breite b	5cm	8cm	3cm
Höhe c	4cm		15cm
Volumen V		120 cm^3	180 cm^3
Oberflächeninhalt O			

◒ **4** a) Vervollständige das Schrägbild des quaderförmigen Swimmingpools.
b) Wie viel Liter Wasser fasst der Swimmingpool?

V =

Der Swimmingpool fasst ______.

c) Der Pool soll innen einen neuen, wasserfesten Anstrich bekommen. Die Farbe kostet 20,00 € pro Quadratmeter. Wie teuer wird der Anstrich? [T1]

O =

Die Kosten betragen ______.

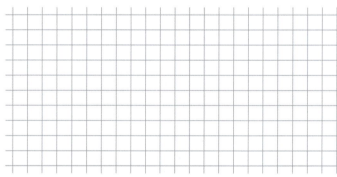

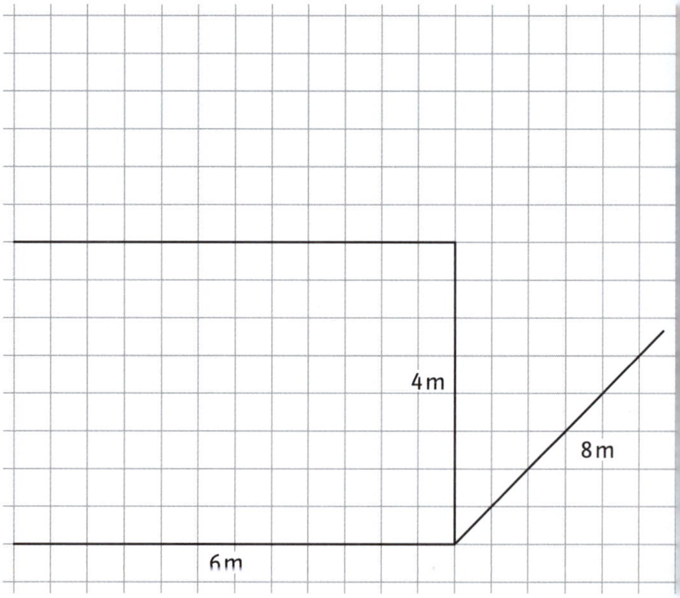

[T1] Denke daran, dass der Swimmingpool ein nach oben offener Quader ist.

○ **1** Multipliziere aus. Der Faktor kann auch hinter der Klammer stehen.

a) $3 \cdot (5 - 4y) = 3 \cdot 5 - 3 \cdot 4y =$ ______ b) $4 \cdot (2x - y) =$ ______

c) $(6 - 3a) \cdot 5 =$ ______ d) $b \cdot (a + 7) =$ ______

e) $(4x - 5) \cdot 3y =$ ______ f) $(-7b + 5) \cdot 2 =$ ______

○ **2** Kreuze jeweils die korrekte Lösung an.

a) $(15x + 6) : 3$	☐ $5x + 6$	☐ $7x$	☐ $5x + 2$
b) $(10a - 6b) : 2$	☐ $2ab$	☐ $5a - 3b$	☐ $5a - 6b$
c) $(16x - 8) : (-4)$	☐ $-4x - 2$	☐ $4x - 2$	☐ $-4x + 2$
d) $(-30x + 15y) : 5$	☐ $-6x + 3y$	☐ $-6x - 3y$	☐ $6x - 3y$

○ **3** Klammere den angegebenen Faktor aus.

a) Faktor: 3 b) Faktor: 4 c) Faktor: 2x d) Faktor: 16

$3x - 6 = 3 \cdot (x - 2)$ $12x + 20 =$ ______ $8xy - 2x =$ ______ $144x - 48 =$ ______

○ **4** Gib den Flächeninhalt des gesamten Rechtecks als Summe und als Produkt an.

a)

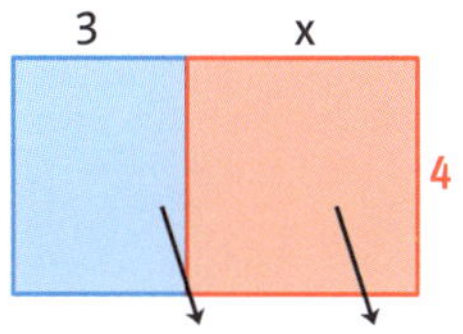

Summe: $3 \cdot 4$ + ______

Produkt: $4 \cdot (\quad)$ ______

b)

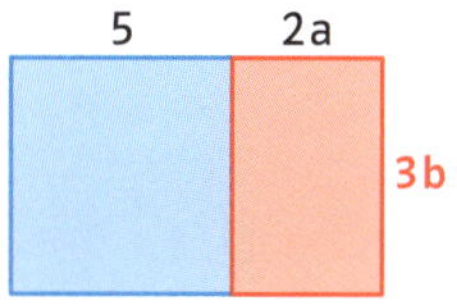

Summe: ______

Produkt: ______

○ **5** Berechne mithilfe des Verteilungsgesetzes.

a) $7 \cdot 42 = 7 \cdot (40 + 2) = 7 \cdot 40 + 7 \cdot 2$

= ______

b) $9 \cdot 79 =$ ______

______

c) $91 \cdot 6 =$ ______

______

◒ **6** Notiere einen möglichst großen Faktor und klammere ihn anschließend aus.

Term	möglichst großer Faktor	Ausklammern
$10x - 25$	5	$5 \cdot 2x - 5 \cdot 5 = 5 \cdot (\quad)$
$18 + 6a$		
$9x - 24$		
$12a + 4ab$		
$36xy - 48x$		
$-42b + 9ab$		

◒ **5** Löse die Klammer auf.

a) $(3x + 7) \cdot (-2x)$ b) $(-56a + 24) : 8$

= ______ = ______

= ______ = ______

◒ **6** Fülle die Lücken.

a) $12 - 3x = (4 - \square) \cdot \square$

b) $6a - \square = 2 \cdot (\square a - 8)$

c) $-5y - 125 = \square \cdot (\square + 25)$

● **7** a) Gib den Flächeninhalt des Rechtecks als Summe und als Produkt an.

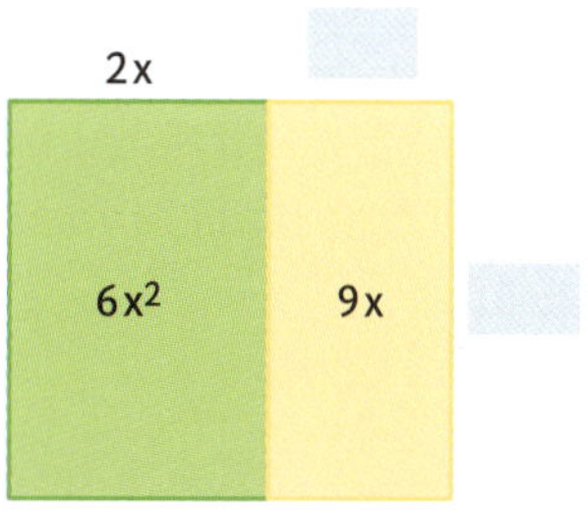

Summe: ______

Produkt: ______

b) Stelle einen Term für den Umfang des Rechtecks auf und vereinfache ihn.

______

______

○ **1** Trage in die Teilflächen die passenden Produkte ein.
Schreibe den Flächeninhalt des gesamten Rechtecks als Produkt und als Summe.

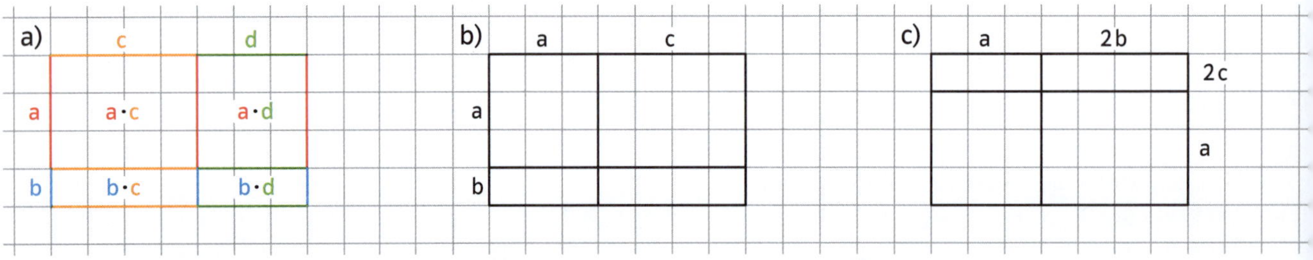

Produkt: (a + b)·(c + d) ______ Produkt: ______ Produkt: ______

Summe: ______ Summe: ______ Summe: ______

○ **2** Multipliziere aus. Vereinfache, wenn möglich.

Beispiel:

$(x + 4) \cdot (y - 7)$

$= x \cdot y - x \cdot 7 + 4 \cdot y - 4 \cdot 7$

$= xy - 7x + 4y - 28$

a) $(p + 4) \cdot (p + 8)$

= ______

= ______

b) $(3 - a) \cdot (6 + a)$

= ______

= ______

c) $(x - 5) \cdot (x - 12)$

= ______

= ______

d) $(x + 5) \cdot (2y - 3)$

= ______

= ______

e) $(7 - x) \cdot (4 + 3x)$

= ______

= ______

○ **3** Beschrifte die Seiten und die Teilflächen des Rechtecks. Gib seinen Flächeninhalt als Summe an.

a) $(2x + 5) \cdot (1 + 3y)$

= ______

b) $(x + 6) \cdot (3 + 4y)$

= ______

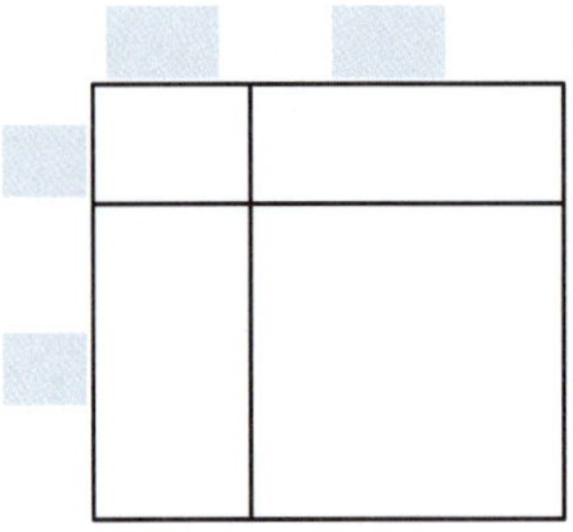

◒ **4** Multipliziere die Summen auf den blauen Karten. Verbinde die Karten mit gleichwertigen Termen.

$(x - 2)(x - 3)$ = ______	$x^2 + 5x + 6$
$(2x + 1)(x + 3)$ = ______	$x^2 - 5x + 6$
$(x + 2)(x + 3)$ = ______	$2x^2 + 7x + 3$
$(x + 2)(x - 3)$ = ______	$6x^2 + 5x + 1$
$(2x + 1)(3x + 1)$ = ______	$x^2 - x - 6$

◒ **3** Julian hat leider **Fehler** gemacht. Streiche fehlerhafte Terme und korrigiere die Rechnung.

a) $(x + 2) \cdot (2x - 1) = x \cdot 2x + x \cdot 1 + 2 \cdot 2x + 2 \cdot 1$

$= 2x^2 + 5x + 2$

b) $(2x - 1) \cdot (2x + 1) = 2x \cdot 2x + 2x \cdot 1 - 1 \cdot 2x - 1 \cdot 1$

$= 4x + 2x - 2x - 1 = 4x - 1$

c) $(-v - 3w) \cdot (2v + 6)$

$= -v \cdot 2v - v \cdot 6 - 3w \cdot 2v + 3w \cdot 6$

$= -2v^2 - 6v - 6vw + 18w$

● **4** Fülle die Lücken, sodass die Umformungen richtig sind, und vereinfache, wenn möglich.

a) (p − 3) · (___ + 2) = 2pq + ___ − 6q ___

b) (x − 7) · (___ − ___) = xy − x ___ ___

c) (s + ___) · (s + 7) = ___ + 7s + 3s + ___

= ___

d) (___ − 2) · (4a + ___) = 12a² + ___ ___ − 10

= ___

○ **1** Gib die jeweilige binomische Formel an und berechne anschließend die Terme.

a) 1. binomische Formel: ______

$(x + 5)^2 =$ ______

$(2 + b)^2 =$ ______

$(8 + y)^2 =$ ______

b) 2. binomische Formel: ______

$(a - 4)^2 =$ ______

$(6 - z)^2 =$ ______

$(2x - 10)^2 =$ ______

c) 3. binomische Formel: ______

$(y + 5)(y - 5) =$ ______

$(9 - a)(9 + a) =$ ______

$(3z + 2)(3z - 2) =$ ______

○ **2** Notiere auf den Karten, mit welcher binomischen Formel (1., 2. bzw. 3.) du das Produkt in eine Summe umwandeln kannst. Gib acht: Es lassen sich nicht auf alle Terme die binomischen Formeln anwenden.

Sortiere die Karten, die übrig bleiben, zu einem Lösungswort: ______.

E	$(x - 7)^2$	2.
N	$(a + 11)^2$	______
A	$(z + 3)(3 - z)$	______
U	$(y - 8)(z - 8)$	______
R	$(b + 3)(b + 3)$	______
D	$(2x - 4)(4 - x)$	______
T	$(2 + a)(a + 2)$	______
H	$(x + 9)(y - 9)$	______
S	$(8 + 5z)^2$	______
N	$(d + 6) : (d - 6)$	______
N	$(5 - b)^2$	______

○ **3** Quadratzahlen bzw. einige Produkte lassen sich mithilfe der binomischen Formeln im Kopf berechnen.

Beispiel 1: $32^2 = (30 + 2)^2 = 900 + 120 + 4 = 1024$
Beispiel 2: $78^2 = (80 - 2)^2 = 6400 - 320 + 4 = 6084$
Beispiel 3: $27 \cdot 33 = (30 - 3) \cdot (30 + 3) = 900 - 9 = 891$

Berechne ebenso.

a) $43^2 =$ ______

b) $79^2 =$ ______

c) $42 \cdot 38 =$ ______

d) $39^2 =$ ______

◐ **4** Berechne mithilfe einer Tabelle, wie im Beispiel.

$(2a - 3)^2$

$= 4a^2 - 12a + 9$

·	2a	−3
2a	$4a^2$	$-6a$
−3	$-6a$	9

a) $(11 - b)^2$

= ______

·	11	−b
11		
−b		

b) $(2x + 3y)^2$

= ______

·		

c) $(2x - y)(2x + y)$

= ______

·		

◐ **3** Anna hat leider **Fehler** gemacht. Streiche den falschen Term und berichtige.

a) $(4a + 4)^2 = 16a^2 + \not{16a} + 16$ 32 a

b) $(9x - 8)^2 = 81x^2 - 126x + 64$ ______

c) $(4b - 4c)(4b + 4c) = 16b^2 - 8c^2$ ______

d) $(4x - 7y)^2 = 16x^2 - 28y^2 + 49y^2$ ______

● **4** Vereinfache den Term. Du erhältst ein Lösungswort: ______.

O	$3x^2 - 5x + 7$	L	$-5x^2 + 7x + 16$
E	$-5x^2 + 15x - 16$	T	$-25x^2 - 75x - 15$
N	$-25x^2 + 45x + 57$	R	$-5x^2 - 5x + 25$

a) $(x - 4)^2 - 3x \cdot (2x - 5)$

______

b) $7 - (x^2 + 5x - 9) + (2x - 3)(3 + 2x)$

______

c) $3 \cdot (7 - 5x) - (5x + 6)^2$

______

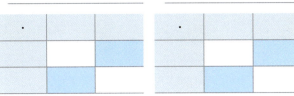

○ **1** Wandle die Summe in ein Produkt um, indem du die Tabelle, wie im Beispiel, ausfüllst.

Term	binomische Formel	umgeformter Term	Produkt
$x^2 + 12x + 36$	1.	$x^2 + 2 \cdot x \cdot 6 + 6^2$	$(x + 6)^2$
$a^2 - 20a + 100$	2.	$a^2 - 2 \cdot a \cdot 10 +$	
$y^2 - 49$	3.		
$b^2 - 24b + 144$			
$x^2 - 400$			
$y^2 + 16y + 64$			

○ **2** Markiere alle Terme, die du mithilfe der binomischen Formeln **nicht** faktorisieren kannst.

Die zugehörigen Buchstaben ergeben ein Lösungswort: ____________

F $x^2 + 6x + 1$ | N $a^2 - 18a + 81$ | A $x^2 + 12x + 25$ | K $y^2 - 8y + 64$ | P $b^2 - 2b + 1$

T $y^2 + 50y + 25$ | E $4 + 4x + x^2$ | S $a^2 + 6a + 9$ | O $36 + 6b + b^2$ | R $4 - 8x + x^2$

○ **3** Fülle die Lücken in der Multiplikationstabelle aus. Notiere das Produkt.

a) $25a^2 - 10a + 1$
$= (\quad - \quad)^2$

·	5a	
5a	$25a^2$	$-5a$
	$-5a$	1

b) $x^2 + 8x + 16$
= ____________

·		
	x^2	
		16

c) $9y^2 - 12y + 4$
= ____________

·		

◒ **4** Verwandle in ein Produkt.

a) $4x^2 + 20x + 25 =$ ____________

b) $36n^2 - 1 =$ ____________

c) $4x^2 - 36x + 81 =$ ____________

d) $121 - 49y^2 =$ ____________

◒ **5** Fülle die Lücken.

a) $81x^2 -$ ______ $+ 1 = ($ ______ $-$ ______ $)^2$

b) $4x^2 + 28x +$ ______ $= ($ ______ $+$ ______ $)^2$

c) $x^2 -$ ______ $+ 64 = ($ ______ $-$ ______ $)^2$

d) $100x^2 -$ ______ $+$ ______ $= ($ ______ $- 2)^2$

e) ______ $+ 60x + 100 = ($ ______ $+$ ______ $)^2$

◒ **3** Klammere zuerst einen geeigneten Faktor aus. Faktorisiere dann mithilfe einer binomischen Formel.

Beispiel: $2x^2 - 36x + 162$
$= 2(x^2 - 18x + 81)$
$= 2(x - 9)^2$

a) $20x^2 - 20x + 5$
= ____________
= ____________

b) $50a^2 - 200a + 200$
= ____________
= ____________

c) $72x^2 - 32y^2$
= ____________
= ____________

● **4** Hier gibt es mehrere Möglichkeiten, zu einem binomischen Term zu ergänzen. Gib zwei Möglichkeiten an.

a) ☐ $+ 32x +$ ☐ ; ☐ $+ 32x +$ ☐

b) ☐ $- 40z +$ ☐ ; ☐ $- 40z +$ ☐

c) ☐ $+ 54a +$ ☐ ; ☐ $+ 54a +$ ☐

d) ☐ $- 12xy +$ ☐ ; ☐ $- 12xy +$ ☐

e) ☐ $+ 70ab +$ ☐ ; ☐ $+ 70ab +$ ☐

○ **1** Löse die Gleichung. Bestimme die Lösungsmengen in den verschiedenen Grundmengen und mache die Probe.

a) $2{,}5x + 4{,}5 = -0{,}5x + 13{,}5$ | ______

______ = ______ | ______

______ = ______ | ______

x = ______

$G = \mathbb{N}$: L = { __ }; $G = \mathbb{Z}$: L = { __ }; $G = \mathbb{Q}$: L = { __ };

Probe: ______

b) $3x - 5 = x - 4$ | ______

______ = ______ | ______

______ = ______ | ______

x = ______

$G = \mathbb{N}$: L = { __ }; $G = \mathbb{Z}$: L = { __ }; $G = \mathbb{Q}$: L = { __ };

Probe: ______

○ **2** Eine Gleichung hat die angegebene Lösungsmenge. Welche der Mengen $\mathbb{N}$, $\mathbb{Z}$ und $\mathbb{Q}$ können die Grundmenge der Gleichung sein? Kreuze an.

a) L = {−2}; ☐ $G = \mathbb{N}$ ☐ $G = \mathbb{Z}$ ☐ $G = \mathbb{Q}$
b) L = {3}; ☐ $G = \mathbb{N}$ ☐ $G = \mathbb{Z}$ ☐ $G = \mathbb{Q}$
c) L = {0,5}; ☐ $G = \mathbb{N}$ ☐ $G = \mathbb{Z}$ ☐ $G = \mathbb{Q}$
d) L = { }; ☐ $G = \mathbb{N}$ ☐ $G = \mathbb{Z}$ ☐ $G = \mathbb{Q}$

○ **3** Verbinde passende Kärtchen.

$\frac{1}{2}x = 2$ | $12 = 5x$ | $2x - 3 = 7$

$G = \mathbb{Z}$, L = { }	$G = \mathbb{Q}$, L = {7}	$G = \mathbb{N}$, L = {5}	$G = \mathbb{Z}$, L = {4}

◒ **4** Ändere die Gleichung an der markierten Stelle so ab, dass sie in der Grundmenge $\mathbb{N}$ die angegebene Lösungsmenge besitzt.

a) $2 \cdot x + 3 = -1$ L = {2}
b) $-3 \cdot x + 5 = 14$ L = {3}

◒ **5** Mirella spart für ein Regal, das 114 € kostet. Wenn sie ihr Taschengeld sechs Monate lang zurücklegt, kann sie sich das Regal kaufen und hat noch 18 € übrig.

a) Markiere die Gleichung, die zu Mirellas Überlegung passt.

___ $114 - 6 \cdot x = 18$ ___ $6 \cdot x + 18 = 114$ ___ $6 \cdot x - 114 = 18$

b) Lege eine Grundmenge fest und bestimme die Lösungsmenge der Gleichung.

x steht für ______

Mirella bekommt monatlich ___ € Taschengeld.

◒ **3** Ändere die Gleichung so ab, dass sie in der Grundmenge $\mathbb{N}$ die angegebene Lösungsmenge besitzt.

a) $-5x = x - 6$ L = { }
b) $10 + 5x - 8 = 6x + 2$ L = $\mathbb{N}$

◒ **4** Christian sammelt 1-Cent-Münzen. Er behauptet: Wenn ich die Anzahl meiner Münzen verdopple und noch 1000 sammle, habe ich achtmal so viel wie jetzt. Ist das möglich? **Begründe**.

● **5** Eine Gleichung in der Grundmenge G hat die Lösungsmenge L. **Begründe**, ob die Aussage wahr oder falsch ist. [T1]

a) $G = \mathbb{N}$; L = {4}: L ist auch Lösungsmenge der Gleichung in der Grundmenge $\mathbb{Q}$. ☐ wahr ☐ falsch

______

b) $G = \mathbb{Q}$; L = G: L ist auch Lösungsmenge der Gleichung in der Grundmenge $\mathbb{N}$.
☐ wahr ☐ falsch

______

[T1] Dass eine Aussage falsch ist kann man durch ein Gegenbeispiel begründen.

○ **1** Löse die Gleichungen in der Grundmenge $\mathbb{Z}$ und bestimme die Lösungsmenge. Die Lösungen zeigen dir den Weg zu dem Lösungswort: ____ ____ ____ ____ ____.

a) $4x - (-x + 8) = 2$

b) $-3 = -7 + (2x - 10)$

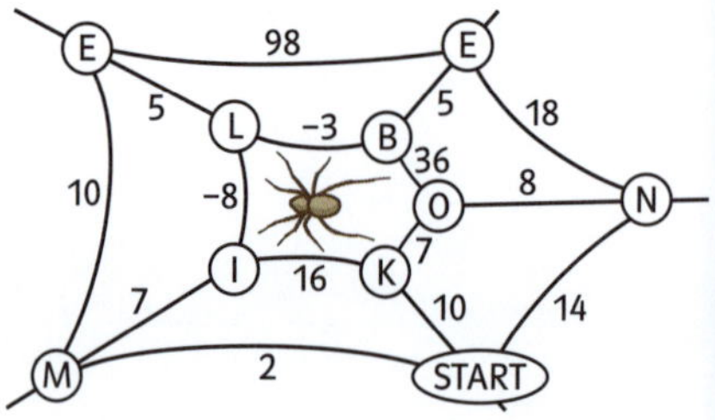

c) $3(2x + 4) = 4x - 4$

d) $x + (3 - 3x) = 7 - (5x + 13)$

e) $56 - 2(2x - 1) = 2(x + 14)$

○ **2** Notiere auf der blauen Karte denjenigen Begriff, der beim Lösen der Gleichung von Bedeutung ist. Löse diese anschließend.

Plusklammer | Ausmultiplizieren | Minusklammer | binomische Formel

a) $2 \cdot (4x + 3) = -18$

Ausmultiplizieren

b) $35 - (x + 6) = 22$

c) $(x - 8) \cdot (x + 8) = x^2 + 16x$

d) $6x - 9 = 2x + (3x - 5)$

e) $(x - 5)^2 = x^2 + 30$

f) $11 - x^2 = (4 - x) \cdot (x + 3)$

○ **3** **Überprüfe** die Lösungen mithilfe der Probe. Kreuze an.

	Gleichung	Lösungsmenge	✓	f
a)	$7 - 3x = 5 - (2x + 2)$	$L = \{4\}$		
b)	$5x - 3 \cdot (4x + 1) = 27 + 8x$	$L = \{2\}$		

◒ **3** Elvira hat Gleichungen gelöst. **Überprüfe** ihre Lösungen mithilfe der Probe. Kreuze an.

	Gleichung	Lösungsmenge	✓	f
a)	$2(3 - x) = 6 - (2 + x)$	$L = \{4\}$		
b)	$10x - 5 - (7x - 25) = 8x + (6 - 12x)$	$L = \{-2\}$		

4 Umkreise alle **Fehler** und korrigiere darunter.

$2 - 5(2 - x) = 4(x + 5) - 8$ | Klammer auflösen
$2 - 10 - 5x = 4x + 20 - 8$ | vereinfachen
$8 - 5x = 4x + 12$ | $-4x$
$8 - x = 12$ | -8
$x = 4$

5 Notiere auf der Karte, ob die Gleichung keine (k), eine (e) oder unendlich (u) viele Lösungen hat.

___ $(x + 7) \cdot (3 - x) = -x^2 - 4x$

___ $x^2 + 3(4x + 12) = (x + 6)^2$

6 Ein Rechteck ist 4 cm länger als breit. Wenn die Länge um 4 cm verlängert und die Breite um 2 cm verkürzt wird, entsteht ein neues Rechteck.

ursprüngliches Rechteck: neues Rechteck:

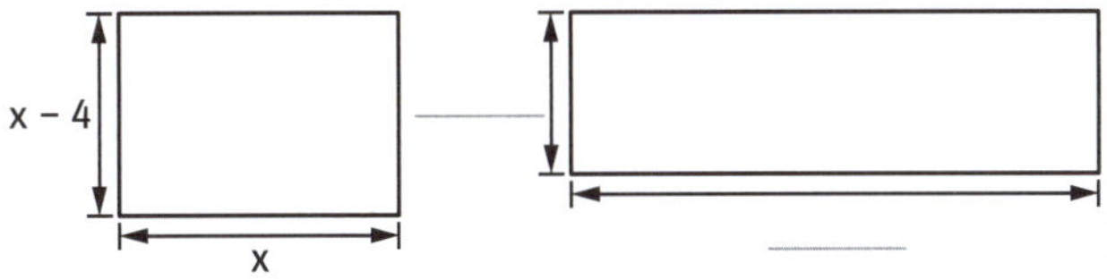

a) Beschrifte das neue Rechteck.
b) Gib einen Term für den Flächeninhalt an.

ursprüngliches Rechteck: ____________

neues Rechteck: ____________

c) Der Flächeninhalt des neuen Rechtecks ist 2 cm² kleiner als der des ursprünglichen Rechtecks. Wie lang sind die Seiten des ursprünglichen Rechtecks?

4 Entscheide, ob die Gleichung keine, eine oder unendlich viele Lösungen hat. Notiere die Lösungsmenge.

a) $3x \cdot (x + 8) + 36 = 3 \cdot (x + 2) \cdot (6 + x)$ | ____________

b) $(x - 7)(x + 5) = (x - 3)^2$ | ____________

c) $-4x \cdot (x + 5) = 24x - (2x + 11)^2$ | ____________

5 Das Paket ist doppelt so lang wie breit und 5 cm breiter als hoch. Das blaue Band ist 2,30 m lang. Für die Schleife wird 40 cm Band benötigt.
Berechne die Maße des Paketes. [T1]

Höhe: ______

Breite: ______

Länge: ______

Breite ______ ; Länge: ______ ; Höhe: ______

[T1] Wähle für die Breite des Paketes x (in cm).

○ **1** Berechne die gesuchte Größe.

	a) Rechteck mit den Seitenlängen a und b	b) Quader mit den Kantenlängen a, b, c
gegeben	$u = 66\,m$; $a = 12\,m$	$V = 84\,cm^3$; $b = 3\,cm$; $c = 7\,cm$
gesucht	Seite b	Kante a
Formel	$u = 2 \cdot a + 2 \cdot b$	$V = a \cdot b \cdot c$
Ergebnis		

a) Rechnung:
$u = 2 \cdot a + 2 \cdot b$

b) Rechnung:
$V = a \cdot b \cdot c$

○ **2** Leonard Euler (1707–1793) bewies, dass für einen Körper, der von ebenen Flächen begrenzt wird, immer gilt: [T1]

$e + f = k + 2$

e: Anzahl der Ecken; f: Anzahl der Flächen; k: Anzahl der Kanten

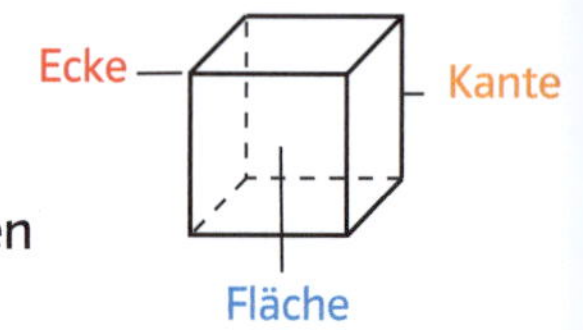

a) **Überprüfe** Eulers Behauptung an diesem Körper:

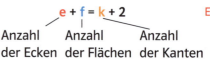

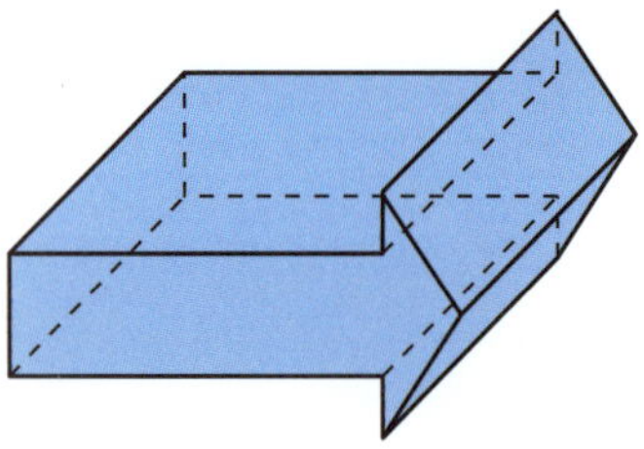

e = ____ ; f = ____

k = ____

e + f = ____

k + 2 = ____

b) Wie viele Kanten hat ein Körper, der 12 Ecken und 8 Flächen besitzt?

○ **3** Chantal wandert mit einer Geschwindigkeit von 5 km/h. Sie ist 90 Minuten unterwegs.
Wie weit ist sie gegangen? [T2]

◒ **3** Mesut legt mit einer Durchschnittsgeschwindigkeit von 6 km/h den 4 km langen Weg zum Fußballtraining zurück. Wie lange ist er unterwegs?

◒ **4** Den Prozentwert berechnet man mit der Formel:

W = ____________. Verbinde passende Karten.

Die Schulsprecherin hat 75 der 300 Stimmen erhalten.	75 = 300 · p%	25 %
Eine 75-g-Tafel Schokolade besteht zu 20 % aus Kakao.	75 = G · 225 %	28
75 % der Schüler wünschen sich Pizza. Das sind 21 Schüler.	W = 75 · 20%	33,33
	21 = G · 75%	357,14
	75 = G · 21 %	15

● **4** Im Durchschnitt betrachtet, wird die Körpergröße eines Menschen nach den Formeln

$l_{Mä} = \frac{l_{Va} + l_{Mu}}{2} - 6{,}5\,cm$ für Mädchen und

$l_{Ju} = \frac{l_{Va} + l_{Mu}}{2} + 6{,}5\,cm$ für Jungen berechnet.

Dabei steht l_{Va} für die Körperlänge des Vaters, l_{Mu} für die der Mutter, $l_{Mä}$ für die Körperlänge der Mädchen und l_{Ju} für die Körperlänge der Jungen.
Berechne mithilfe einer der obigen Formeln, wie groß die Mutter vermutlich ist, wenn der Sohn 1,86 m und sein Vater 1,87 m groß ist.

[T2] Denke daran, dass du mit den gleichen Einheiten rechnen musst. Wandle dazu die Laufzeit von 90 Minuten in Stunden um.

[T1] Eine Kante ist eine Linie, die zwei aufeinandertreffende Flächen bilden. Eine Ecke ist ein Punkt, an dem mehrere Kanten aufeinander treffen.

○ **1** Fülle die Lücken.

a) $(2x - 7) \cdot 5$

$= \_\_\_ - \_\_\_$

b) $4 - 16x$

$= 4 \cdot (\_\_\_ - \_\_\_)$

c) $12y - 20$

$= -4 \cdot (\_\_\_ + \_\_\_)$

d) $(28 + 49a) : 7$

$= \_\_\_ + \_\_\_$

○ **2** Multipliziere und vereinfache.

$(3 + x) \cdot (2x + 3)$

○ **3** Fülle die Lücken mithilfe der binomischen Formeln.

	a	b	$(a + b)^2$	$(a - b)^2$	$(a + b) \cdot (a - b)$
a)	y	11	$(y + 11)^2 = y^2 + 22y + 121$		
b)	5	x			
c)	a	6b			

○ **4** Verwandle in ein Produkt.

a) $x^2 + 12x + 6^2$

b) $b^2 - 22b + 11^2$

c) $a^2 - 15^2$

d) $z^2 - 14z + 49$

e) $36 - 4y^2$

f) $a^2 + 16a + 64$

○ **5** Löse die Gleichung. Mache die Probe und bestimme die Lösungsmenge.

$6x + 14 = 2(x - 3)$ |

x =

Probe:

$G = \mathbb{Q}$: $L = \{\ \}$; $G = \mathbb{Z}$: $L = \{\ \}$; $G = \mathbb{N}$: $L = \{\ \}$

○ **6** Löse die Gleichung.

a) $20 - (80 - 15x) = 15 \cdot (20 - 2x)$

x =

b) $(3x - 2) \cdot (2 + 3x) = 9x^2 + 2x$

x =

○ **7**

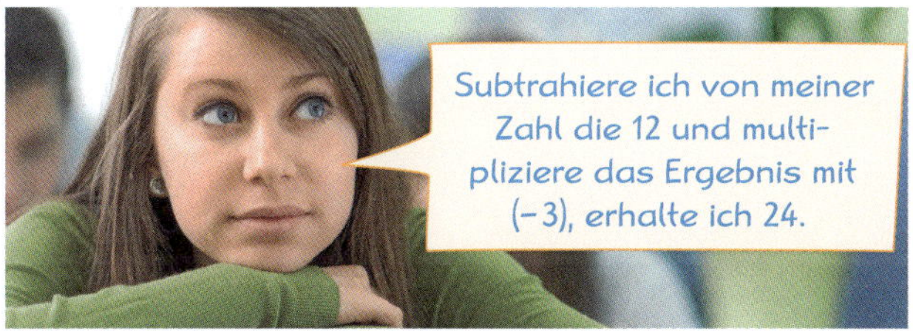

Stelle eine Gleichung auf und berechne Claras Zahl.

○ **8** Der Umfang der nebenstehenden Figur kann mithilfe der Formel $u = 2a + 4b$ berechnet werden. Berechne die fehlenden Werte in der Tabelle.

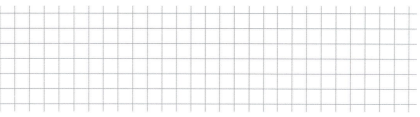

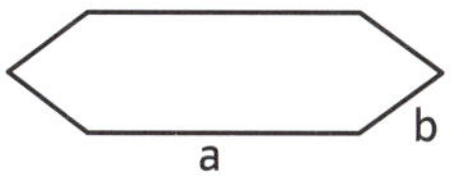

	a)	b)	c)
Seite a	4,2 km		2,5 cm
Seite b	2,5 km	3 m	
Umfang u		22 m	19,8 cm

9 Klammere einen möglichst großen Faktor aus.

a) $8x - 32$ b) $42a + 28b$ c) $25xy - 70x$ d) $65a^2b + 26ab^2$

= ______ = ______ = ______ = ______

= ______ = ______ = ______ = ______

10 Multipliziere jeweils den Term in der Zeile mit dem Term in der Spalte und vereinfache so weit wie möglich.

·	$(y - 4)$	$(5x + 3y)$	$(2y - 2)$	$(5x - 3y)$
$(2y - 2)$				
$(5x + 3y)$				

11 Fülle die Lücken mithilfe der drei binomischen Formeln.

Summe	a	b	± 2ab	Produkt
$4a^2 - 4ab + b^2$	$2a$	b	$-4ab$	$(2a - b)^2$
$100x^2 - 80x + 16$				
$16y^2 + 56y + 49$				
$81x^2 - 144x +$ ____				(____ 8)²
$9c^2 +$ ____				(____ + 10)²
____ $- 4x + 1$				

12 Bei seiner 3-tägigen Wanderung in den Alpen legt Markus insgesamt 52 km zurück. Die steilere Etappe am 2. Tag ist 12 km kürzer als die am 1. Tag. Am 3. Tag muss Markus die dreifache Strecke wie am 2. Tag zurücklegen. Berechne die Längen der einzelnen Etappen.

13 Löse die Gleichung schrittweise und bestimme die Lösungsmenge.

a) $(x + 1) \cdot (x + 2) + 3 = (x + 2) \cdot (x - 2) + 3 \cdot (x + 3)$ b) $2x^2 + 2\left(x + \frac{1}{2}\right) = 2(x + 1)^2 - 2x$

14 Ein ICE hat eine Höchstgeschwindigkeit von 320 km/h. Er legt in 36 s eine Strecke von ______ m zurück. [T1]

Zur Erinnerung: $v = \frac{s}{t}$
mit v = Geschwindigkeit,
s = Strecke, t = Zeit

[T1] Wandle zunächst die 36 Sekunden in Stunden um.

○ **1** Spiegele die Figur an der Symmetrieachse g. Markiere die Fixpunkte in blau.

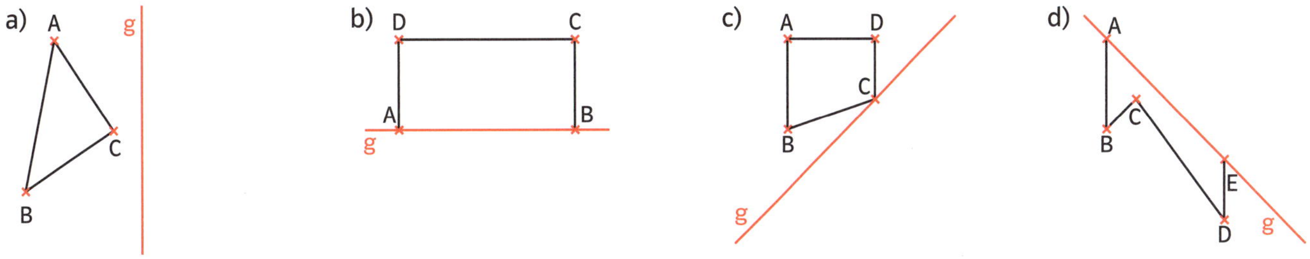

○ **2** Die blaue Figur soll Spiegelbild der schwarzen Figur sein. **Prüfe** und korrigiere falls nötig.

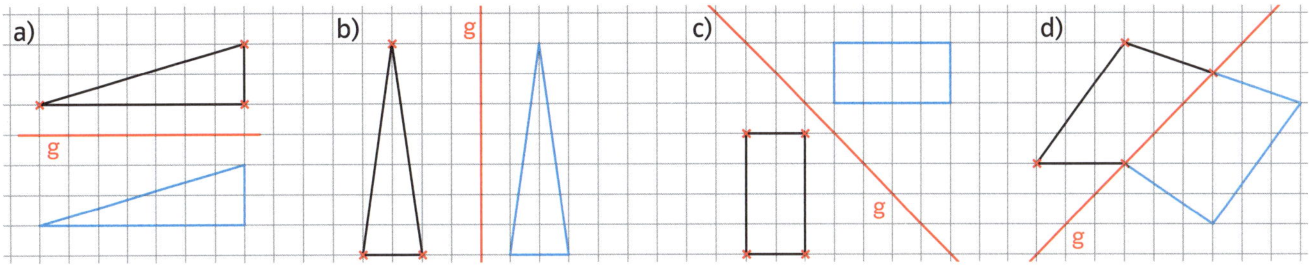

○ **3** Spiegele zuerst an g. Spiegele die entstandene Figur dann an h.

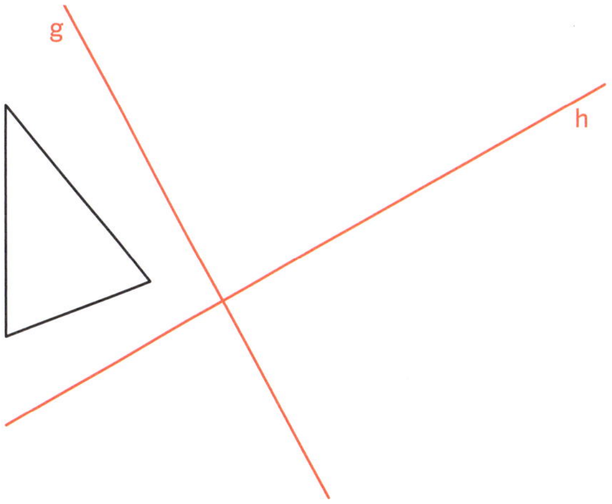

◒ **4** Das Viereck ABCD und der Bildpunkt A′ sind gegeben.
a) Zeichne die Symmetrieachse g ein. **[T1]**
b) Führe die Spiegelung zu Ende.

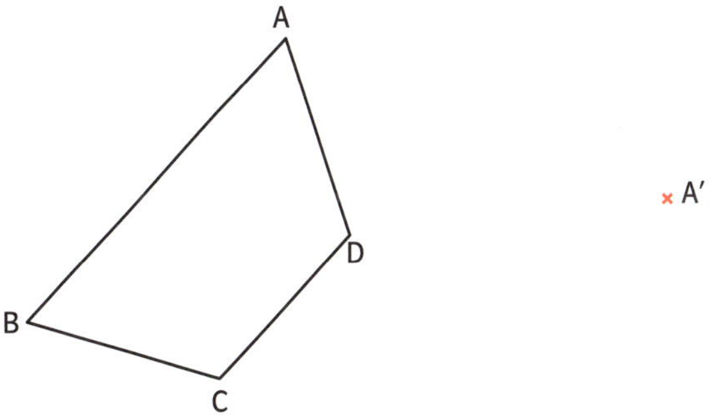

◒ **3** Spiegele die Figur an der Symmetrieachse g.

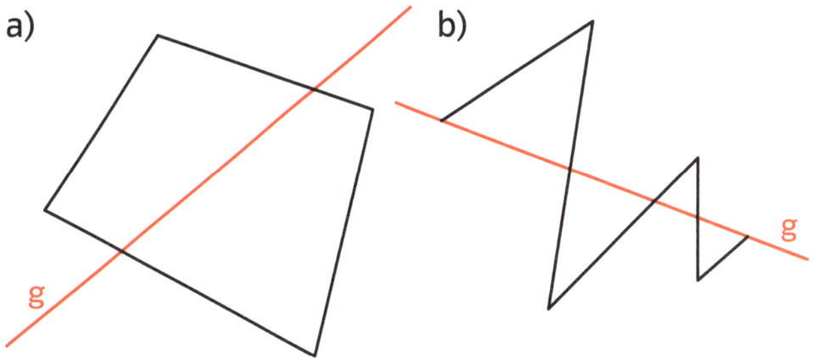

◒ **4** Das Dreieck ABC wird an g gespiegelt.
Die entstandene Figur wird dann an h gespiegelt.
a) Zeichne die Symmetrieachsen g und h ein.
b) Führe die Spiegelungen zu Ende. **[T1]**

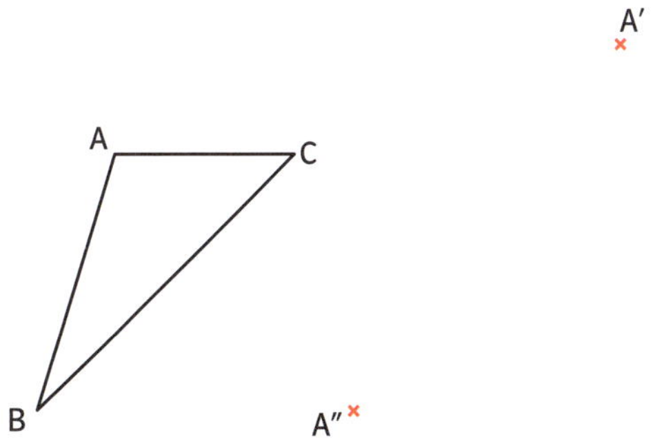

c) Sören behauptet: „Spiegelt man die Bildfigur einer Achsenspiegelung noch einmal, ist der Umlaufsinn wie in der Ausgangsfigur." Was meinst du? **Erkläre**.

____

____

____

[T1] Die Symmetrieachse ist die Mittelsenkrechte der Strecke $\overline{AA'}$.

○ **1** Verschiebe die Figur in Richtung des abgebildeten Verschiebungspfeils.

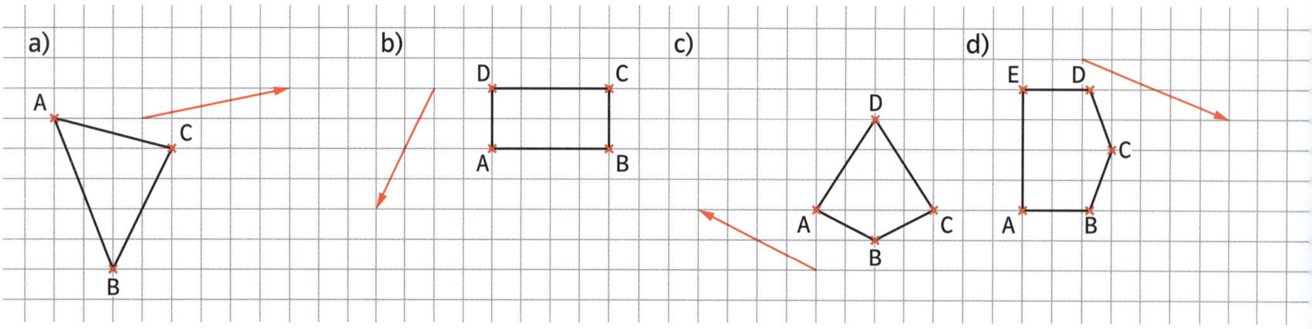

○ **2** Verschiebe die Figur dreimal in einer Zeichnung. Färbe die Figuren jeweils in einer anderen Farbe.

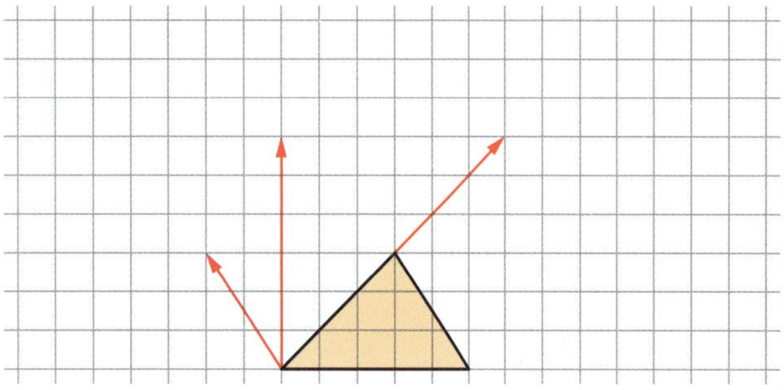

◒ **2** Verschiebe die Figur dreimal in einer Zeichnung. Färbe die Figuren jeweils in einer anderen Farbe.

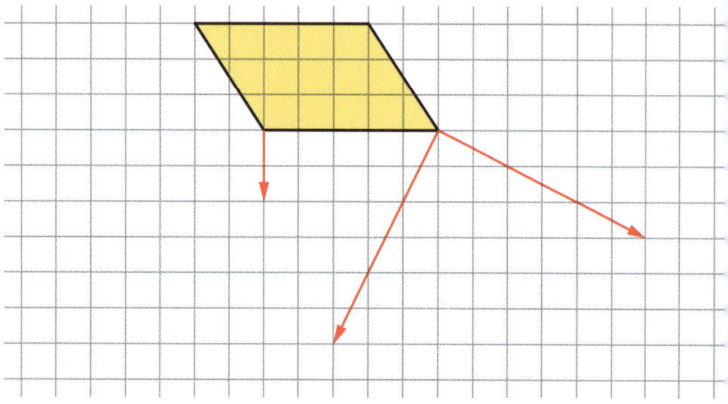

◒ **3** a) Verschiebe die Figur zunächst wie durch den Pfeil a angegeben. Verschiebe die Bildfigur dann wie durch Pfeil b angegeben.

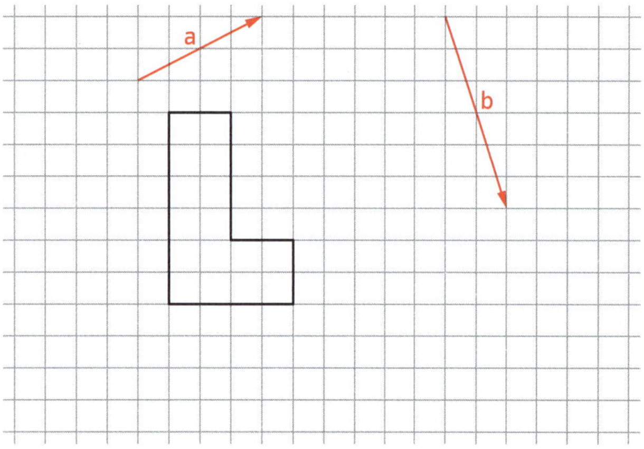

b) Durch welche Verschiebung kann man die beiden ausgeführten Verschiebungen in a) ersetzen? Zeichne den entsprechenden Verschiebungspfeil c.

◒ **3** a) Verschiebe die Figur.
b) Trage die Koordinaten der Bildpunkte ein.

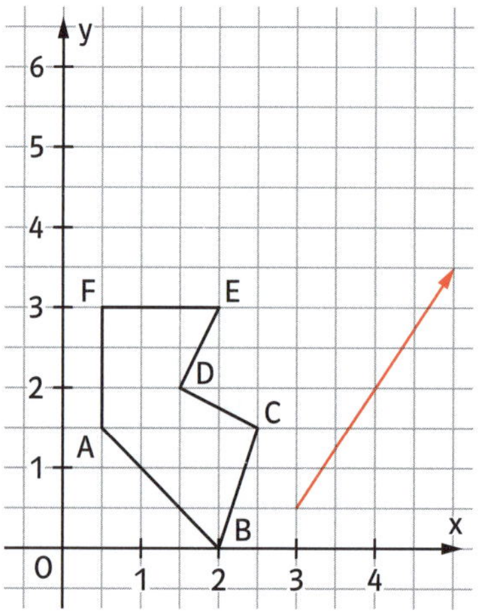

A′(|)
B′(|)
C′(|)
D′(|)
E′(|)
F′(|)

c) P(22 | 18) wird nach derselben Vorschrift verschoben. Gib seine Koordinaten an: P′(|)

◒ **4** Zeichne die Bandornamente bis zum Rand.

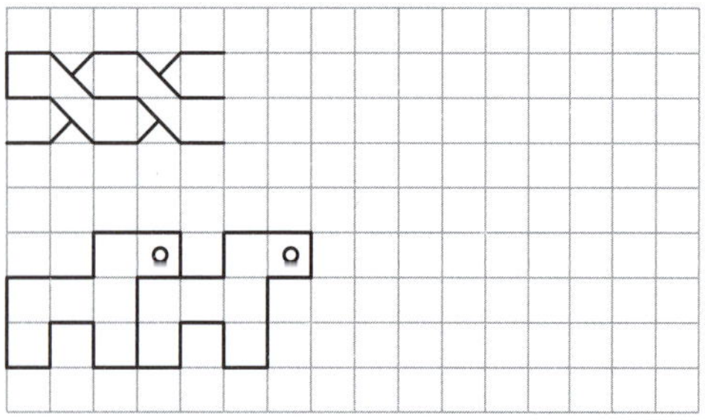

● **4** Färbe eine Grundfigur. Parkettiere dann das ganze Rechteck.

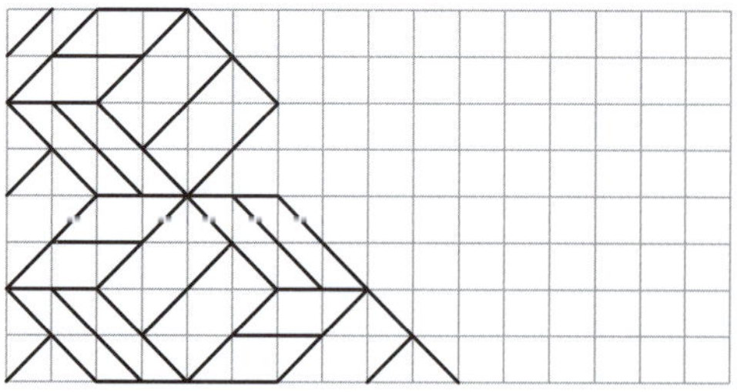

○ **1** Drehe die Figur um das Zentrum Z mit dem Drehwinkel φ.

a) $\varphi = 75°$

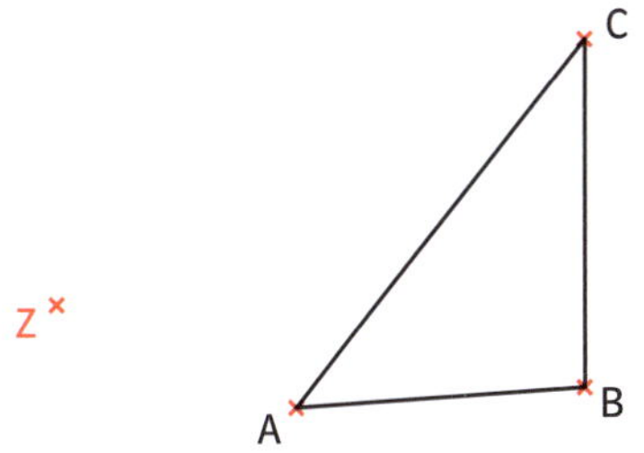

b) $\varphi = 150°$

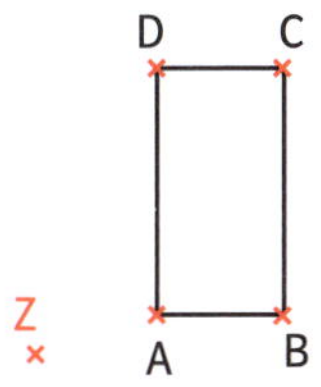

c) $\varphi = 180°$

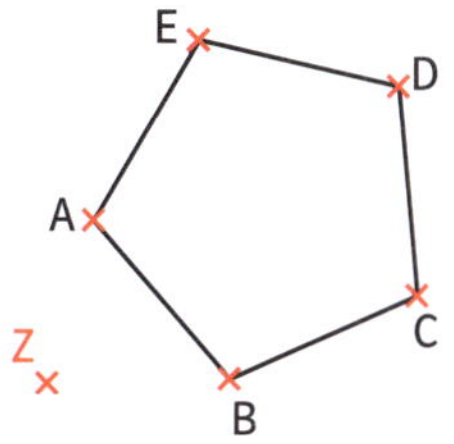

○ **2** a) Zeichne das Dreieck ABC mit A(5 | 1); B(7 | 1); C(6 | 3) und das Drehzentrum Z(4 | 0,5).

b) Drehe das Dreieck um Z mit $\varphi = 90°$.

Die Bildpunkte sind A′(___ | ___);

B′(___ | ___) und C′(___ | ___).

c) Drehe das Dreieck A′B′C′ um Z mit $\varphi = 45°$.

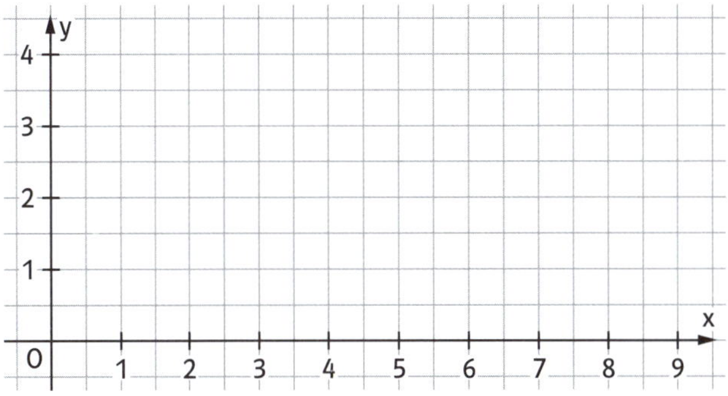

◒ **3** a) Drehe den Fisch um das Drehzentrum Z(3 | 3) mit dem Drehwinkel $\varphi = 180°$.

b) Bestimme die Koordinaten der Bildpunkte.

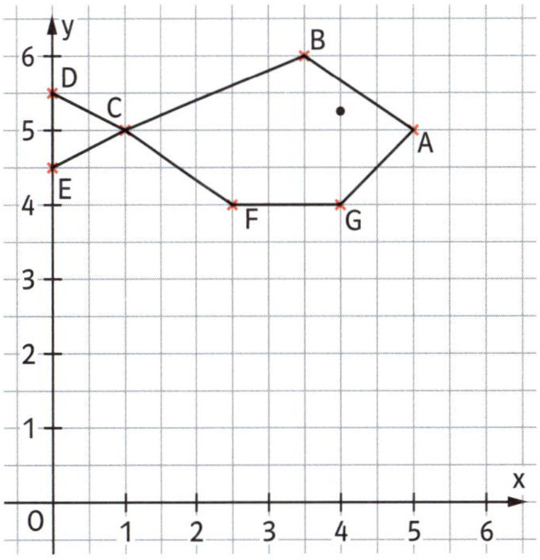

A′(___ | ___);

B′(___ | ___);

C′(___ | ___);

D′(___ | ___);

E′(___ | ___);

F′(___ | ___);

G′(___ | ___)

◒ **2** a) Zeichne das Dreieck ABC mit A(3 | 3,5); B(1 | 3); C(3 | 2) und das Drehzentrum Z(2 | 2).

b) Drehe die Figur um Z mit $\varphi = 160°$.

c) Miss alle Längen und Winkel und notiere sie. Was fällt dir auf?

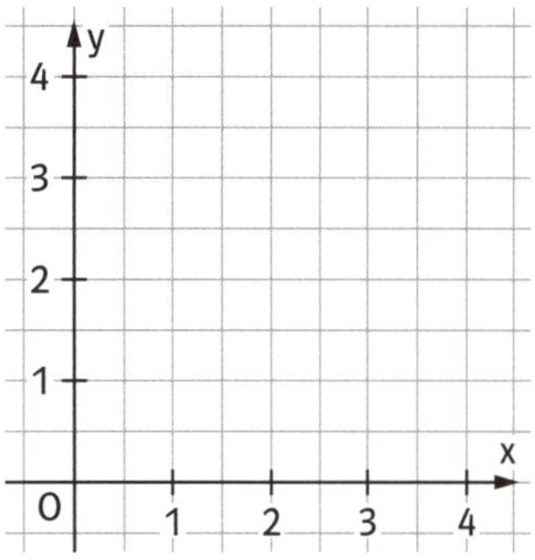

α = ___ °

α' = ___ °

β = ___ °

β' = ___ °

γ = ___ °

γ' = ___ °

$\overline{AB}$ = ___ cm; $\overline{BC}$ = ___ cm; $\overline{AC}$ = ___ cm

$\overline{A'B'}$ = ___ cm; $\overline{B'C'}$ = ___ cm; $\overline{A'C'}$ = ___ cm

____

____

____

● **3** Konstruiere das Drehzentrum Z, bestimme den Drehwinkel φ und vervollständige die Drehung. [T1]

φ = ___ °

[T1] A und A′ liegen ebenso wie B und B′ gleich weit vom Drehzentrum Z entfernt.

○ **1** Finde Paare kongruenter Figuren.

_____ ist kongruent zu _____ .

_____ ist kongruent zu _____ .

_____ ist kongruent zu _____ .

_____ ist kongruent zu _____ .

Zwei Figuren bleiben übrig,

_____ und _____ .

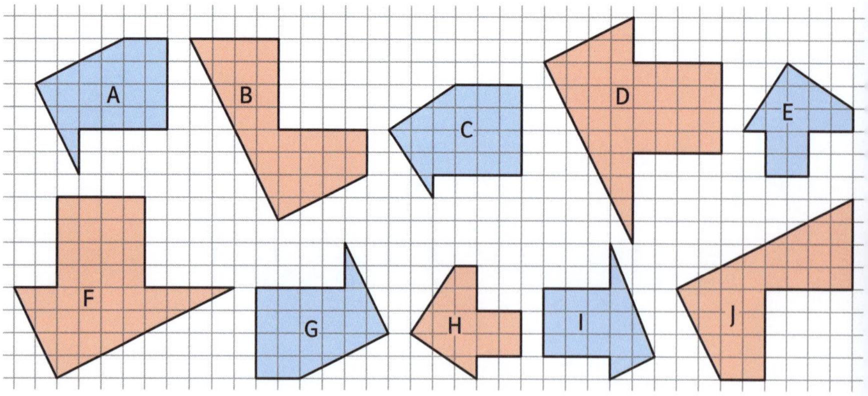

○ **2** Ist die blaue Figur durch eine Kongruenzabbildung entstanden? Wenn ja, notiere durch welche?

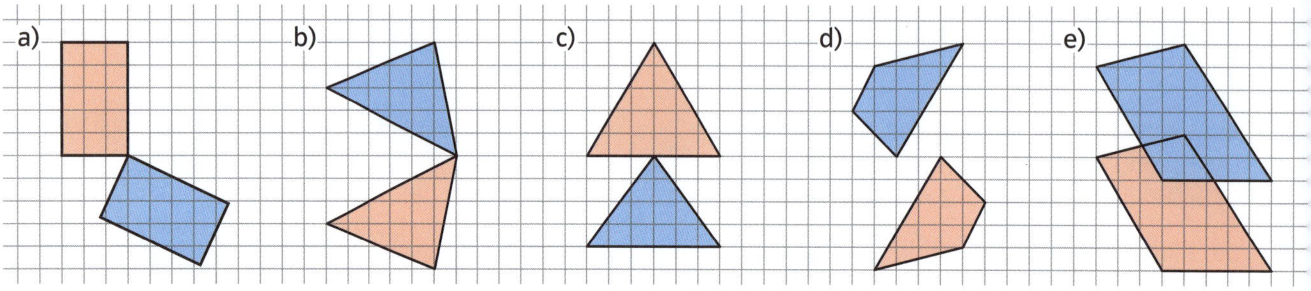

_____ _____ _____ _____ _____

_____ _____ _____ _____ _____

◒ **3** a) Ein Quadrat wurde in Teilfiguren zerlegt. In den folgenden Fällen entstehen dabei lauter

kongruente Teilfiguren: _____

b) Suche zwei weitere Möglichkeiten, das Quadrat in kongruente Teilfiguren zu zerlegen.

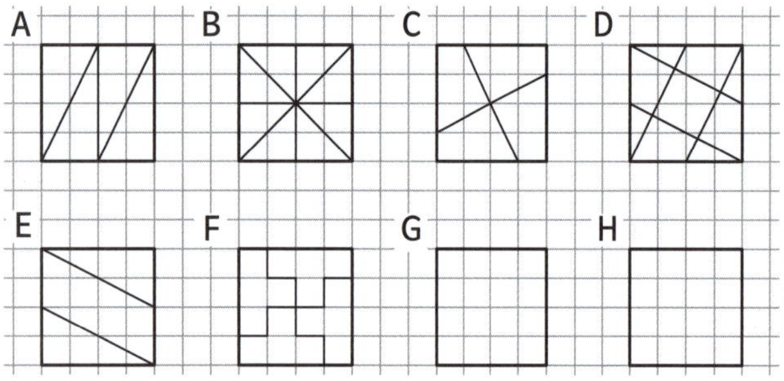

◒ **4** Welche der Fähnchen B bis F können durch

a) Achsenspiegelung:

_____

b) Verschiebung:

_____

c) Drehung

_____

aus Figur A enstanden sein?

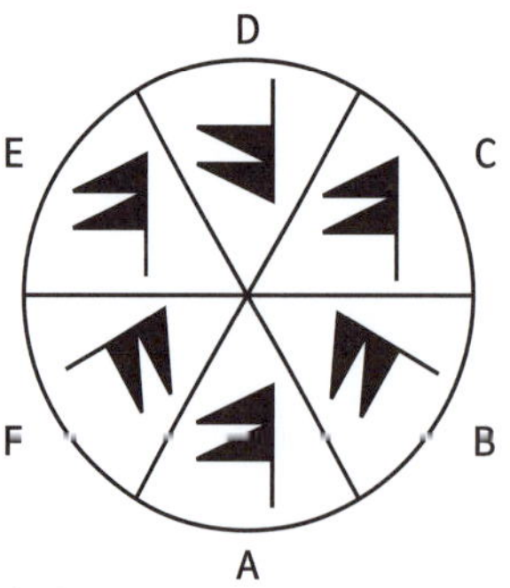

● **3** Kongruente Figuren lassen sich durch Verschieben, Drehen und Spiegeln erzeugen. Zeichne das Dreieck A(1|0), B(3|2) und C(0|4) und seine Bilder.

a) Dreieck A′B′C′ entsteht durch Spiegelung an einer Symmetrieachse.

b) Dreieck A″B″C″ entsteht durch Punktspiegelung.

c) Dreieck A‴B‴C‴ entsteht durch Verschiebung.

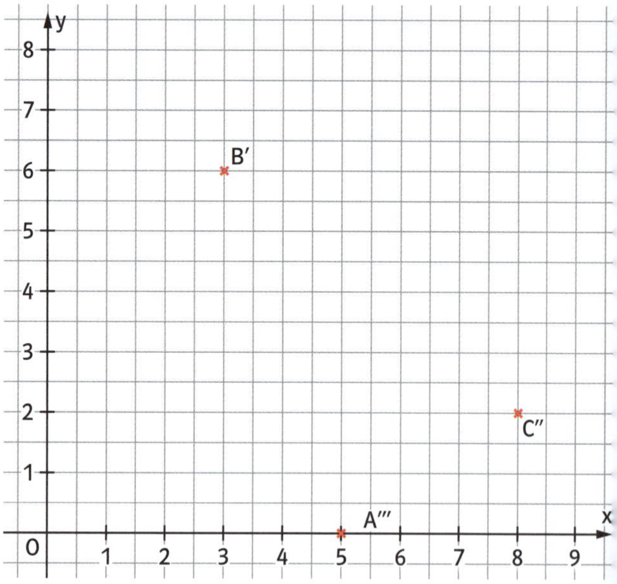

○ **1** Spiegele die Figur an der Symmetrieachse g.

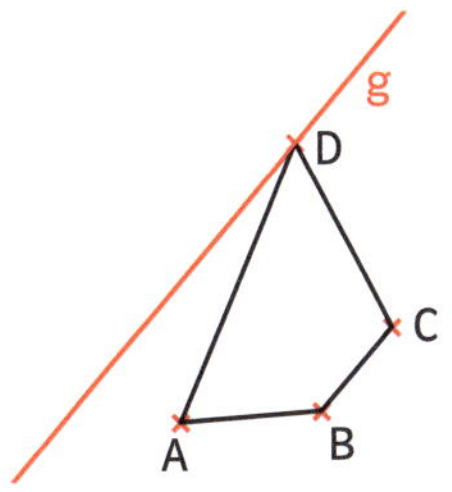

○ **2** Spiegele die Figur am Punkt Z.

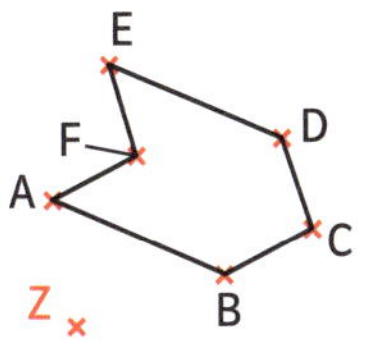

○ **3** Drehe die Figur um das Drehzentrum Z mit $\varphi = 60°$.

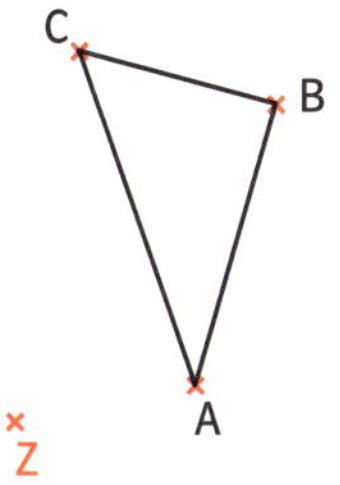

○ **4** Verschiebe die Figur in Richtung des Verschiebungspfeils.

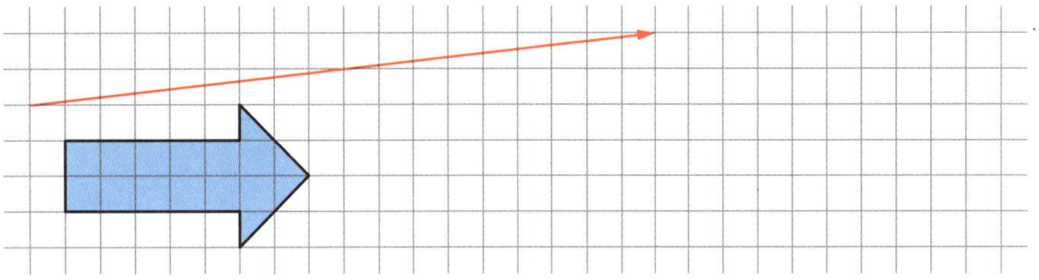

○ **5** Finde in der zweiten Figur die kongruenten Teilstücke aus der ersten Figur. Notiere darin die entsprechende Zahl.

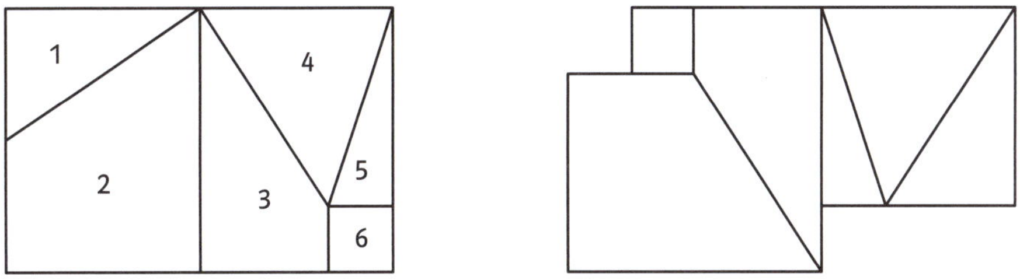

◒ **6** a) Spiegele das Viereck ABCD an der Symmetrieachse g.
b) Drehe das entstandene Viereck A'B'C'D' um das Drehzentrum Z mit dem Drehwinkel $\varphi = 100°$.

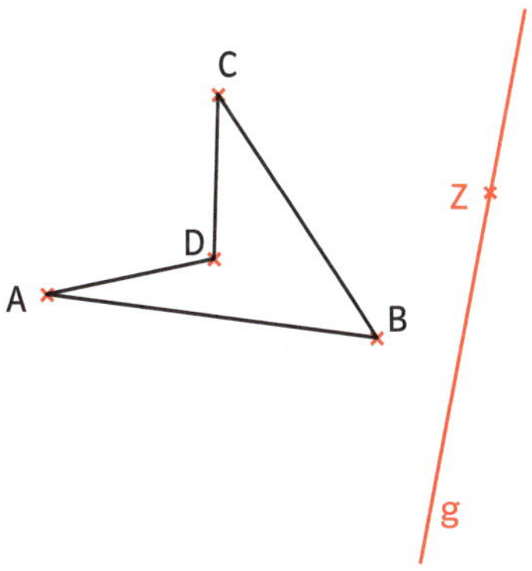

● **7** Die abgebildeten Dreiecke A, B, C und D sind alle durch Kongruenzabbildungen aus dem blauen Dreieck entstanden. Durch welche?

Achsenspiegelung: ____ Verschiebung: ____

Punktspiegelung: ____ Drehung: ____; $\varphi =$ ____°

Zeichne den entsprechenden Verschiebungspfeil, die Symmetrieachse, das Symmetriezentrum und das Drehzentrum ein.

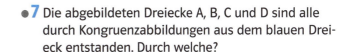

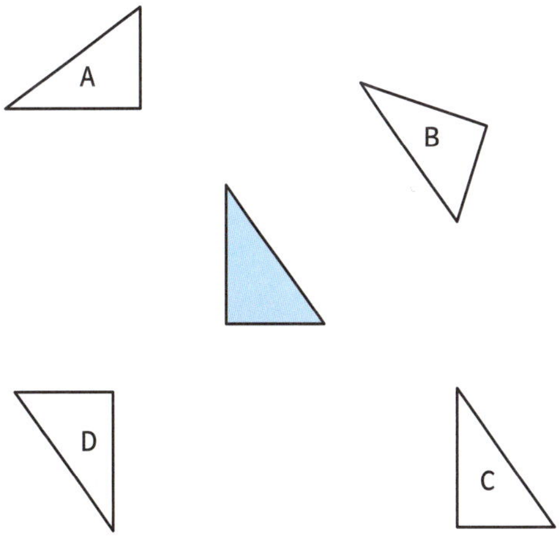

○ **1** Luisa vergleicht die monatlichen Durchschnittstemperaturen in München (blau) und in London (orange).

a) Lies die monatlichen Durchschnittstemperaturen des ersten Halbjahres aus der Grafik ab und notiere sie in der Wertetabelle.

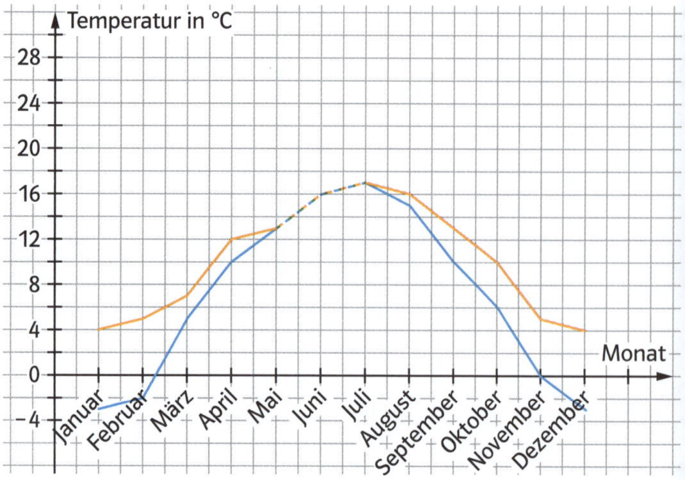

Monat	Jan.	Feb.	Mär.	Apr.	Mai	Jun.
Temperatur in München in °C						
Temperatur in London in °C						

b) Markiere in der Tabelle in Teilaufgabe a) für beide Städte jeweils die tiefste Monatstemperatur in orange und die höchste Monatstemperatur in blau.

c) Zeichne den Graphen der Wertetabelle für die Stadt Rom in das Schaubild ein.

Monat	Jan.	Feb.	Mär.	Apr.	Mai	Jun.	Jul.	Aug.	Sep.	Okt.	Nov.	Dez.
Temperatur in Rom in °C	7	10	12	17	20	23	25	25	20	14	10	6

d) Fülle die Lücken: In München sinkt die Temperatur am stärksten von Monat ________ auf Monat ________ (um ____ °C), in London von ________ auf ________ (um ____ °C) und in Rom von ________ auf ________ (um ____ °C).

○ **2** Kreuze an, ob das Schaubild im Koordinatensystem zu einer Funktion gehört oder nicht. **Begründe**.

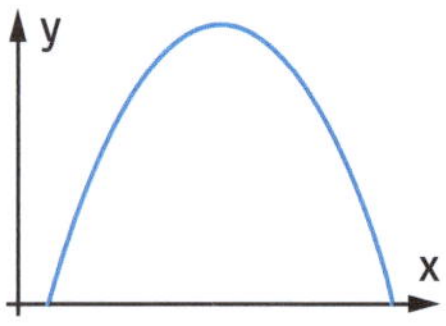

Die Zuordnung ist
☐ eine Funktion/
☐ keine Funktion, denn

sie ist

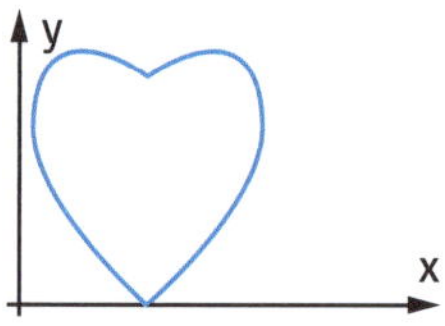

Die Zuordnung ist
☐ eine Funktion/
☐ keine Funktion, denn

____

◒ **3** Das Schaubild zeigt den Wasserstand in einer 1 m hohen Regentonne.

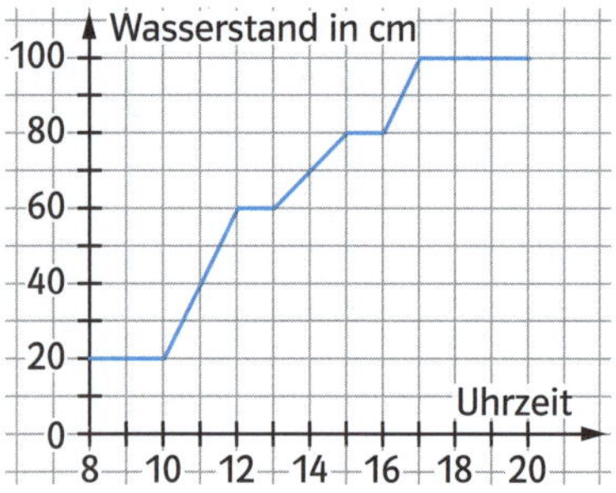

a) Ergänze den Text.

Es hat um ________ Uhr begonnen zu regnen. Am stärksten hat es zwischen ________ Uhr und ________ Uhr geregnet. Zwischen 12:00 Uhr und 13:00 Uhr ________________.

b) Hat es um 19:00 Uhr geregnet? ________________

____

____

____

◒ **3** Ein Rennfahrer durchfährt mehrmals eine Trainingsschleife und zeichnet seine beste Runde auf. Fülle die Lücken.

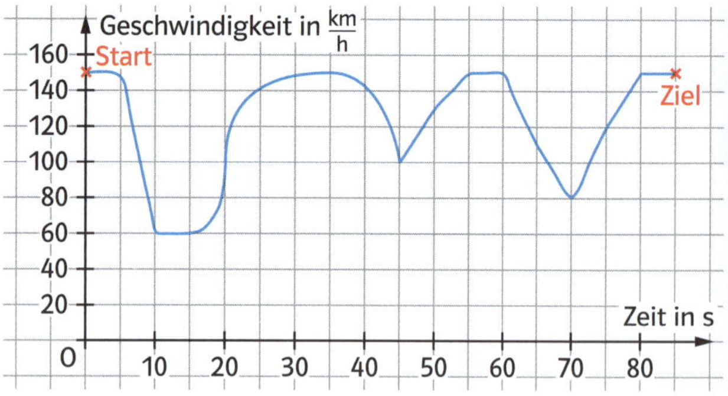

Die höchste Geschwindigkeit betrug ____ km/h, die niedrigste ____ km/h. Insgesamt dauerte die Trainingsrunde ____ s. Im Streckenverlauf gibt es ____ Kurven, die engste nach etwa ____ Sekunden.

Der Start der Runde ist im Streckenverlauf mit ____ gekennzeichnet.

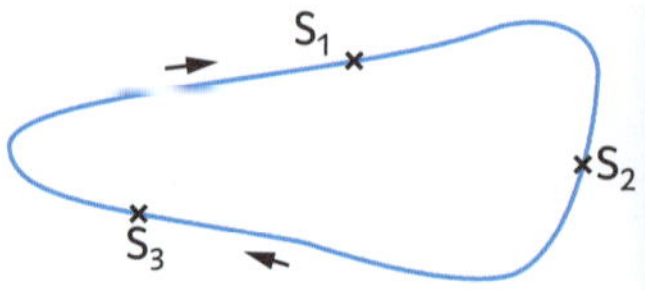

○ **1** a) Fülle die Wertetabellen aus und ordne den Funktionen das passende Schaubild (A oder B) zu.

$f(x) = 0{,}5x$ Schaubild ___

x	0	1	2	3	4
f(x)					

$f(x) = -\frac{1}{2}x + 2$ Schaubild ___

x	0	1	2	3	4
f(x)					

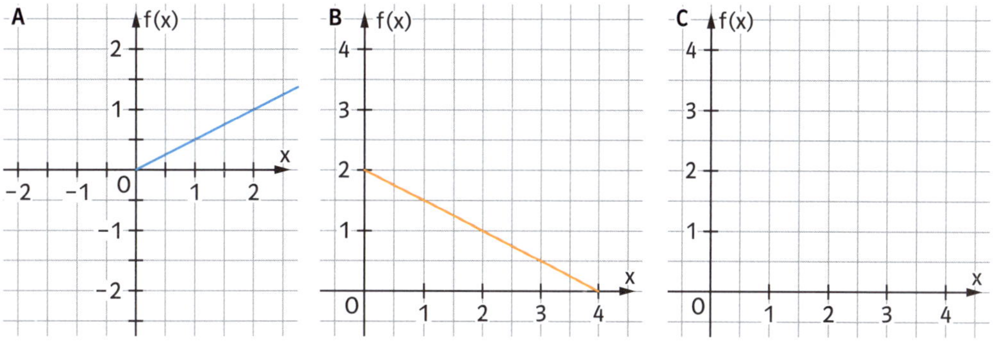

b) Zeichne das Schaubild zu $f(x) = x + 1$ (siehe Wertetabelle) in das leere Koordinatensystem (C).

$f(x) = x + 1$

x	0	1	2	3	4
f(x)	1	2	3	4	5

c) Liegt Punkt P(10 | 12) auf der Geraden $f(x) = x + 2$? Setze dazu die Koordinaten ein.

____

____

d) Ordne die Schaubilder A bis C einer Sachsituation zu.

___ Ein Stift kostet 1 €. Hinzu kommt eine Versandpauschale von 1 €.

___ Jedes Los kostet 0,50 €.

___ Pro Stunde wird die 2 cm dicke Eisschicht um $\frac{1}{2}$ cm dünner.

○ **2** Bei der Wertetabelle für die Funktion $y = 2x + 1$ hat Meike einige **Fehler** gemacht.

a) Korrigiere.

x	−2	−1	0	1	2
y	~~5~~	−1	2	3	6

b) Zeichne den Funktionsgraphen in das Koordinatensystem.

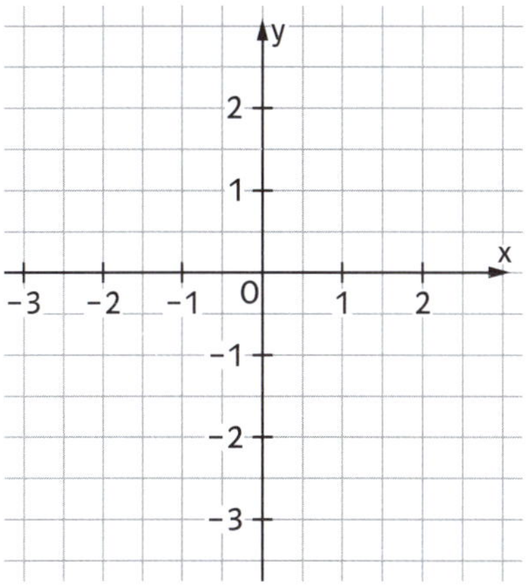

◒ **3** Die Wertepaare gehören zur Funktionsgleichung. Fülle die Lücken.

a) $y = 2x - 4$ (3 | ___)

b) $y = -x - 2$ (−4 | ___)

c) $y = 0{,}5x - 6$ (2 | ___)

d) $y = 3x + 0{,}5$ (−4 | ___)

◒ **2** a) Welche Funktionsgleichung gehört zu welchem Graphen? Markiere mit der entsprechenden Farbe.

☐ $y = 0{,}5x + 2$
☐ $y = 2x + 2$
☐ $y = 3x - 1$

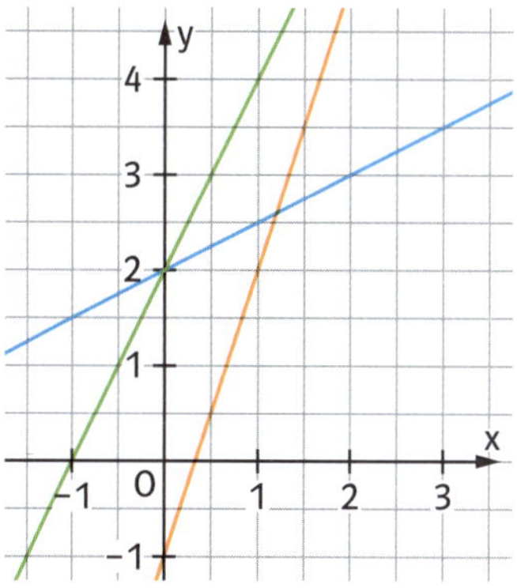

b) „Eine Zahl wird um 2 vermehrt.“ Gib die Funktionsgleichung an:

y = ______________

Zeichne den Funktionsgraphen in das Koordinatensystem aus Teilaufgabe a).

● **3** An einem −3 °C kalten Wintertag fällt ab 8:00 Uhr stündlich 2 cm Schnee zur Erde. Die Schneedecke war zu Beginn des Tages 17 cm hoch.

a) Stelle eine Funktionsgleichung für die Gesamthöhe der Schneeschicht auf.

y = ____ · x + ____

b) Am Ende des Tages ist die Schneedecke 33 cm hoch. Es hat ____ Stunden geschneit.

○ **1** Zeichne ein Steigungsdreieck in das Schaubild ein. Gib die Steigung m und die Funktionsgleichung an.

a)

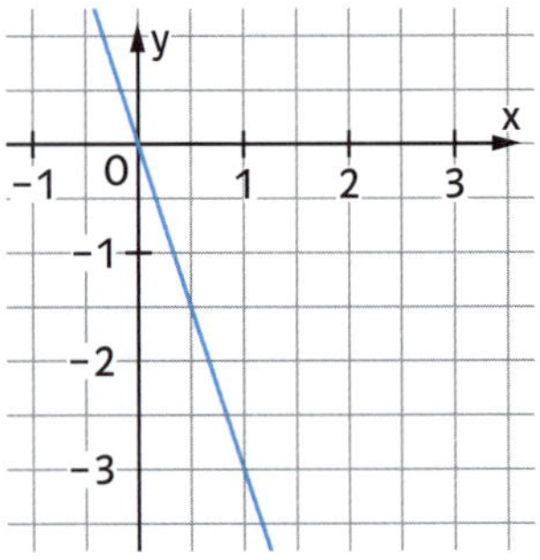

m = ______ ; y = ______

b)

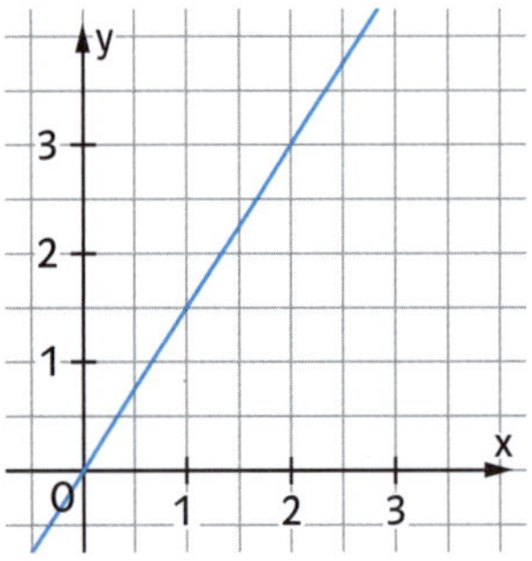

m = ______ ; y = ______

○ **2** Gegeben sind die Funktionsgleichungen der Geraden g: y = 3x und der Geraden h: y = −x.

a) Notiere jeweils die Steigung der Geraden.

g: m = ______ h: m = ______

b) Zeichne die Graphen.

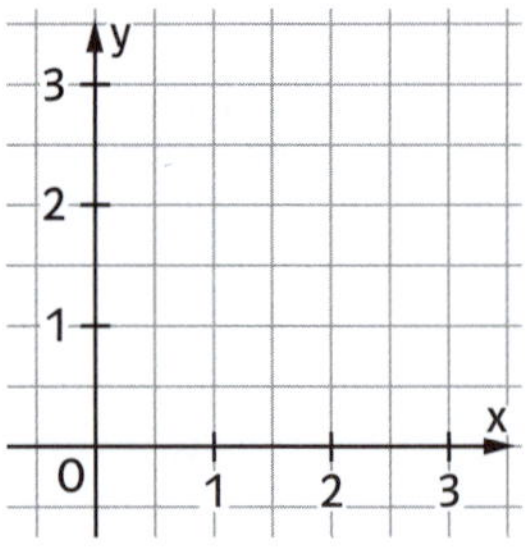

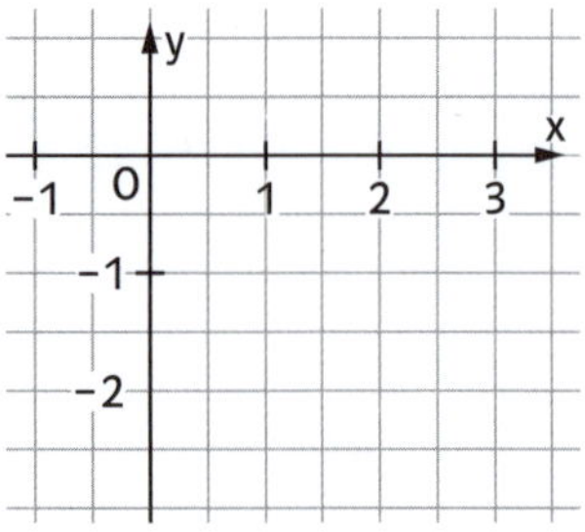

○ **3** Zeichne den Graphen der Funktion, die durch den Ursprung und durch den angegebenen Punkt geht. Notiere die Steigung, die Funktionsgleichung und die Quadranten, durch die die Gerade verläuft.

a) P(−1 | −2); m = ______ ; y = ______ 1. und ______ Quadrant

b) Q(2 | −1); m = ______ ; y = ______ ______ und ______ Quadrant

c) R(2 | 1); m = ______ ; y = ______ ______ und ______ Quadrant

d) S(1 | −2); m = ______ ; y = ______ ______ und ______ Quadrant

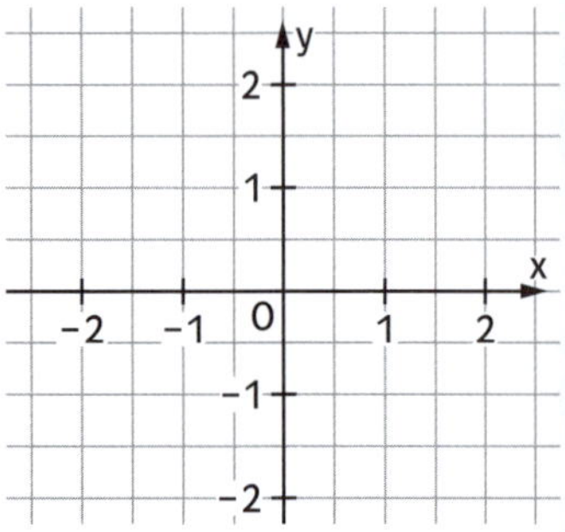

○ **4** Die Wertetabelle gehört zu einer proportionalen Funktion. Zeichne den Graphen und gib die Funktionsgleichung an.

a)

x	−0,5	0	0,5
y	−1,5	0	1,5

y = ______

b)

x	−1	0	1
y	1,5	0	−1,5

y = ______

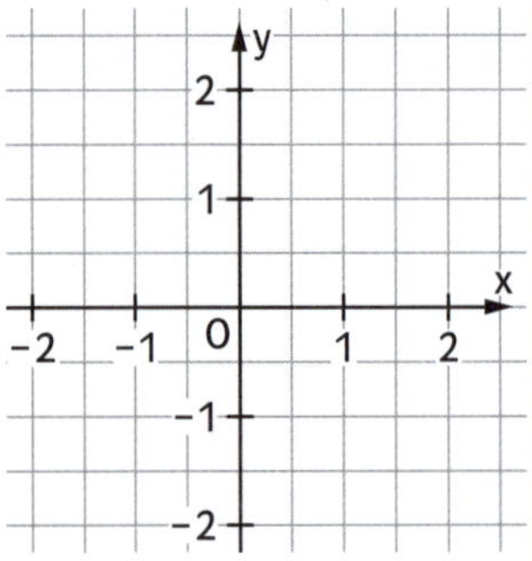

◒ **5** Pia fährt Skateboard.

a) Berechne die Steigung der Rampe beim Anstieg.

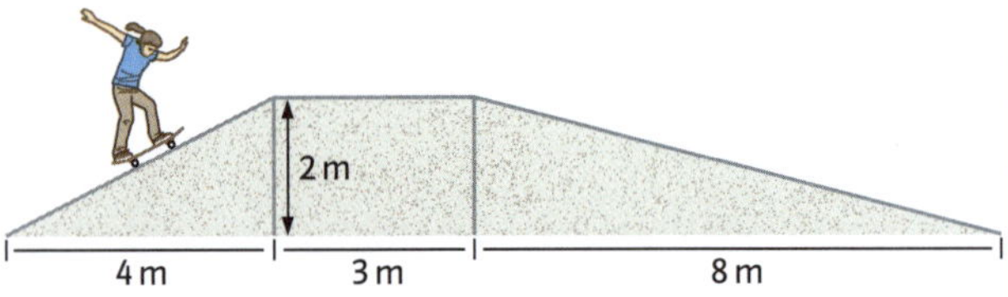

m = ______ = ______

b) Berechne die Steigung bei der Abfahrt.

m = ______ = ______ [T1]

◒ **4** Notiere die Funktionsgleichung der Gerade.

g_1: y = ______ g_2: y = ______

g_3: y = ______ g_4: y = ______

g_5: y = ______

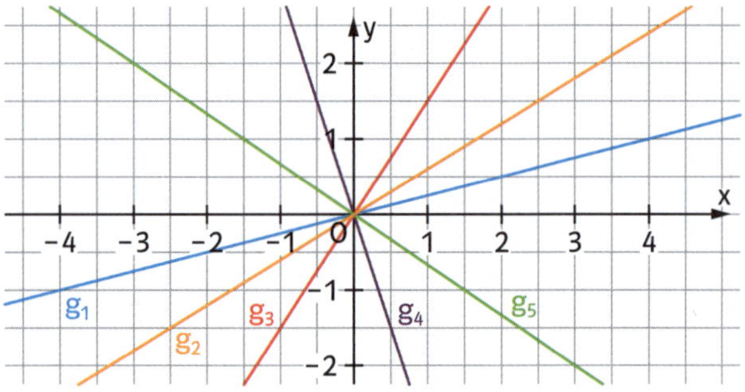

● **5** Notiere eine Funktionsgleichung für eine Gerade die

a) steiler als $y = 2{,}5x$ verläuft:

______

b) flacher als $y = \frac{1}{3}x$ verläuft:

______

c) steiler als $y = \frac{1}{2}x$ und flacher als $y = x$ verläuft:

______

[T1] Markiere den Anfangs- und Endpunkt der jeweiligen Strecke und zeichne das Steigungsdreieck zwischen den beiden Punkten ein.

○ **1** Bestimme jeweils die Funktionsgleichung.

a) g_1: m = ______

c = ______

y = ______

g_2: m = ______

c = ______

y = ______

g_3: m = ______

c = ______

y = ______

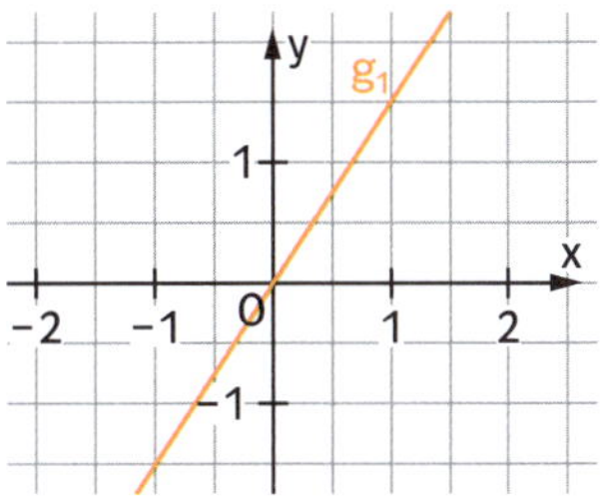

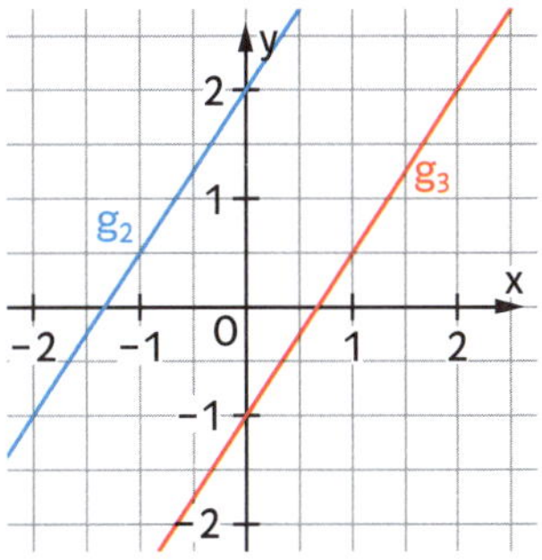

○ **2** Lies den y-Achsenabschnitt c ab und bestimme die Steigung. Gib die Funktionsgleichung an.

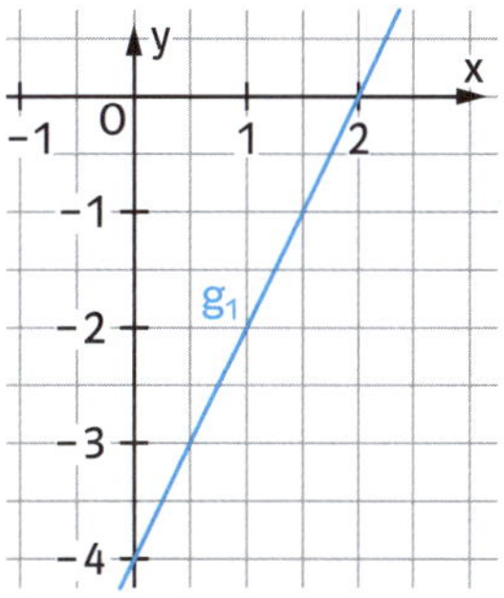

c = ____ ; m = ____

g_1: y = ______

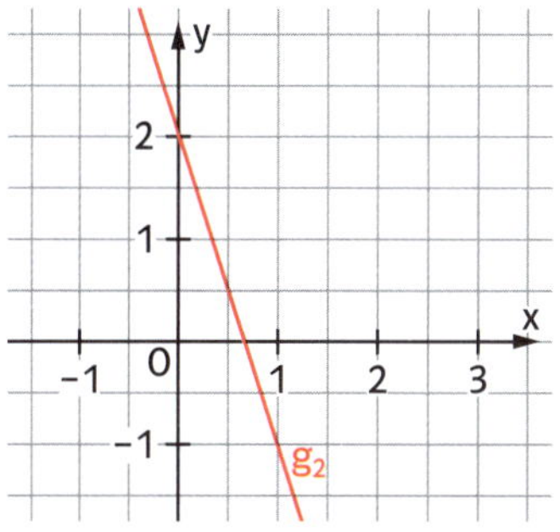

c = ____ ; m = ____

g_2: y = ______

○ **3** Zeichne die Gerade mit der Funktionsgleichung $y = \frac{1}{2}x - 1$ in das Koordinatensystem. Markiere erst den y-Achsenabschnitt c = ____, trage dann ein Steigungsdreieck mit der Steigung m = ____ ein.

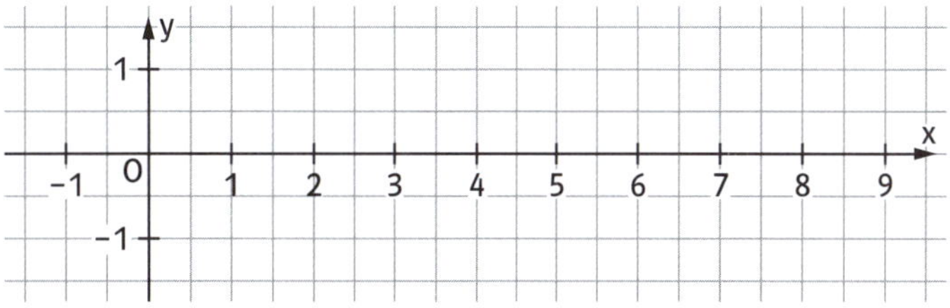

○ **4** a) Zeichne die Graphen der Funktionen in das Koordinatensystem.

g_1: $y = 2x - 2$

g_2: $y = -3x + 1$

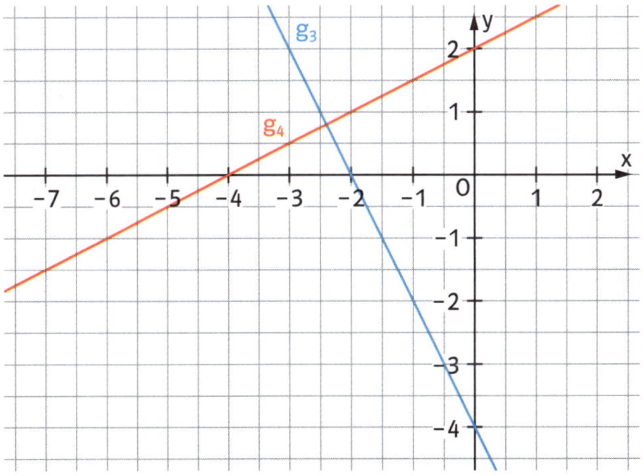

b) Notiere die Funktionsgleichungen der Geraden.

g_3: m = ____ ; c = ____ ; y = ______

g_4: m = ____ ; c = ____ ; y = ______

◒ **4** a) Gib die Funktionsgleichungen für die Geraden an. [T1]

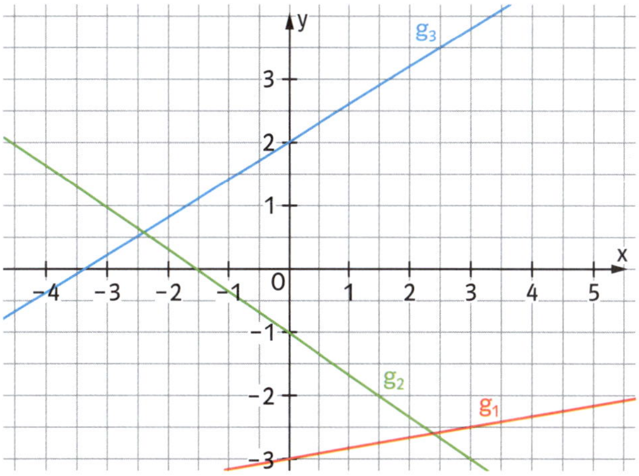

g_1: y = ______ g_2: y = ______

g_3: y = ______

b) Zeichne die Graphen der Funktionen in das Koordinatensystem.

g_4: $y = \frac{1}{4}x + 1$ g_5: $y = -\frac{3}{4}x + 4$ g_6: $y = \frac{5}{3}x - 2$

[T1] Suche dir eine günstige Stelle an der Geraden, wo du das Steigungsdreieck einzeichnen kannst.

○ **5** Jeweils drei Kärtchen gehören zusammen. Verbinde und fülle die Lücken.

y = ____ x − 1	y = −5x − 3	y = −3x − ____
m = 5; c = −1	m = − 3; c = −5	m = −5; c = −3

x	−2	1	2
y	1	−8	−11

x	−1	0	3
y	−6	−1	14

x	−2	1	
y	7		−18

◒ **6** a) Zeichne mithilfe der Angaben die Geraden und bestimme ihre Funktionsgleichungen.

– P(−1 | 3,5); Q(2 | 2)

y = ____________

– R(1 | −1,5); c = −3

y = ____________

– S(−2 | −1); $m = \frac{1}{2}$

y = ____________

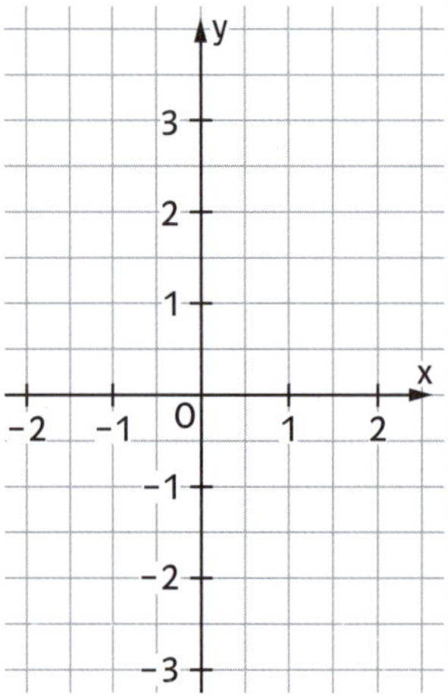

b) Michael behauptet: „Die Geraden schneiden sich im Punkt T(3 | 1,5). Hat er recht? Berechne.

◒ **7** Frau Blank hat von ihrer Tante 4800 € geliehen. Sie bezahlt das Geld in monatlichen Raten von 400 € zurück.

a) Stelle eine Funktionsgleichung zur Berechnung der Restschuld y auf.

x: Anzahl der ____________

y = ________ − ________ · x

b) Nach ____ Monaten hat sie ihre Schulden bezahlt.

c) Nach 5 Monaten muss sie noch ______ € zahlen.

◒ **5** Die Punkte A(0 | 0), B(5 | 0,5) und C(1 | 1,5) bilden die Eckpunkte eines Dreiecks.

a) Zeichne die Geraden durch die Eckpunkte.

b) Bestimme die Funktionsgleichungen.

– durch A und B:

y = ____________

– durch A und C:

y = ____________

– durch B und C:

y = ____________

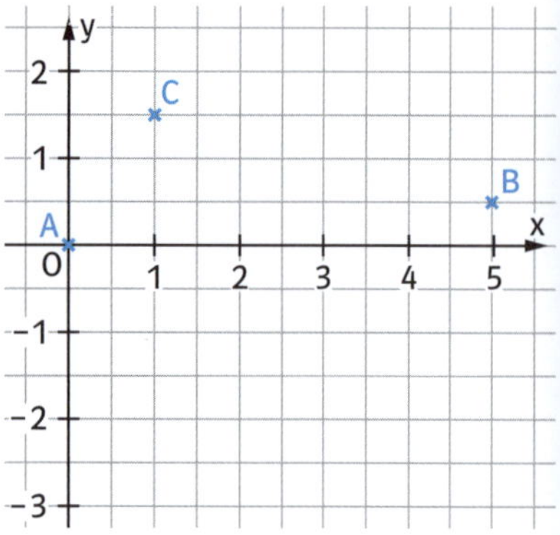

◒ **6** Die Koordinaten des Steigungsdreiecks sind gegeben. Bestimme die Geradengleichung. Notiere erst die Seitenlängen des Dreiecks.

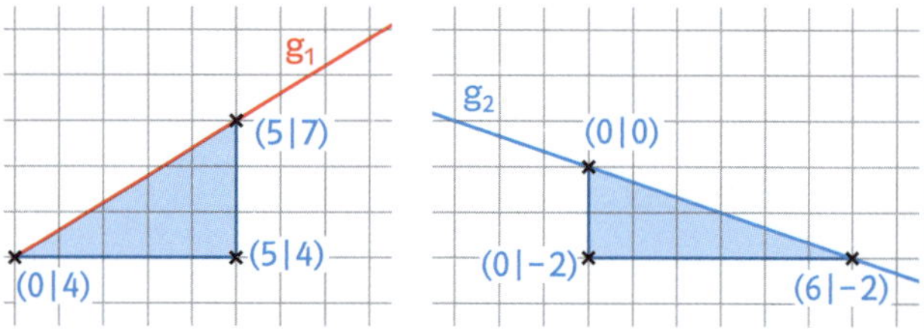

g_1: y = ____________ g_2: y = ____________

● **7** Ein zu 60 % gefüllter Feuerwehrtankwagen (Gesamtvolumen: 16 000 l) soll entleert werden. In einer Viertelstunde laufen 6000 l ab. Nach welcher Zeit ist der Tank leer?

a) Der Wagen ist momentan mit

____________ gefüllt.

b) In einer Minute

laufen ________ Liter

Wasser ab.

c) Die zugehörige Funktionsgleichung

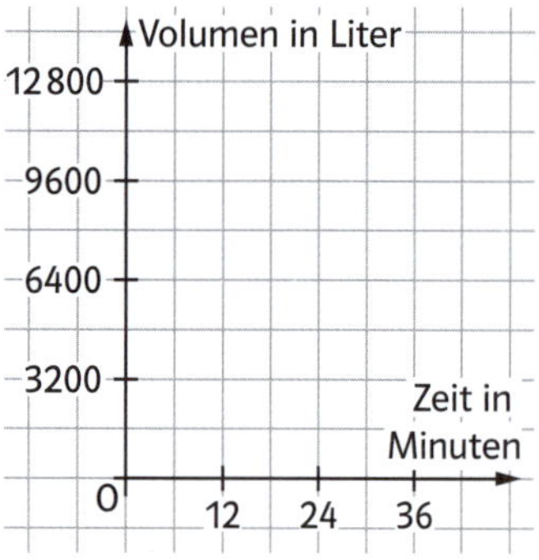

lautet: y = ____________.

d) Zeichne den Graphen der Funktion.

e) Nach 20 Minuten sind noch ____________ im Tankwagen.

f) Bei einem Füllstand von 6400 l sind ________ Minuten vergangen.

g) Nach ________ Minuten ist der Tank leer.

○ **1** a) Vervollständige: Zwei Geraden verlaufen parallel zueinander, wenn sie die ______________________ haben.

b) Markiere alle Geradengleichungen, die zu $y = -2x + 7$ parallel verlaufen, grün und alle, die zu $y = 0{,}5x - 1$ parallel verlaufen, blau.

$y = -2x$ | $y = \frac{2}{4}x + 3$ | $y = -\frac{2}{1}x + 8$ | $y = 2x + 6$ | $y = \frac{1}{2}x + 2$ | $y = -\frac{4}{2}x + 0{,}5$ | $y = -2x + 0{,}25$ | $y = 0{,}5x$

c) Finde drei Geradengleichungen, deren Geraden parallel zu $y = -4x - 0{,}5$ verlaufen.

m = __________ Z.B.: g_1: y = ______________ g_2: y = ______________ g_3: y = ______________

○ **2** a) Vervollständige den Merksatz: Zwei Geraden mit den Steigungen m_1 und m_2 verlaufen senkrecht zueinander, wenn das Produkt der Steigungen den Wert ______ hat. Kurz: ______________

b) Markiere Funktionsgleichungen, deren Graphen zueinander senkrecht verlaufen, mit derselben Farbe.

$y = \frac{1}{2}x + 3$ | $y = -\frac{5}{2}x + 0{,}9$ | $y = -2x - 3$ | $y = 3x + 2$ | $y = -\frac{1}{2}x - \frac{1}{2}$ | $y = 2x - 5$ | $y = -\frac{1}{3}x + 5$ | $y = \frac{2}{5}x - 1$

c) Finde drei weitere Geradengleichungen, deren Graphen zu $y = 4x - 8$ senkrecht verlaufen.

m = __________ Z.B.: g_1: y = ______________ g_2: y = ______________ g_3: y = ______________

○ **3** a) Bestimme die Funktionsgleichung der Geraden g.

g : y = ______________

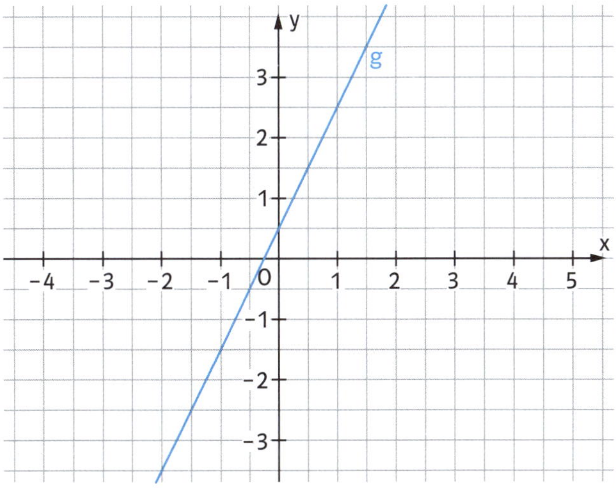

b) Zeichne zwei zur Geraden g parallele Geraden:
h durch Punkt P(−2|−2) i durch Punkt Q(3|3).

h: y = ______________ i: y = ______________

c) Zeichne zwei zur Geraden g senkrechte Geraden:
j durch Punkt R(2|−3) k durch Punkt S(4|1).

j: y = ______________ k: y = ______________

● **3** Die Gerade g ist durch die Punkte A(−2|−4) und B(1|2) und die Gerade h durch die folgende Wertetabelle festgelegt.

x	−1	0	1	2
y	−6	−3	0	3

a) Zeichne beide Geraden.

b) Notiere ihre Funktionsgleichungen

g: y = ______________

h: y = ______________

c) Verlaufen die beiden Geraden parallel zueinander? **Begründe**.

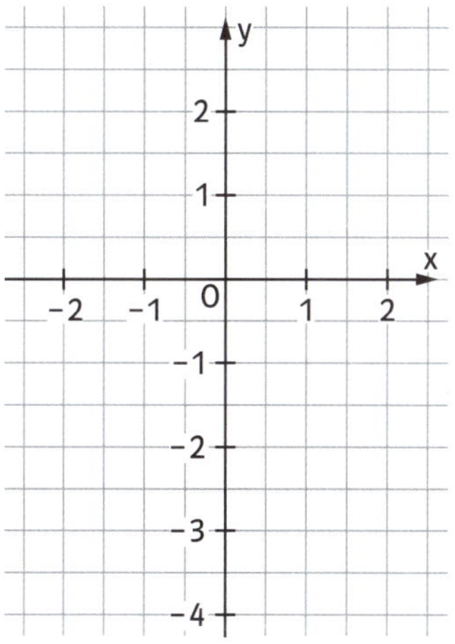

____

____

____

c) Zeichne die Gerade k mit dem y-Achsenabschnitt c = −1, die senkrecht zu h verläuft. Ihre Gleichung lautet: k : y = ______________

○ **1** Berechne den Steigungsfaktor.

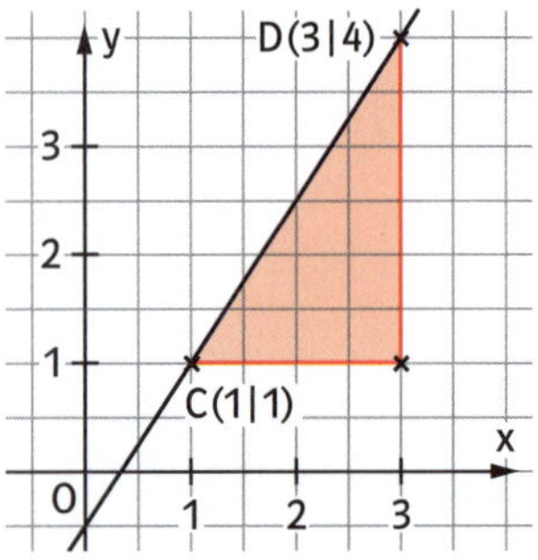

$m = \frac{4 - \_\_}{\_\_ - 1} = \frac{\_\_}{\_\_} = \_\_$

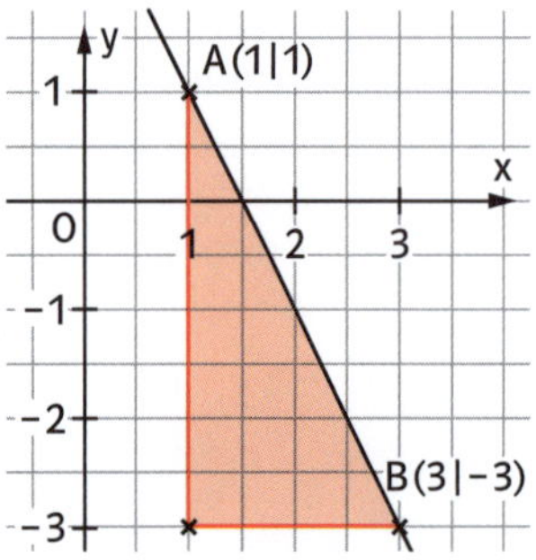

m = ___ = ___ = ___

○ **2** Von einer Geraden sind ihre Steigung und ein Punkt bekannt. Bestimme die Funktionsgleichung.

a) m = 3; P(1|4)

y = ____ x + c

____ = ____ + c | ____

c = ____

y = ____ x + ____

b) m = −2; P(3|−8)

y = ____ x + c

−8 = ____ + c | ____

c = ____

y = ____

○ **3** Gegeben ist eine unvollständige Funktionsgleichung und ein Punkt auf der Geraden. Bestimme die Funktionsgleichung.

a) y = 1,5x + c; P(6|4)

____ = 1,5 · 6 + c

____ = ____ + c | ____

c = ____

c = ____

y = ____

b) y = mx − 3; Q(2|−7)

____

____

____

____

____

○ **4** Die Wertetabelle gehört zu einer linearen Funktion.

x	−5	−1	3	4	5	7	9
y	−20				10		

a) Der Tabelle kann man die Punkte A(−5| ____) und B(5| ____) entnehmen. Daraus kann man m berechnen: m = ____ = ____ = ____

Setzt man die Koordinaten des Punktes A in die Funktionsgleichung ein, so kann man c berechnen:

____ = ____

____

____

Die Funktionsgleichung lautet: y = ____.

b) Ergänze die fehlenden Werte in der Tabelle.

◒ **3** Die zwei Punkte A(3|−3) und B(6|−2) liegen auf einer Geraden.

a) Berechne die Steigung m und den y-Achsenabschnitt c. Notiere die Funktionsgleichung.

b) Bestimme die Koordinaten der Schnittpunkte mit den beiden Achsen.

y-Achse: S_y(____ | ____)

x-Achse: S_x(____ | ____)

● **4** Kurz nach dem Öffnen des Fallschirms fällt ein Springer annähernd mit einer konstanten Geschwindigkeit. Deshalb kann man diese Phase mit einer linearen Funktion beschreiben.

In welcher Höhe begann die Phase der konstanten Fallgeschwindigkeit, wenn der Springer 5 s später eine Höhe von 1000 m und nach 15 s eine Höhe von 400 m über der Erde erreicht hat? [T1]

Der Springer öffnet den Schirm in ____ m Höhe.

Von da an dauert es etwa ____ s bis zur Landung.

[T1] Entnimm dem Text zwei Punkte: T(5|1000) und B(15|400). Bestimme daraus die Funktionsgleichung.

○ **1** Piet Baier und seine Eltern machen Urlaub am Bodensee. Sie möchten Fahrräder ausleihen.
Finde bei den vier Lösungsschritten jeweils die Informationen heraus, die für die Lösung der Aufgabe bedeutend sind. Wenn du alle Zahlen neben den bedeutenden und wahren Aussagen addierst, erhältst du die Zahl 20.
Beschrifte die Pfeile mit den Worten: Lösen, Bewerten, Interpretieren, Übersetzen.

Stufe 1: Wirkliche Situation ______________

- −12 Piet und seine Eltern fahren gerne Rad.
- 3 Die Familie will Fahrräder ausleihen.
- −5 Familie Baier vergleicht zwei Angebote:
  Angebot 1: 5 € pro Tag für ein Fahrrad
  Angebot 2: Miete für ein Fahrrad: 12 € Grundgebühr und 3 € pro Tag.

Stufe 2: Mathematisches Modell

- 7 Beide Angebote lassen sich als lineare Funktion darstellen.
- 15 Dabei steht x für die Anzahl der Tage, an denen die Räder geliehen werden sollen.
- −8 Dabei steht x für die Anzahl der Personen.
- −1 Angebot 1: $y = 15x$ −5 Angebot 2: $y = 12x + 3$
- −5 Angebot 1: $y = 5x$ 7 Angebot 2: $y = 3x + 12$

____

Stufe 3: Mathematische Ergebnisse ______________

- −5 Bis zum 6. Tag ist es gleichgültig, welches Angebot die Familie wählt.
- −7 Das Schaubild zeigt, dass Angebot 1 ab dem 7. Tag mehr kostet als Angebot 2.

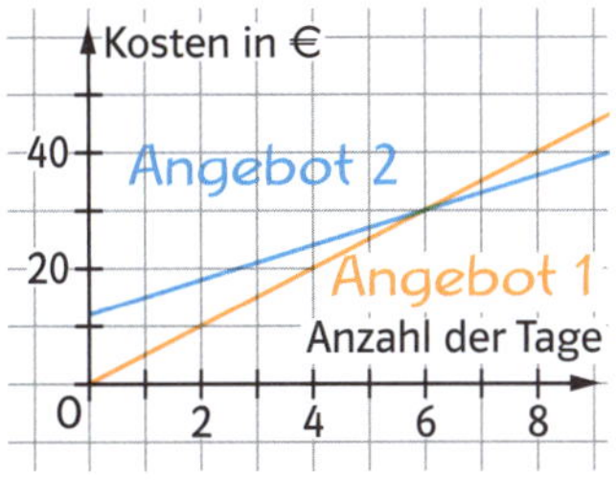

____

Stufe 4: Wirkliche Ergebnisse

- 5 Angebot 1 ist günstiger bei einer Ausleihzeit bis zu 6 Tagen.
- 3 Die Familie muss klären, wie viele Tage sie die Räder zur Verfügung haben möchte.
- −11 Angebot 2 ist günstiger.

○ **2** **Stufe 1:** Familie Müller möchte die Fassade ihres Hauses streichen. Die Farbe dazu muss gemischt werden.
A: Einmalig 20 € und 2 € pro Liter Farbe
B: Einmalig 10 € und 3 € pro Liter Farbe
Welches Angebot ist günstiger?
Stufe 2: Die Kosten lassen sich mit einer linearen Funktion beschreiben. Dabei steht x für

____

Die Funktionsgleichungen der Angebote lauten:

A: y = ______________ B: y = ______________

Stufe 3: Zeichne die Graphen für Angebot A und B.
Bis zu einem Verbrauch von ______ ist Angebot ______ günstiger, bei höherem Verbrauch ist Angebot ______ günstiger.

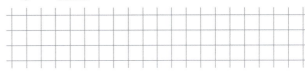

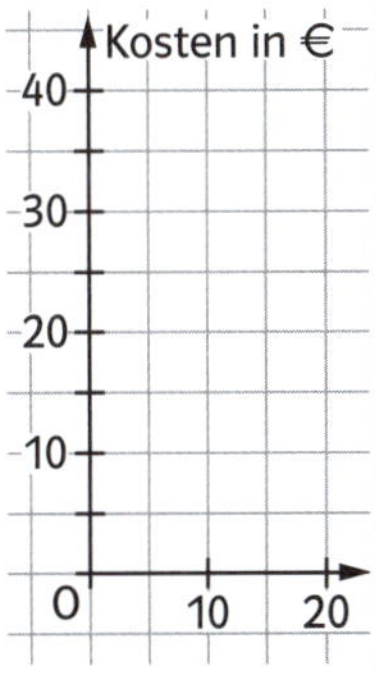

Stufe 4: Familie Müller muss herausfinden, wie viel ______________

______________________________.

d) Bei einem Verbrauch von 24 l zahlen sie beim günstigeren Anbieter ______ €.

◒ **2** Frank und seine Schülerband haben zwei Angebote für einen Auftritt beim Stadtfest erhalten.
A: 250 € und 50 ct pro Besucher.
B: 100 € und 1,25 € pro Besucher.

a) Die Einkünfte lassen sich mithilfe linearer Funktionen berechnen. Die Funktionsgleichungen lauten:

A: y = ______________ B: y = ______________

b) Bei wenigen Besuchern lohnt sich Angebot ______,
bei vielen Besuchern lohnt sich Angebot ______.

c) Die Band rechnet mit maximal 100 Besuchern.
Angebot ______ ist das beste.

d) Ab einer Besucherzahl von ______ lohnt sich Angebot B. Die Gage beträgt dann ________ €.

○ **1** Das Schaubild zeigt die Umsätze eines T-Shirt-Ladens. Fülle die Lücken.
Die höchsten Umsätze gab es in den Monaten

______________________, und zwar

jeweils etwa __________ €.

Die geringsten Umsätze, nämlich jeweils

__________ €, gab es in den Monaten

______________________.

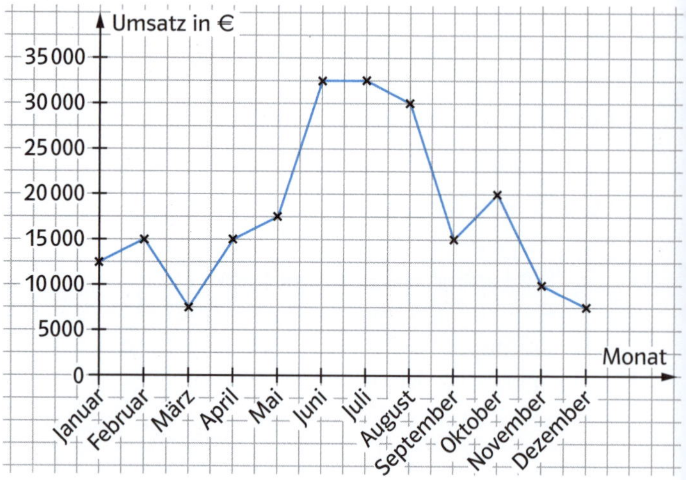

○ **2** Je eine Wertetabelle, eine Funktionsgleichung, eine Beschreibung und ein Schaubild gehören zusammen. Verbinde zueinander gehörende Kärtchen in der gleichen Farbe. Fülle die Lücken.

x	1	3	5	10
f(x)	15		75	

$f(x) = 45 - 15x$

Zu den 15 Litern in der Regentonne laufen stündlich 15 Liter hinzu.

x	1	3	5	10
f(x)	30		90	

$f(x) = 15x$

Von ihren 45 € Ersparnissen hebt Linda monatlich 15 € ab.

x	1	2	3	4
f(x)	30			−15

$f(x) = 15 + 15x$

Herr Maier verdient in 3 Stunden 45 €.

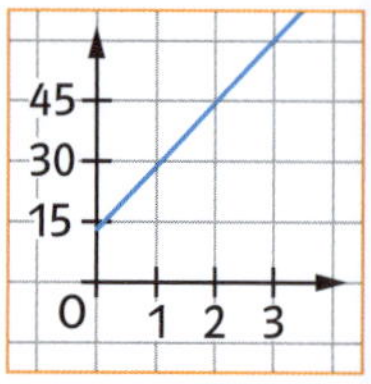

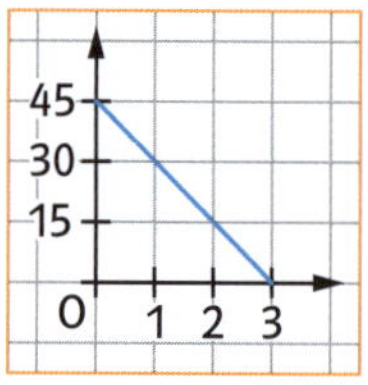

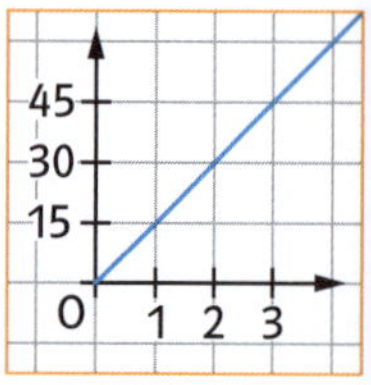

○ **3** Welcher Punkt liegt auf welcher Geraden? Färbe zusammengehörige Kärtchen in der gleichen Farbe ein.

$y = 2x$ | $y = 0{,}5x + 4$ | $y = -0{,}25x + 4$ | $y = -0{,}75x + 1$ | $P(0|0)$ | $P(-2|3)$

$P(4|3)$ | $P(4|-2)$ | $P(1|-5)$ | $y = -3x - 2$

○ **4** Bestimme die Funktionsgleichungen, notiere, ob die Funktionen proportional (p) oder linear (l) sind.

g_1: y = __________ ☐ g_2: y = __________ ☐

g_3: y = __________ ☐ g_4: y = __________ ☐

b) Zeichne die Graphen der Funktionen
g_5: $y = -\frac{1}{2}x + 1$ und g_6: $y = \frac{3}{4}x + 2$ ins Koordinatensystem.

c) Schneiden sich die Geraden g_1 und g_2 im Punkt $P(-2|-6)$?

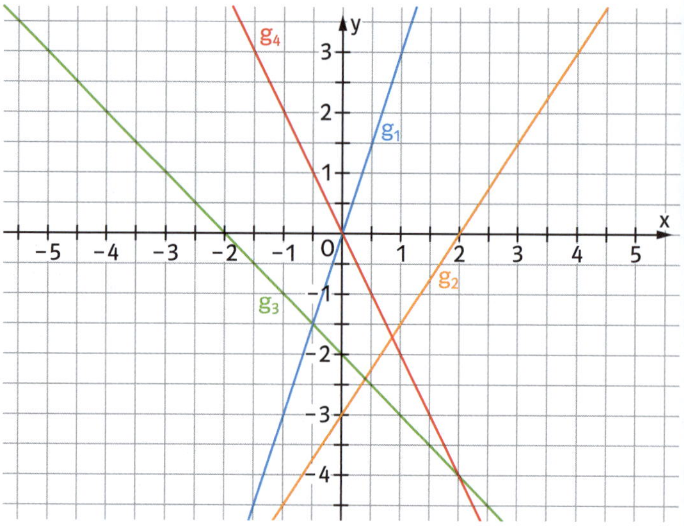

○ **5** Familie Blau holt sich für eine Arbeit an ihrem Haus zwei Angebote ein.

A: Firma Schmidt
keine Anfahrgebühr,
45 € pro Sunde

B: Firma Müller
Anfahrt: 20 €
Stundenpreis: 35 €

Die Arbeit wird voraussichtlich 5 Stunden dauern.

Firma __________ ist um ______ € günstiger.

Schnittpunkt 8

Mathematik – Differenzierende Ausgabe
Rheinland-Pfalz und Saarland

Arbeitsheft

Herausgegeben von Matthias Janssen

Erarbeitet von
Ilona Bernhard, Emilie Scholl-Molter, Colette Simon

Ernst Klett Verlag
Stuttgart · Leipzig

1 Löse die Klammer auf und berechne.

Beachte:
3 + (+7) = 3 + 7   3 + (−7) = 3 − 7
3 − (+7) = 3 − 7   3 − (−7) = 3 + 7

a) 21 + (−8) = 21 − 8 = 13

b) 48 − (−57) = 48 + 57 = 105

c) 35 − (+82) = 35 − 82 = −47

2 Ergänze die Zahlenmauer.

a) Addiere benachbarte Zahlen. Bestimme erst das Vorzeichen und berechne dann.

	4	
10		−6
−5	+15	−21

b) Subtrahiere benachbarte Zahlen.

	−50	
−20		30
−5	+15	−15

3 a) Fülle die Lücken im Merkzettel.

Wenn vor der Klammer ein Pluszeichen steht, ändern sich beim Auflösen der Klammer die Vorzeichen in der Klammer nicht. 18 + (−13 + 31) = 18 − 13 + 31

Wenn vor der Klammer ein Minuszeichen steht, werden die Vorzeichen in der Klammer beim Auflösen der Klammer geändert (aus + wird − und umgekehrt). 18 − (−13 + 31) = 18 + 13 − 31

b) Verbinde jedes gelbe Kärtchen mit dem passenden blauen Kärtchen und berechne anschließend.

28 + (+7 + 27)   28 − (−7 + 27)   28 + (−7 − 27)   28 − (+7 − 27)

28 − 7 − 27 = −6   28 + 7 + 27 = 62   28 − 7 + 27 = 48   28 + 7 − 27 = 8

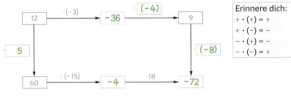

4 Berechne im Kopf und fülle die Lücken.

12 → ·(−3) → −36 → :(−4) → 9
12 → :5 → 60 (sic: 12 ↓ 5 ↓ 60)
9 → ·(−8) → −72
60 → :(−15) → −4 → ·18 → −72

Erinnere dich:
+ · (+) = +   + : (+) = +
+ · (−) = −   + : (−) = −
− · (+) = −   − : (+) = −
− · (−) = +   − : (−) = +

5 a) Berechne durch Ausmultiplizieren.

(−7) · (20 + (−3)) = −140 + 21 = −119

(100 − 32) · (−3) = −300 + 96 = −204

(−3,2 + 0,6) · 5 = −16 + 3 = −13

b) Berechne durch Ausklammern.

(−4) · 13 + (−4) · (−3) = −4 · (13 − 3) = −4 · 10 = −40

(−58) · 6 − 6 · (−18) = −6 · (58 − 18) = −6 · 40 = −240

2,5 · (−12) − (−2,5) · 14 = 2,5 · (−12 + 14) = 2,5 · 2 = 5

6 In der Tabelle sind die Durchschnittstemperaturen (in °C) für die vier Jahreszeiten am Nordkap (Norwegen) dargestellt:

Frühling	Sommer	Herbst	Winter
2,6	8,8	−0,3	−4,7

Berechne die Jahresdurchschnittstemperatur.

(2,6 + 8,8 − 0,3 − 4,7) : 4 = 6,4 : 4 = 1,6

6,4 : 4 = 1,6
−4
24
−24
0

Die Jahresdurchschnittstemperatur am Nordkap beträgt 1,6 °C.

1 Umkreise gleichartige Glieder in der gleichen Farbe. Sortiere und fasse zusammen.

Beispiel: 3b + 7a − 8b − 4a = 3b − 8b + 7a − 4a = −5b + 3a

Beispiel: 5x · 7y · 3xy = 5 · 7 · 3 · x · x · y · y = 105 x² y²

a) −9x + 7y − 4x − 13y
= −9x − 4x + 7y − 13y
= −13x − 6y

b) d + 2d − 5z − 17d
= d + 2d − 17d − 5z
= −14d − 5z

c) 3 · x · 5 · y · 2
= 3 · 6 · 2 · x · y
= 36xy

d) 5 · a · 3 · b · 4 · b
= 5 · 3 · 4 · a · b · b
= 60ab²

2 Notiere die Gleichung und löse sie.

a)

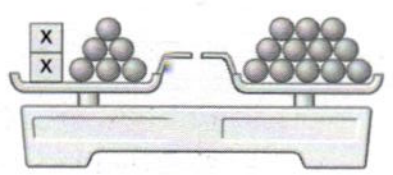

2x + 6 = 12 | −6
2x = 6 | : 2
x = 3

b)

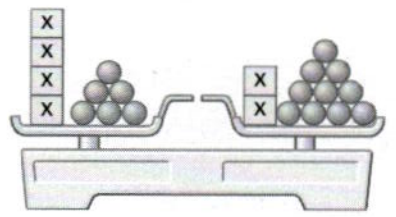

4x + 6 = 2x + 10 | −2x
2x + 6 = 10 | −6
2x = 4 | : 2
x = 2

3 Ein Ziegengehege ist 12 m breit und 30 m lang. Da Ziegennachwuchs zu erwarten ist, soll das Gehege verlängert werden.

a)

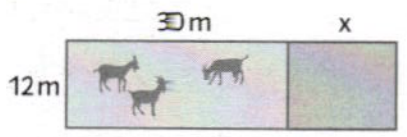

Stelle einen Term für den Flächeninhalt des größeren Geheges auf.
z. B. 12 · 30 + 12 · x
= 12 · (30 + x)

b) Das neue Gehege soll insgesamt einen Flächeninhalt von 600 m² haben. Das Gehege muss dafür um 20 m verlängert werden.

12 · (30 + x) = 600
360 + 12x = 600 | −360
12x = 240 | : 12
x = 20

4 Markiere Karten mit demselben Wert. Es gehört immer eine gelbe, blaue und grüne Karte zusammen. Drei Karten bleiben übrig. Beachte die Regeln zum Auflösen von Klammern:

Plusklammer auflösen:	Minusklammer auflösen:	Malklammer auflösen:
7 + (2x − 5)	7 − (2x − 5)	7 · (2x − 5)
= 7 + 2x − 5 = 2 + 2x	= 7 − 2x + 5 = 12 − 2x	= 7 · 2x − 7 · 5 = 14x − 35

13 + (2x + 5)	13 − (2x + 5)	2 · (13x + 5)	4x − (12 − 7x)	4x · (12 − 7x)	
13 − 2x + 5	4x − 12 + 7x	13 − 2x − 5	4x · 12 − 4x · 7x	2 · 13x + 2 · 5	13 + 2x + 5
2x + 18	2 · 13x + 5	11x − 12	−2x + 8	48x − 28x²	20x	26x + 10

5 Löse die Gleichung mit Äquivalenzumformungen.

a) 2x + 7 = 12 − 3x | +3x
5x + 7 = 12 | −7
5x = 5 | : 5
x = 1

b) 2 · (x − 3) = 5x | Klammer aufl.
2x − 6 = 5x | +6
2x = 5x + 6 | −5x
−3x = 6 | : (−3)
x = −2

c) 7x − (8 + 2x) = 7 | Klammer aufl.
7x − 8 − 2x = 7 | zusammenf.
5x − 8 = 7 | +8
5x = 15 | : 5
x = 3

1 Entscheide jeweils, welche Art der Zuordnung vorliegt. Notiere die entsprechenden Buchstaben.

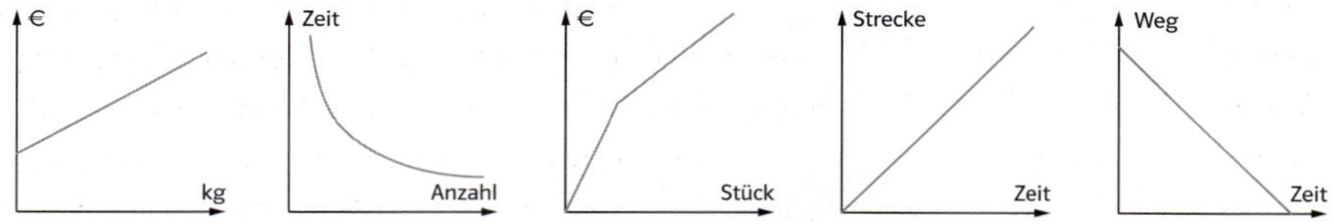

proportionale Zuordnung: D antiproportionale Zuordnung: B andere Zuordnung: A, C, E

2 Entscheide zunächst, ob es sich um eine proportionale oder antiproportionale Zordnung handelt. Berechne dann die fehlenden Angaben.

a) Marie will 10 Muffins mit ihren Freunden teilen. Wie viele Muffins bekommt jeder?
☐ proportional ☒ antiproportional

Anzahl der Kinder	1	2	4	5	10
Anzahl der Muffins	10	5	2,5	2	1

b) Beim Eintritt ins Museum kostet jede Karte gleich viel. Wie viel kosten die Karten für die Gruppen?
☒ proportional ☐ antiproportional

Anzahl der Karten	1	2	3	4	5
Kosten in €	3,00	6,00	9,00	12,00	15,00

3 Zeichne die Schaubilder für beide Zuordnungen aus Aufgabe 2.

a)

Alle Punkte liegen auf einer Hyperbel.

b)

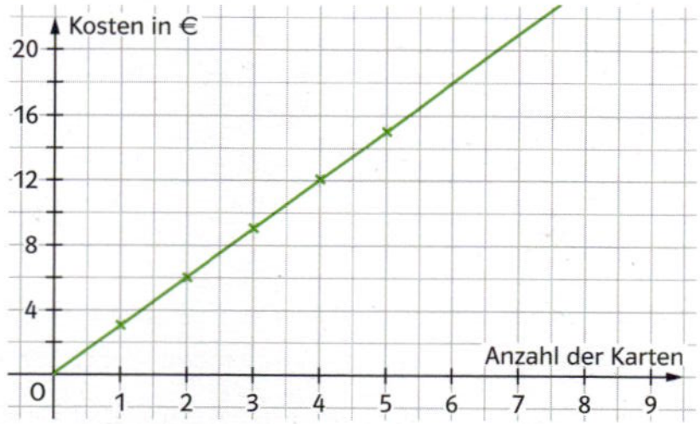

Alle Punkte liegen auf einer Ursprungsgeraden.

4 Entscheide, ob die Zuordnung proportional (p) oder antiproportional (a) ist. Berechne dann mithilfe des Dreisatzes.

a) 5 kg Kirschen kosten 17 €. Wie viel bekommt man für 30,60 €? p

	Betrag in €	Gewicht in kg	
	17	5	
: 17	1	5 : 17	: 17
· 30,60	30,60	5 : 17 · 30,60 = 9	· 30,60

b) Das Futter reicht bei 84 Tieren 12 Tage lang. Wie viele Tiere werden gefüttert, wenn es nur 8 Tage reicht? a

	Anzahl Tage	Anzahl Tiere	
	12	84	
: 12	1	84 · 12	· 12
· 8	8	84 · 12 : 8 = 126	: 8

c) Für 56 € erhält Maren 50 britische Pfund (£). Wie viel Pfund erhält sie für 44,80 €? p

	Geld in €	Geld in £	
	56	50	
: 56	1	50 : 56	: 56
· 44,80	44,80	50 : 56 · 44,80 = 40	· 44,80

○ **1** Fülle die Lücken in der Tabelle.

	a)	b)	c)	d)
vollständig gekürzter Bruch	$\frac{3}{4}$	$\frac{1}{5}$	$\frac{2}{25}$	$\frac{11}{20}$
Bruch mit Nenner 10; 100; 1000; …	$\frac{75}{100}$	$\frac{20}{100}$	$\frac{8}{100}$	$\frac{55}{100}$
Dezimalbruch	0,75	0,2	0,08	0,55
Prozent	75 %	20 %	8 %	55 %

○ **2** Beim Prozentrechnen unterscheidet man die Begriffe Grundwert G, Prozentwert W und Prozentsatz p %. Verbinde den Begriff mit der richtigen Beschreibung.

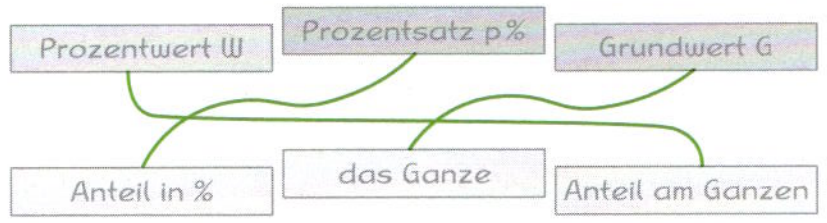

○ **3** Welchem Begriff entspricht die Angabe: G, W oder p %? Notiere jeweils in der Klammer.
Es gibt 4 Brillenträger (W) in der Klasse.
Von den 25 Jugendlichen (G) tragen 16 % (p %) eine Brille.
Zur Berechnung des Prozentwertes verwendet man die Formel W = G · p %, den Dreisatz oder das Pfeilbild.

Die Formel zur Berechnung des Grundwertes lautet: $G = \frac{W}{p\%}$

Die Formel zur Berechnung des Prozentsatzes lautet: $p\% = \frac{W}{G}$

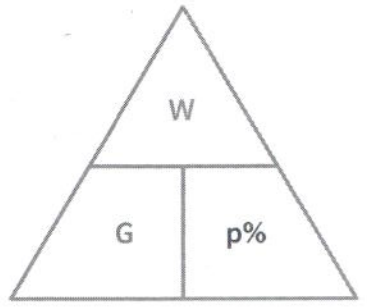

○ **4** Rechne im Kopf.

a) Berechne den Prozentwert W.

1 % von 800 g sind 8 g

5 % von 20 km sind 1 km

15 % von 500 g sind 75 g

b) Berechne den Prozentsatz p %.

15 g von 150 g sind 10 %

18 m von 200 m sind 9 %

30 € von 150 € sind 20 %

c) Berechne den Grundwert G.

20 % sind 80 €; G = 400 €

15 % sind 60 t; G = 400 t

8 % sind 4 km; G = 50 km

◐ **5** Pommes frites haben einen Fettanteil von 16 %. 250 g Pommes enthalten 40 g Fett.

	Anteil	Gewicht Pommes in g	
	100 %	250	
: 100	1 %	2,5	: 100
· 16	16 %	40	· 16

◐ **6** Tatjana spart 15 € beim Kauf eines Pullovers, weil dieser um 40 % reduziert ist.

Der Pullover hat vorher 37,50 € gekostet.

Sie muss also noch 22,50 € bezahlen.

Rechnung beispielsweise:
W = 15 €; p % = 40 % = 0,40; G = ?

$G = \frac{W}{p\%} = \frac{15}{0,4} = 37,5$

G = 37,50 €

● **7** Die Kinovorstellung kostet von Montag bis Freitag 5 €. Am Wochenende kostet derselbe Film 6,80 €. [T1]
Am Wochenende ist der Film 36 % teurer.

Rechnung beispielsweise:
Am Wochenende ist der Film 1,80 € teurer.
G = 5 €; W = 1,80 €; p % = ?

$p\% = \frac{1,8}{5} = 0,36 = 36\%$

[T1] Berechne zuerst, um wie viel Euro die Vorstellung am Wochenende teurer ist.

○ **1** Berechne die fehlenden Winkel im Dreieck.

a)

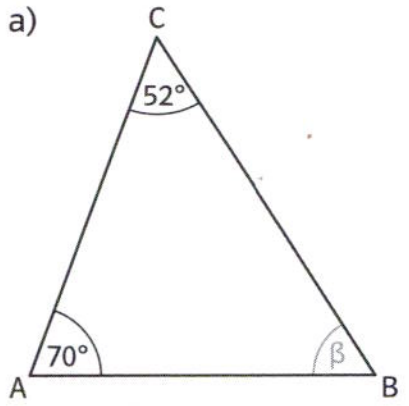

$70° + 52° = 122°$
$β = 180° - 122° = 58°$

b)

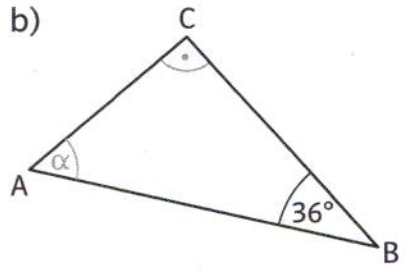

$90° + 36° = 126°$
$α = 180° - 126° = 54°$

c)

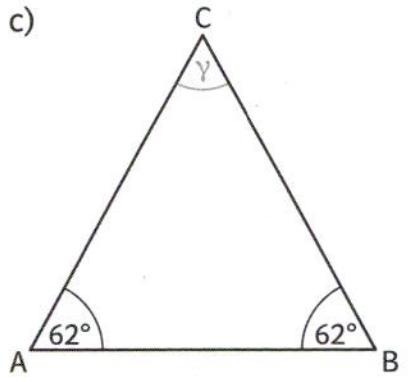

$62° + 62° = 124°$
$γ = 180° - 124° = 56°$

Die Winkelsumme im Dreieck beträgt 180°.

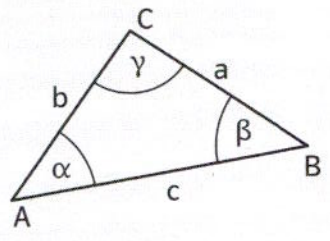

$α + β + γ = 180°$

○ **2** Zeichne die drei Höhen des Dreiecks ein und bezeichne sie mit h_a, h_b und h_c.

a)

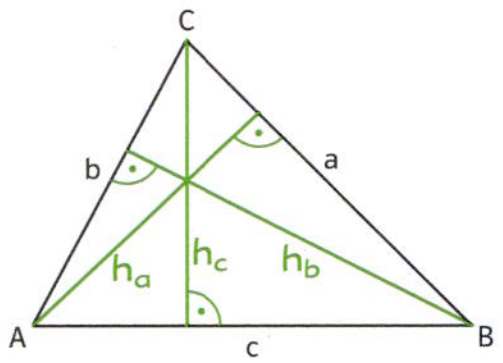

b)

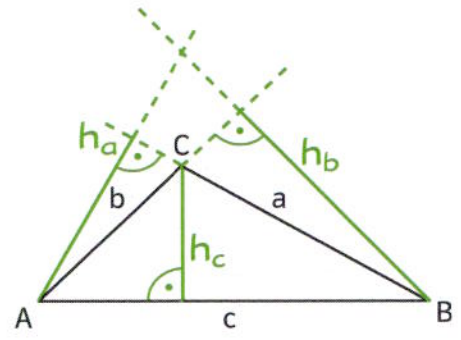

c)

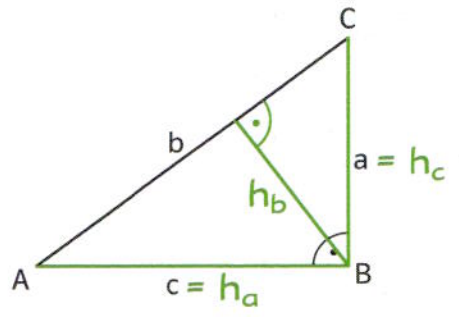

◐ **3** Markiere in der Planfigur die gegebenen Seiten und Winkel farbig. Konstruiere danach das Dreieck.

a) a = 2,5 cm
b = 3,5 cm
c = 4 cm

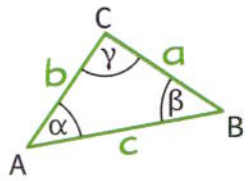

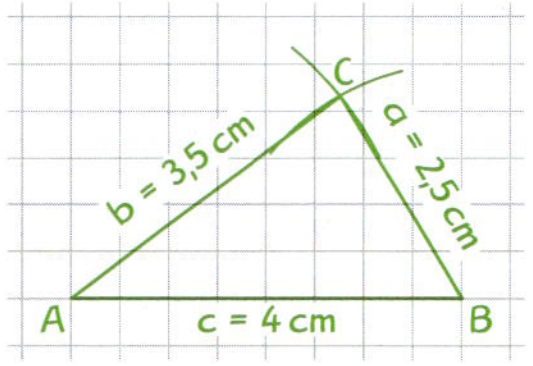

b) b = 2,5 cm
c = 4,5 cm
α = 72°

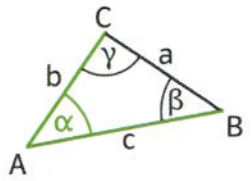

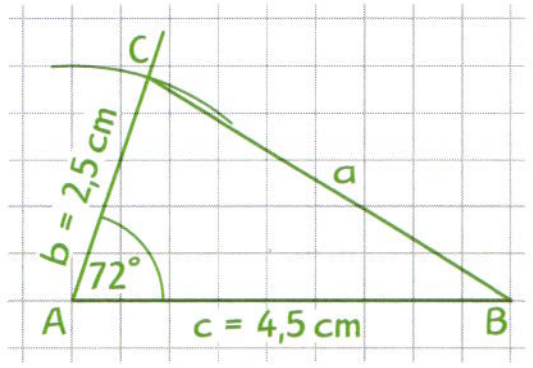

c) c = 4,5 cm
α = 31°
β = 80°

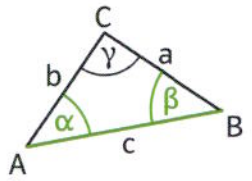

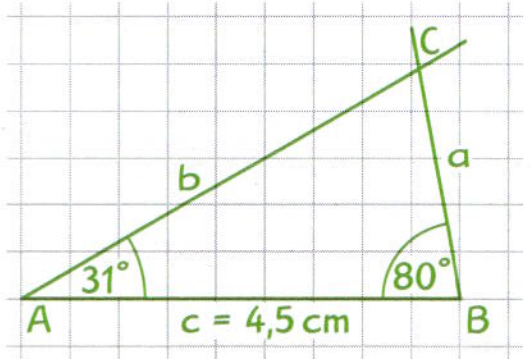

◐ **4** Für jede der Dreiecksformen gibt es eine bestimmte Bezeichnung. Fülle die Lücken.

a) Zwei Seiten eines Dreiecks sind gleich lang. Es handelt sich um ein gleichschenkliges Dreieck.

b) Alle Winkel eines Dreiecks sind kleiner als 90°. Es handelt sich um ein spitzwinkliges Dreieck.

c) Ein Winkel eines Dreiecks ist größer als 90°. Es handelt sich um ein stumpfwinkliges Dreieck.

d) Zwei Winkel eines Dreiecks sind 60°. Es handelt sich um ein gleichseitiges Dreieck.

e) Ein Dreieck hat zwei gleich lange Seiten und einer seiner Winkel ist 90°. Es handelt sich um ein rechtwinklig-gleichschenkliges Dreieck.

○ **1** a) Schreibe auf jede Karte den richtigen Buchstaben. Jeder Buchstabe kommt nur einmal vor.

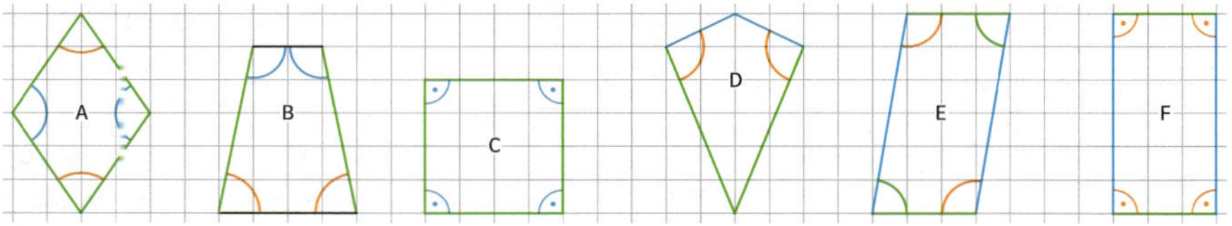

Parallelogramm: E	Drachen: D	Rechteck: F	symm. Trapez: B	Raute: A	Quadrat: C

b) Markiere in jedem der sechs Vierecke aus Teilaufgabe a) gleich lange Seiten jeweils in derselben Farbe. Verfahre für gleich große Winkel ebenso.

c) Schreibe auf jede Karte die Buchstaben der passenden Vierecke aus Teilaufgabe a).

Die Diagonalen stehen senkrecht aufeinander: A; C; D	Die Diagonalen halbieren sich: A; C; E; F	Die Diagonalen sind gleich lang: B; C; F

◐ **2** Trage die Punkte A, B und C in das Koordinatensystem ein A(1|3); B(3|1); C(8|3)
Lege den Punkt D so fest, dass
a) ein Drachen
b) ein Parallelogramm entsteht.

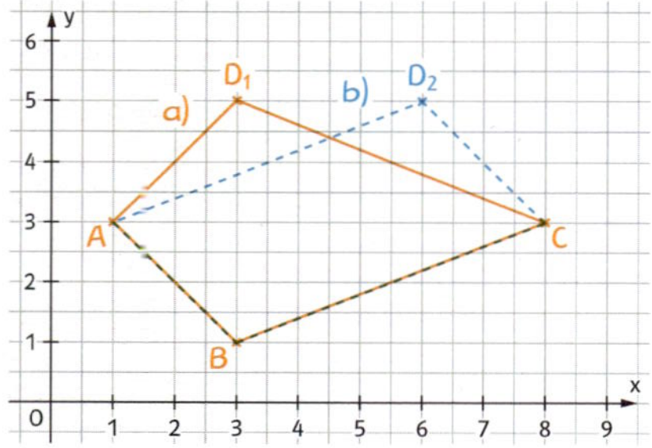

◐ **3** a) Zeichne das symmetrische Trapez ABCD ($\overline{AB} \parallel \overline{CD}$) mit a = 7 cm; d = 3 cm und α = 30°.

Planfigur:

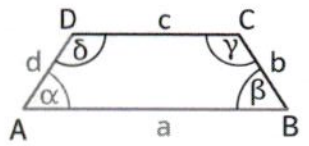

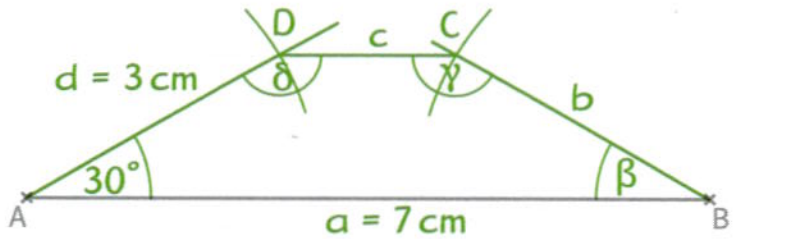

b) Berechne die Winkel β, γ und δ des Trapezes.

α = β = 30°; Winkelsumme im Viereck ist 360°, also gilt 30° + 30° + γ + δ = 360°;
aus γ = δ folgt:
60° + 2γ = 360° und damit 2γ = 300°;
insgesamt gilt also: γ = 150° und δ = 150°.

● **4** Welche besonderen Vierecke sind abgebildet? Kreuze alle richtigen Antworten an. [T1]

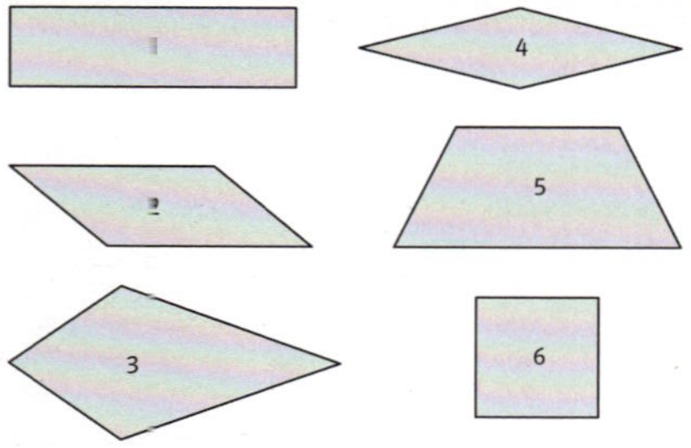

	Parallelogramm	Raute	Rechteck	Quadrat	symm. Trapez	Drachen
1	×		×		×	
2	×					
3						×
4	×	×				×
5					×	
6	×	×	×	×	×	×

[T1] Beachte, dass für einige der Vierecke mehrere Antworten anzukreuzen sind.

○ **1** Vier verschiedene Figuren A, B, C und D sind abgebildet. Bestimme den Flächeninhalt der Figuren in cm². Zeichne dazu in die Figuren Quadrate mit dem Flächeninhalt 1 cm² ein.

So groß ist 1 cm²: 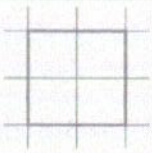

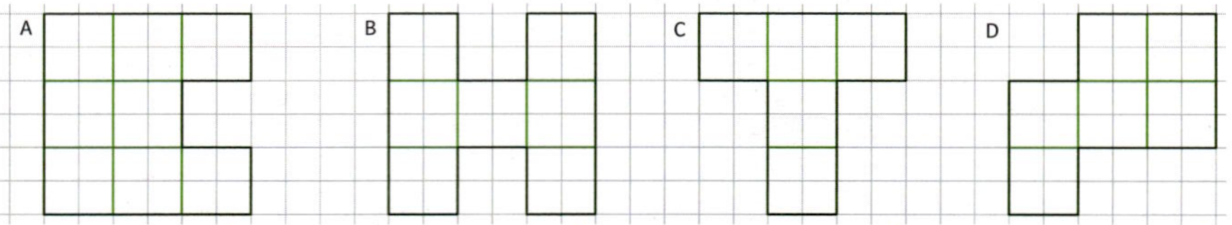

Flächeninhalt: 8 cm² | Flächeninhalt: 7 cm² | Flächeninhalt: 5 cm² | Flächeninhalt: 6 cm²

Figur C hat den kleinsten Flächeninhalt, Figur A hat den größten Flächeninhalt.

○ **2** Miss die Seitenlängen und bestimme damit den Flächeninhalt und den Umfang der Figur.

a) 2,5 cm; 3 cm

Flächeninhalt:
Länge · Breite
= 2,5 · 3 = 7,5

Umfang:
2 · Länge + 2 · Breite
= 2 · 2,5 + 2 · 3
= 5 + 6 = 11

Flächeninhalt: 7,5 cm² Umfang: 11 cm

b) 3 cm; 3 cm

Flächeninhalt:
Länge · Breite
= 3 · 3 = 9

Umfang:
2 · Länge + 2 · Breite
= 2 · 3 + 2 · 3
= 6 + 6 = 12

Flächeninhalt: 9 cm² Umfang: 12 cm

○ **3** Wandle um. Die Stellentafel hilft dir dabei.

a) Schreibe in der nächstgrößeren Einheit.

200 dm² = 2 m² ; 15 000 m² = 150 a

b) Schreibe in der nächstkleineren Einheit.

5 km² = 500 ha ; 11 cm² = 1100 mm²

c) Wandle in die gemischte Schreibweise um.

9540 cm² = 95 dm² 40 cm²; 3995 a = 39 ha 95 a

202 dm² = 2 m² 2 dm² ; 7009 m² = 70 m² 9 dm²

km²	ha	a	m²	dm²	cm²	mm²
			2	0 0		
	1	5 0	0 0			
5	0 0					
					1 1	0 0
				9 5	4 0	
	3 9	9 5				
			2	0 2		
			7 0	0 9		

◐ **4** Zerlege die Figur geschickt und berechne dann ihren Flächeninhalt.

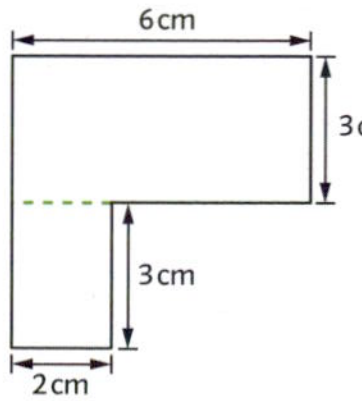

Flächeninhalt:
6 · 3 + 2 · 3
= 18 + 6
= 24

Flächeninhalt:
24 cm²

● **5** Bei jedem Rechteck fehlen einige Werte. Trage die fehlenden Werte in die Tabelle ein.

	a)	b)	c)	d)
Länge	2 cm	4 cm	8 cm	6 cm
Breite	5,5 cm	5 cm	3 cm	6 cm
Flächeninhalt	11 cm²	20 cm²	24 cm²	36 cm²
Umfang	15 cm	18 cm	22 cm	24 cm

1 Vervollständige die Netze so, dass ein Würfel- oder ein Quadernetz entsteht. Mögliche Lösungen sind:
a) b) c) d)

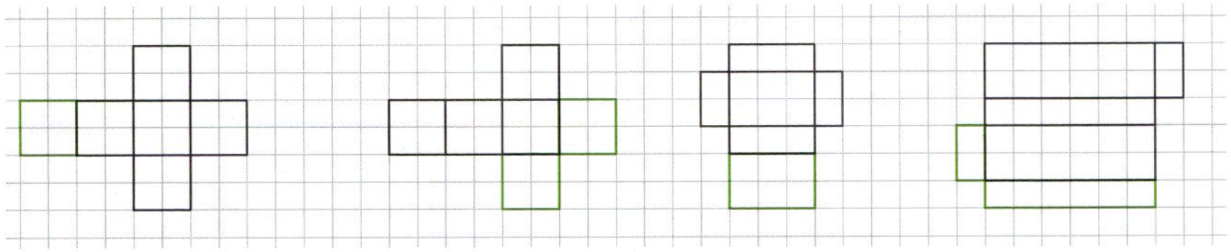

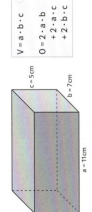

2 Berechne das Volumen und den Oberflächeninhalt des Quaders.

$V = a \cdot b \cdot c$
$V = 11 \cdot 7 \cdot 5$
$= 385$

$O = 2 \cdot a \cdot b + 2 \cdot a \cdot c + 2 \cdot b \cdot c$
$O = 2 \cdot 11 \cdot 7 + 2 \cdot 11 \cdot 5 + 2 \cdot 5 \cdot 7$
$= 154 + 110 + 70$
$= 334$

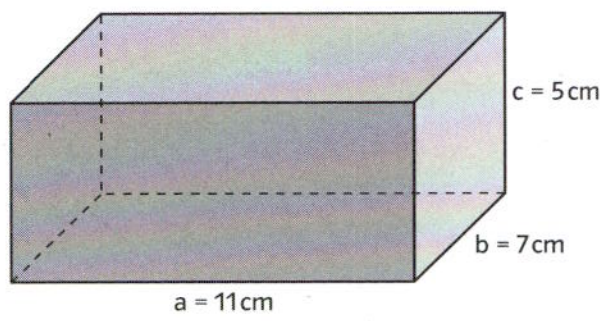

$V = a \cdot b \cdot c$
$O = 2 \cdot a \cdot b + 2 \cdot a \cdot c + 2 \cdot b \cdot c$

V = 385 cm^3 O = 334 cm^2

3 Ergänze die Tabelle.

	Quader A	Quader B	Quader C
Länge a	2 cm	5 cm	4 cm
Breite b	5 cm	8 cm	3 cm
Höhe c	4 cm	3 cm	15 cm
Volumen V	40 cm^3	120 cm^3	180 cm^3
Oberflächeninhalt O	76 cm^2	158 cm^2	234 cm^2

A: $V = 2 \cdot 5 \cdot 4 = 40$ $O = 2 \cdot (2 \cdot 5 + 2 \cdot 4 + 4 \cdot 5) = 76$

B: $120 = 5 \cdot 8 \cdot c \quad |:40$, $c = 3$ $O = 2 \cdot (5 \cdot 8 + 5 \cdot 3 + 8 \cdot 3) = 158$

C: $180 = a \cdot 3 \cdot 15 \quad |:45$, $a = 4$ $O = 2 \cdot (4 \cdot 3 + 4 \cdot 15 + 3 \cdot 15) = 234$

4 a) Vervollständige das Schrägbild des quaderförmigen Swimmingpools.
b) Wie viel Liter Wasser fasst der Swimmingpool?

$V = a \cdot b \cdot c$
$= 6 \cdot 8 \cdot 4$
$V = 192$

Der Swimmingpool fasst 192 m^3 = 192 000 l.

c) Der Pool soll innen einen neuen, wasserfesten Anstrich bekommen. Die Farbe kostet 20,00 € pro Quadratmeter. Wie teuer wird der Anstrich? [T1]

$O = a \cdot b + 2 \cdot a \cdot c + 2 \cdot b \cdot c$
$= 6 \cdot 8 + 2 \cdot 6 \cdot 4 + 2 \cdot 8 \cdot 4$
$= 160$

Kosten $= 160 \cdot 20 = 3200$

Die Kosten betragen 3200,00 €.

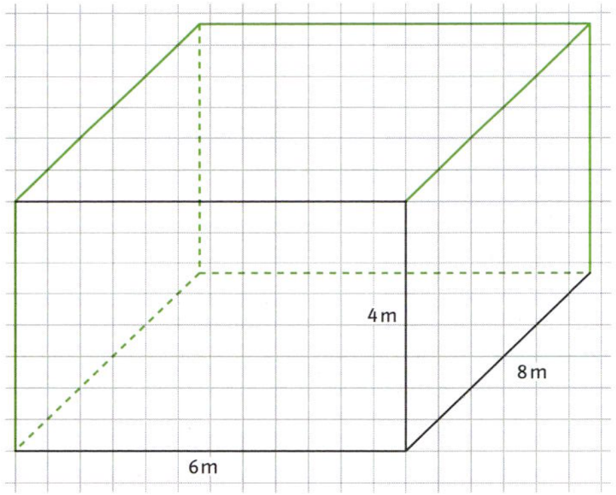

[T1] Denke daran, dass der Swimmingpool ein nach oben offener Quader ist.

1 Multipliziere aus. Der Faktor kann auch hinter der Klammer stehen.

a) $3 \cdot (5 - 4y) = 3 \cdot 5 - 3 \cdot 4y = 15 - 12y$
b) $4 \cdot (2x - y) = 4 \cdot 2x - 4 \cdot y = 8x - 4y$
c) $(6 - 3a) \cdot 5 = 6 \cdot 5 - 3a \cdot 5 = 30 - 15a$
d) $b \cdot (a + 7) = b \cdot a + b \cdot 7 = ab + 7b$
e) $(4x - 5) \cdot 3y = 4x \cdot 3y - 5 \cdot 3y = 12xy - 15y$
f) $(-7b + 5) \cdot 2 = -7b \cdot 2 + 5 \cdot 2 = -14b + 10$

2 Kreuze jeweils die korrekte Lösung an.

a) $(15x + 6) : 3$	☐ $5x + 6$	☐ $7x$	☒ $5x + 2$
b) $(10a - 6b) : 2$	☐ $2ab$	☒ $5a - 3b$	☐ $5a - 6b$
c) $(16x - 8) : (-4)$	☐ $-4x - 2$	☐ $4x - 2$	☒ $-4x + 2$
d) $(-30x + 15y) : 5$	☒ $-6x + 3y$	☐ $-6x - 3y$	☐ $6x - 3y$

3 Klammere den angegebenen Faktor aus.

a) Faktor: 3 — $3x - 6 = 3 \cdot (x - 2)$
b) Faktor: 4 — $12x + 20 = 4 \cdot (3x + 5)$
c) Faktor: 2x — $8xy - 2x = 2x \cdot (4y - 1)$
d) Faktor: 16 — $144x - 48 = 16 \cdot (9x - 3)$

4 Gib den Flächeninhalt des gesamten Rechtecks als Summe und als Produkt an.

a)

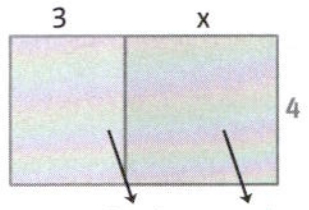

Summe: $3 \cdot 4 + x \cdot 4 = 12 + 4x$
Produkt: $4 \cdot (3 + x)$

b)

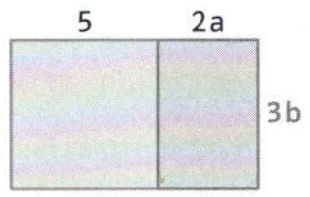

Summe: $3b \cdot 5 + 3b \cdot 2a = 15b + 6ab$
Produkt: $3b \cdot (5 + 2a)$

5 Berechne mithilfe des Verteilungsgesetzes.

a) $7 \cdot 42 = 7 \cdot (40 + 2) = 7 \cdot 40 + 7 \cdot 2$
$= 280 + 14 = 294$
b) $9 \cdot 79 = 9 \cdot (80 - 1) = 9 \cdot 80 - 9 \cdot 1$
$= 720 - 9 = 711$
c) $91 \cdot 6 = (90 + 1) \cdot 6 = 90 \cdot 6 + 1 \cdot 6$
$= 540 + 6 = 546$

6 Notiere einen möglichst großen Faktor und klammere ihn anschließend aus.

Term	möglichst großer Faktor	Ausklammern
$10x - 25$	5	$5 \cdot 2x - 5 \cdot 5 = 5 \cdot (2x - 5)$
$18 + 6a$	6	$6 \cdot 3 + 6 \cdot a = 6 \cdot (3 + a)$
$9x - 24$	3	$3 \cdot 3x - 3 \cdot 8 = 3 \cdot (3x - 8)$
$12a + 4ab$	$4a$	$4a \cdot 3 + 4a \cdot b = 4a \cdot (3 + b)$
$36xy - 48x$	$12x$	$12x \cdot 3y - 12x \cdot 4 = 12x \cdot (3y - 4)$
$-42b + 9ab$	$3b$	$3b \cdot (-14) + 3b \cdot 3a = 3b \cdot (-14 + 3a)$

5 Löse die Klammer auf.

a) $(3x + 7) \cdot (-2x)$
$= 3x \cdot (-2x) + 7 \cdot (-2x)$
$= -6x^2 - 14x$

b) $(-56a + 24) : 8$
$= -56a : 8 + 24 : 8$
$= -7a + 3$

6 Fülle die Lücken.

a) $12 - 3x = (4 - x) \cdot 3$
b) $6a - 16 = 2 \cdot (3a - 8)$
c) $-5y - 125 = -5 \cdot (y + 25)$

7 a) Gib den Flächeninhalt des Rechtecks als Summe und als Produkt an.

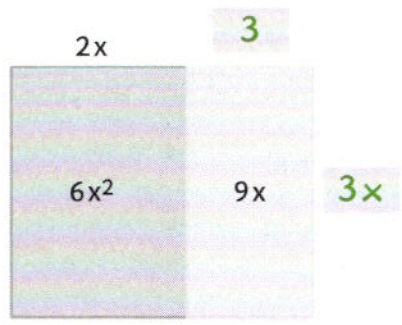

Summe:
$6x^2 + 9x$
Produkt:
$3x \cdot (2x + 3)$

b) Stelle einen Term für den Umfang des Rechtecks auf und vereinfache ihn.

$2 \cdot (2x + 3) + 2 \cdot 3x = 4x + 6 + 6x = 4x + 6x + 6$
$= 10x + 6$

1 Trage in die Teilflächen die passenden Produkte ein.
Schreibe den Flächeninhalt des gesamten Rechtecks als Produkt und als Summe.

a)

	c	d
a	a·c	a·d
b	b·c	b·d

Produkt: $(c + b)\cdot(c + d)$
Summe: $ac + ad + bc + bd$

b)

	a	c
a	a^2	a·c
b	a·b	b·c

Produkt: $(a + b)\cdot(a + c)$
Summe: $a^2 + ab + ac + bc$

c)

	a	2b	
	2c·a	2b·2c	2c
	a^2	2b·a	a

Produkt: $(a + 2c)\cdot(a + 2b)$
Summe: $a^2 + 2ab + 2ac + 4bc$

2 Multipliziere aus. Vereinfache, wenn möglich.

Beispiel:
$(x + 4)\cdot(y - 7)$
$= x\cdot y - x\cdot 7 + 4\cdot y - 4\cdot 7$
$= xy - 7x + 4y - 28$

a) $(p + 4)\cdot(p + 8)$
$= p\cdot p + p\cdot 8 + 4\cdot p + 4\cdot 8$
$= p^2 + 12p + 32$

b) $(3 - a)\cdot(6 + a)$
$= 3\cdot 6 + 3\cdot a - a\cdot 6 - a\cdot a$
$= 18 - 3a - a^2$

c) $(x - 5)\cdot(x - 12)$
$= x\cdot x + x\cdot(-12) - 5\cdot x - 5\cdot(-12)$
$= x^2 - 17x + 60$

d) $(x + 5)\cdot(2y - 3)$
$= x\cdot 2y + x\cdot(-3) + 5\cdot 2y + 5\cdot(-3)$
$= 2xy - 3x + 10y - 15$

e) $(7 - x)\cdot(4 + 3x)$
$= 7\cdot 4 + 7\cdot 3x - x\cdot 4 - x\cdot 3x$
$= 28 + 17x - 3x^2$

3 Beschrifte die Seiten und die Teilflächen des Rechtecks. Gib seinen Flächeninhalt als Summe an.

a) $(2x + 5)\ (1 + 3y)$
$= 2x + 6xy + 5 + 15y$

	2x	5
1	2x	5
3y	6xy	15y

b) $(x + 6)\cdot(3 + 4y)$
$= 3x + 4xy + 18 + 24y$

	x	6
3	3x	18
4y	4xy	24y

3 Julian hat leider **Fehler** gemacht. Streiche fehlerhafte Terme und korrigiere die Rechnung.

a) $(x + 2)\cdot(2x - 1) = x\cdot 2x \cdot 1 + 2\cdot 2x \cdot 2\cdot 1$ (korrigiert: $x\cdot 2x - x\cdot 1 + 2\cdot 2x - 2\cdot 1$)
$= 2x^2 + 5x + 2$ (korrigiert: $3x - 2$)

b) $(2x - 1)\cdot(2x + 1) = 2x\cdot 2x + 2x\cdot 1 - 1\cdot 2x - 1\cdot 1$
$= 4x^2 + 2x - 2x - 1 = 4x^2 - 1$

c) $(-v - 3w)\cdot(2v + 6)$
$= -v\cdot 2v - v\cdot 6 - 3w\cdot 2v + 3w\cdot 6$ (korrigiert: $- 3w\cdot 6$)
$= -2v^2 - 6v - 6vw + 18w$ (korrigiert: $- 18w$)

4 Multipliziere die Summen auf den blauen Karten. Verbinde die Karten mit gleichwertigen Termen.

$(x - 2)(x - 3) = x^2 - 3x - 2x + 6$ — $x^2 - 5x + 6$
$(2x + 1)(x + 3) = 2x^2 + 6x + x + 3$ — $2x^2 + 7x + 3$
$(x + 2)(x + 3) = x^2 + 3x + 2x + 6$ — $x^2 + 5x + 6$
$(x + 2)(x - 3) = x^2 - 3x + 2x - 6$ — $x^2 - x - 6$
$(2x + 1)(3x + 1) = 6x^2 + 2x + 3x + 1$ — $6x^2 + 5x + 1$

4 Fülle die Lücken, sodass die Umformungen richtig sind, und vereinfache, wenn möglich.

a) $(p - 3)\cdot(\ 2q\ + 2) = 2pq + \ 2p\ - 6q\ -6$
b) $(x - 7)\cdot(\ y\ -\ 1\ ) = xy - x\ -7y\ +7$
c) $(s +\ 3\ )\cdot(s + 7) =\ s^2\ + 7s + 3s +\ 21$
$= s^2 + 10s + 21$
d) $(\ 3a\ - 2)\cdot(4a +\ 5\ ) = 12a^2 +\ 15a\ -8a\ - 10$
$= 12a^2 + 7a - 10$

1 Gib die jeweilige binomische Formel an und berechne anschließend die Terme.

a) 1. binomische Formel:
$(a + b)^2 = a^2 + 2ab + b^2$
$(x + 5)^2 = x^2 + 10x + 25$
$(2 + b)^2 = 4 + 4b + b^2$
$(8 + y)^2 = 64 + 16y + y^2$

b) 2. binomische Formel:
$(a - b)^2 = a^2 - 2ab + b^2$
$(a - 4)^2 = a^2 - 8a + 16$
$(6 - z)^2 = 36 - 12z + z^2$
$(2x - 10)^2 = 4x^2 - 40x + 100$

c) 3. binomische Formel:
$(a + b)(a - b) = a^2 - b^2$
$(y + 5)(y - 5) = y^2 - 25$
$(9 - a)(9 + a) = 81 - a^2$
$(3z + 2)(3z - 2) = 9z^2 - 4$

2 Notiere auf den Karten, mit welcher binomischen Formel (1., 2. bzw. 3.) du das Produkt in eine Summe umwandeln kannst. Gib acht: Es lassen sich nicht auf alle Terme die binomischen Formeln anwenden.
Sortiere die Karten, die übrig bleiben, zu einem Lösungswort: H U N D.

E $(x - 7)^2$ 2. | N $(a + 11)^2$ 1. | A $(z + 3)(3 - z)$ 3. | U $(y - 8)(z - 8)$ ___

R $(b + 3)(b + 3)$ 1. | D $(2x - 4)(4 - x)$ ___ | T $(2 + a)(a + 2)$ 1.

H $(x + 9)(y - 9)$ ___ | S $(8 + 5z)^2$ 1. | N $(d + 6) : (d - 6)$ ___ | N $(5 - b)^2$ 2.

3 Quadratzahlen bzw. einige Produkte lassen sich mithilfe der binomischen Formeln im Kopf berechnen.

Beispiel 1: $32^2 = (30 + 2)^2 = 900 + 120 + 4 = 1024$
Beispiel 2: $78^2 = (80 - 2)^2 = 6400 - 320 + 4 = 6084$
Beispiel 3: $27\cdot 33 = (30 - 3)\cdot(30 + 3) = 900 - 9 = 891$

Berechne ebenso.

a) $43^2 = (40 + 3)^2 = 1600 + 240 + 9 = 1849$
b) $79^2 = (80 - 1)^2 = 6400 - 160 + 1 = 6241$
c) $42\cdot 38 = (40 + 2)\cdot(40 - 2) = 1600 - 4 = 1596$
d) $39^2 = (40 - 1)^2 = 1600 - 80 + 1 = 1521$

4 Berechne mithilfe einer Tabelle, wie im Beispiel.

$(2a - 3)^2$
$= 4a^2 - 12a + 9$

·	2a	-3
2a	$4a^2$	$-6a$
-3	$-6a$	9

a) $(11 - b)^2$
$= 121 - 22b + b^2$

·	11	-b
11	121	-11b
-b	-11b	b^2

b) $(2x + 3y)^2$
$= 4x^2 + 12xy + 9y^2$

·	2x	3y
2x	$4x^2$	6xy
3y	6xy	$9y^2$

c) $(2x - y)(2x + y)$
$= 4x^2 - y^2$

·	2x	y
2x	$4x^2$	2xy
-y	-2xy	$-y^2$

3 Anna hat leider **Fehler** gemacht. Streiche den falschen Term und berichtige.

a) $(4a + 4)^2 = 16a^2 + 16a + 16$ — $32a$
b) $(9x - 8)^2 = 81x^2 - 126x + 64$ — $-144x$
c) $(4b - 4c)(4b + 4c) = 16b^2 - 8c^2$ — $-16c^2$
d) $(4x - 7y)^2 = 16x^2 - 28y^2 + 49y^2$ — $-56xy$

4 Vereinfache den Term. Du erhältst ein Lösungswort: L O T.

(O) $3x^2 - 5x + 7$ | (L) $-5x^2 + 7x + 16$
E $-5x^2 + 15x - 16$ | (T) $-25x^2 - 75x - 15$
N $-25x^2 + 45x + 57$ | R $-5x^2 - 5x + 25$

a) $(x - 4)^2 - 3x\cdot(2x - 5)$
$= x^2 - 8x + 16 - 6x^2 + 15x$
$= x^2 - 6x^2 - 8x + 15x + 16 = -5x^2 + 7x + 16$

b) $7 - (x^2 + 5x - 9) + (2x - 3)(3 + 2x)$
$= 7 - x^2 - 5x + 9 + 4x^2 - 9$
$= -x^2 + 4x^2 - 5x + 7 + 9 - 9 = 3x^2 - 5x + 7$

c) $3\cdot(7 - 5x) - (5x + 6)^2$
$= 21 - 15x - (25x^2 + 60x + 36)$
$= 21 - 15x - 25x^2 - 60x - 36$
$= -25x^2 - 75x - 15$

1 Wandle die Summe in ein Produkt um, indem du die Tabelle, wie im Beispiel, ausfüllst.

Term	binomische Formel	umgeformter Term	Produkt
$x^2 + 12x + 36$	1.	$x^2 + 2 \cdot x \cdot 6 + 6^2$	$(x + 6)^2$
$a^2 - 20a + 100$	2.	$a^2 - 2 \cdot a \cdot 10 + 10^2$	$(a - 10)^2$
$y^2 - 49$	3.	$y^2 - 7^2$	$(y + 7)(y - 7)$
$b^2 - 24b + 144$	2.	$b^2 - 2 \cdot b \cdot 12 + 12^2$	$(b - 12)^2$
$x^2 - 400$	3.	$x^2 - 20^2$	$(x + 20)(x - 20)$
$y^2 + 16y + 64$	1.	$y^2 + 2 \cdot y \cdot 8 + 8^2$	$(y + 8)^2$

2 Markiere alle Terme, die du mithilfe der binomischen Formeln **nicht** faktorisieren kannst.

Die zugehörigen Buchstaben ergeben ein Lösungswort: F A K T O R

(F) $x^2 + 6x + 1$ N $a^2 - 18a + 81$ (A) $x^2 + 12x + 25$ (K) $y^2 - 8y + 64$ P $b^2 - 2b + 1$

(T) $y^2 + 50y + 25$ E $4 + 4x + x^2$ S $a^2 + 6a + 9$ (O) $36 + 6b + b^2$ (R) $4 - 8x + x^2$

3 Fülle die Lücken in der Multiplikationstabelle aus. Notiere das Produkt.

a) $25a^2 - 10a + 1$ $= (5a - 1)^2$

·	5a	−1
5a	$25a^2$	−5a
−1	−5a	1

b) $x^2 + 8x + 16$ $= (x + 4)^2$

·	x	4
x	x^2	4x
4	4x	16

c) $9y^2 - 12y + 4$ $= (3y - 2)^2$

·	3y	−2
3y	$9y^2$	−6y
−2	−6y	4

4 Verwandle in ein Produkt.

a) $4x^2 + 20x + 25 = (2x)^2 + 2 \cdot 2x \cdot 5 + 5^2$
$= (2x + 5)^2$

b) $36n^2 - 1 = (6n)^2 - 1^2 = (6n + 1)(6n - 1)$

c) $4x^2 - 36x + 81 = (2x)^2 - 2 \cdot 2x \cdot 9 + 9^2$
$= (2x - 9)^2$

d) $121 - 49y^2 = 11^2 - (7y)^2 = (11 + 7y)(11 - 7y)$

5 Fülle die Lücken.

a) $81x^2 - 18x + 1 = (9x - 1)^2$

b) $4x^2 + 28x + 49 = (2x + 7)^2$

c) $x^2 - 16x + 64 = (x - 8)^2$

d) $100x^2 - 40x + 4 = (10x - 2)^2$

e) $9x^2 + 60x + 100 = (3x + 10)^2$

3 Klammere zuerst einen geeigneten Faktor aus. Faktorisiere dann mithilfe einer binomischen Formel.

Beispiel: $2x^2 - 36x + 162$
$= 2(x^2 - 18x + 81)$
$= 2(x - 9)^2$

a) $20x^2 - 20x + 5$
$= 5 \cdot (4x^2 - 4x + 1)$
$= 5 \cdot (2x - 1)^2$

b) $50a^2 - 200a + 200$
$= 50 \cdot (a^2 - 4a + 4)$
$= 50 \cdot (a - 2)^2$

c) $72x^2 - 32y^2$
$= 8 \cdot (9x^2 - 4y^2)$
$= 8 \cdot (3x + 2y)(3x - 2y)$

4 Hier gibt es mehrere Möglichkeiten, zu einem binomischen Term zu ergänzen. Gib zwei Möglichkeiten an. Individuelle Lösungen:

a) $16x^2 + 32x + 16$; $4x^2 + 32x + 64$

b) $16z^2 - 40z + 25$; $25z^2 - 40z + 16$

c) $9a^2 + 54a + 81$; $81a^2 + 54a + 9$

d) $4x^2 - 12xy + 9y^2$; $x^2 - 12xy + 36y^2$

e) $25a^2 + 70ab + 49b^2$; $49a^2 + 70ab + 25b^2$

1 Löse die Gleichung. Bestimme die Lösungsmengen in den verschiedenen Grundmengen und mache die Probe.

a) $2{,}5x + 4{,}5 = -0{,}5x + 13{,}5$ | $+0{,}5x$
$3x + 4{,}5 = 13{,}5$ | $-4{,}5$
$3x = 9$ | $:3$
$x = 3$

$G = \mathbb{N}$: $L = \{3\}$; $G = \mathbb{Z}$: $L = \{3\}$; $G = \mathbb{Q}$: $L = \{3\}$;

Probe: $2{,}5 \cdot 3 + 4{,}5 = -0{,}5 \cdot 3 + 13{,}5$ ✓

b) $3x - 5 = x - 4$ | $-x$
$2x - 5 = -4$ | $+5$
$2x = 1$ | $:2$
$x = \frac{1}{2} = 0{,}5$

$G = \mathbb{N}$: $L = \{\ \}$; $G = \mathbb{Z}$: $L = \{\ \}$; $G = \mathbb{Q}$: $L = \{\frac{1}{2}\}$;

Probe: $3 \cdot \frac{1}{2} - 5 = \frac{1}{2} - 4$ ✓

2 Eine Gleichung hat die angegebene Lösungsmenge. Welche der Mengen $\mathbb{N}$, $\mathbb{Z}$ und $\mathbb{Q}$ können die Grundmenge der Gleichung sein? Kreuze an.

a) $L = \{-2\}$; ☐ $G = \mathbb{N}$ ☒ $G = \mathbb{Z}$ ☒ $G = \mathbb{Q}$

b) $L = \{3\}$; ☒ $G = \mathbb{N}$ ☒ $G = \mathbb{Z}$ ☒ $G = \mathbb{Q}$

c) $L = \{0{,}5\}$; ☐ $G = \mathbb{N}$ ☐ $G = \mathbb{Z}$ ☒ $G = \mathbb{Q}$

d) $L = \{\ \}$; ☒ $G = \mathbb{N}$ ☒ $G = \mathbb{Z}$ ☒ $G = \mathbb{Q}$

3 Verbinde passende Kärtchen.

$\frac{1}{2}x = 2$ $12 = 5x$ $2x - 3 = 7$

$G = \mathbb{Z}$, $L = \{\ \}$ $G = \mathbb{Q}$, $L = \{7\}$ $G = \mathbb{N}$, $L = \{5\}$ $G = \mathbb{Z}$, $L = \{4\}$

4 Ändere die Gleichung an der markierten Stelle so ab, dass sie in der Grundmenge $\mathbb{N}$ die angegebene Lösungsmenge besitzt. Zum Beispiel:

a) $2 \cdot x + 3 = \not{1}\ +7$ $L = \{2\}$

b) $-3 \cdot x + \not{5} = 14$ (23) $L = \{3\}$

5 Mirella spart für ein Regal, das 114 € kostet. Wenn sie ihr Taschengeld sechs Monate lang zurücklegt, kann sie sich das Regal kaufen und hat noch 18 € übrig.

a) Markiere die Gleichung, die zu Mirellas Überlegung passt.

☐ $114 - 6 \cdot x = 18$ ☐ $6 \cdot x + 18 = 114$ ☒ $6 \cdot x - 114 = 18$

b) Lege eine Grundmenge fest und bestimme die Lösungsmenge der Gleichung.

x steht für die Höhe des Taschengeldes.

$6 \cdot x - 114 = 18$ | $+114$
$6 \cdot x = 132$ | $:6$
$x = 22$

Mirella bekommt monatlich 22 € Taschengeld.

3 Ändere die Gleichung so ab, dass sie in der Grundmenge $\mathbb{N}$ die angegebene Lösungsmenge besitzt. Zum Beispiel:

a) $-5x = x - \not{6}$ (7) $L = \{\ \}$

b) $10 + \not{5}x - 8 = 6x + 2$ (6) $L = \mathbb{N}$

4 Christian sammelt 1-Cent-Münzen. Er behauptet: Wenn ich die Anzahl meiner Münzen verdopple und noch 1000 sammle, habe ich achtmal so viel wie jetzt. Ist das möglich? **Begründe.**

$2x + 1000 = 8x$ | $-2x$
$1000 = 6x$ | $:6$
$x = \frac{1000}{6}$

Nein, es ist nicht möglich, den $\frac{1000}{6}$ ist keine natürliche Zahl. Es gibt aber nur ganze Münzen.

5 Eine Gleichung in der Grundmenge G hat die Lösungsmenge L. **Begründe**, ob die Aussage wahr oder falsch ist. [T1]

a) $G = \mathbb{N}$; $L = \{4\}$: L ist auch Lösungsmenge der Gleichung in der Grundmenge $\mathbb{Q}$. ☒ wahr ☐ falsch

4 ist auch eine rationale Zahl.

b) $G = \mathbb{Q}$; $L = G$: L ist auch Lösungsmenge der Gleichung in der Grundmenge $\mathbb{N}$.
☒ wahr ☐ falsch

Jede natürliche Zahl ist auch eine rationale Zahl.

[T1] Dass eine Aussage falsch ist kann man durch ein Gegenbeispiel begründen.

1 Löse die Gleichungen in der Grundmenge ℤ und bestimme die Lösungsmenge. Die Lösungen zeigen dir den Weg zu dem Lösungswort: M I L B E.

a) $4x - (-x + 8) = 2$

$4x + x - 8 = 2$ | vereinfachen
$5x - 8 = 2$ | +8
$5x = 10$ | : 5
$x = 2$; $L = \{2\}$

b) $-3 = -7 + (2x - 10)$

$-3 = -7 + 2x - 10$ | vereinf.
$-3 = 2x - 17$ | +17
$14 = 2x$ | : 2
$7 = x$; $L = \{7\}$

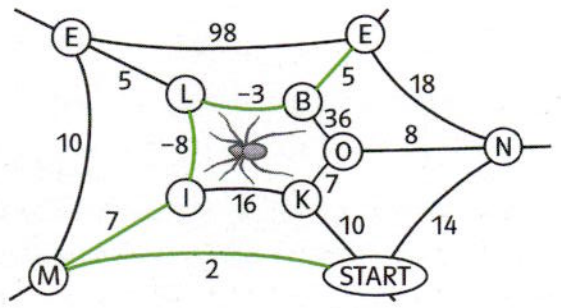

c) $3(2x + 4) = 4x - 4$

$6x + 12 = 4x - 4$ | −4x
$2x + 12 = -4$ | −12
$2x = -16$ | : 2
$x = -8$; $L = \{-8\}$

d) $x + (3 - 3x) = 7 - (5x + 13)$

$x + 3 - 3x = 7 - 5x - 13$
$-2x + 3 = -5x - 6$ | +5x − 3
$3x = -9$ | : 3
$x = -3$; $L = \{-3\}$

e) $56 - 2(2x - 1) = 2(x + 14)$

$56 - 4x + 2 = 2x + 28$ | +4x
$58 = 6x + 28$ | −28
$30 = 6x$ | : 6
$5 = x$; $L = \{5\}$

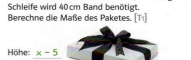

2 Notiere auf der blauen Karte denjenigen Begriff, der beim Lösen der Gleichung von Bedeutung ist. Löse diese anschließend.

Plusklammer | Ausmultiplizieren | Minusklammer | binomische Formel

a) $2 \cdot (4x + 3) = -18$

Ausmultiplizieren

$8x + 6 = -18$ | −6
$8x = -24$ | : 8
$x = -3$

b) $35 - (x + 6) = 22$

Minusklammer

$35 - x - 6 = 22$ | vereinf.
$29 - x = 22$ | +x − 22
$7 = x$

c) $(x - 8) \cdot (x + 8) = x^2 + 16x$

binomische Formel

$x^2 - 64 = x^2 + 16x$ | $-x^2$
$-64 = 16x$ | : 16
$-4 = x$

d) $6x - 9 = 2x + (3x - 5)$

Plusklammer

$6x - 9 = 2x + 3x - 5$ | vereinf.
$6x - 9 = 5x - 5$ | −5x
$x - 9 = -5$ | +9
$x = 4$

e) $(x - 5)^2 = x^2 + 30$

binomische Formel

$x^2 - 10x + 25 = x^2 + 30$ | $-x^2$
$-10x + 25 = 30$ | −25
$-10x = 5$ | : (−10)
$x = -0{,}5$

f) $11 - x^2 = (4 - x) \cdot (x + 3)$

Ausmultiplizieren

$11 - x^2 = 4x + 12 - x^2 - 3x$ | v.
$11 - x^2 = x + 12 - x^2$ | $+x^2$
$11 = x + 12$ | −12
$-1 = x$

3 Überprüfe die Lösungen mithilfe der Probe. Kreuze an.

	Gleichung	Lösungsmenge	✓	f
a)	$7 - 3x = 5 - (2x + 2)$	$L = \{4\}$	X	
b)	$5x - 3 \cdot (4x + 1) = 27 + 8x$	$L = \{2\}$		X

a) $7 - 3 \cdot 4 = 5 - (2 \cdot 4 + 2)$
$-5 = -5$ ✓

b) $5 \cdot 2 - 3 \cdot (4 \cdot 2 + 1) = 27 + 8 \cdot 2$
$10 - 3 \cdot 9 = 27 + 16$
$-17 = 43$ (f)

3 Elvira hat Gleichungen gelöst. Überprüfe ihre Lösungen mithilfe der Probe. Kreuze an.

	Gleichung	Lösungsmenge	✓	f
a)	$2(3 - x) = 6 - (2 + x)$	$L = \{4\}$		X
b)	$10x - 5 - (7x - 25) = 8x + (6 - 12x)$	$L = \{-2\}$	X	

a) $2(3 - 4) = 6 - (2 + 4)$
$-2 = 0$ (f)

b) $-20 - 5 - (-14 - 25) = -16 + (6 + 24)$
$-25 - (-39) = -16 + 30$
$14 = 14$ ✓

4 Umkreise alle **Fehler** und korrigiere darunter.

$2 - 5(2 - x) = 4(x + 5) - 8$ | Klammer auflösen
$2 - 10 - 5x = 4x + 20 - 8$ | vereinfachen
$8 - 5x = 4x + 12$ | −4x
$8 - x = 12$ | −8
$x = 4$

$2 - 10 + 5x = 4x + 20 - 8$ | vereinfachen
$-8 + 5x = 4x + 12$ | −4x
$-8 + x = 12$ | +8
$x = 20$

5 Notiere auf der Karte, ob die Gleichung keine (k), eine (e) oder unendlich (u) viele Lösungen hat.

k | $(x + 7) \cdot (3 - x) = -x^2 - 4x$

u | $x^2 + 3(4x + 12) = (x + 6)^2$

$3x - x^2 + 21 - 7x = -x^2 - 4x$
$-4x - x^2 + 21 = -x^2 - 4x$ | $+x^2$
$-4x + 21 = -4x$ | +4x
$21 = 0$

$x^2 + 12x + 36 = x^2 + 12x + 36$ | $-x^2$
$12x + 36 = 12x + 36$ | −12x
$36 = 36$

6 Ein Rechteck ist 4 cm länger als breit. Wenn die Länge um 4 cm verlängert und die Breite um 2 cm verkürzt wird, entsteht ein neues Rechteck.

ursprüngliches Rechteck: neues Rechteck:

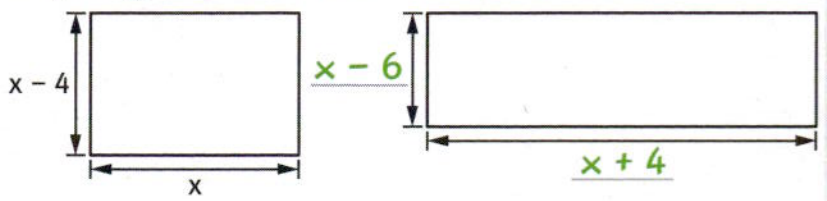

a) Beschrifte das neue Rechteck.
b) Gib einen Term für den Flächeninhalt an.

ursprüngliches Rechteck: $x \cdot (x - 4) = x^2 - 4x$

neues Rechteck: $(x + 4) \cdot (x - 6)$

c) Der Flächeninhalt des neuen Rechtecks ist 2 cm² kleiner als der des ursprünglichen Rechtecks. Wie lang sind die Seiten des ursprünglichen Rechtecks?

$x^2 - 4x = x^2 - 6x + 4x - 24 + 2$
$x^2 - 4x = x^2 - 2x - 22$ | $-x^2$
$-4x = -2x - 22$ | +2x
$-2x = -22$ | : (−2)
$x = 11$

Die Seitenlängen waren 11 cm und 7 cm.

4 Entscheide, ob die Gleichung keine, eine oder unendlich viele Lösungen hat. Notiere die Lösungsmenge.

a) $3x \cdot (x + 8) + 36 = 3 \cdot (x + 2) \cdot (6 + x)$ | Kl. auflös.

$3x^2 + 24x + 36 = 3 \cdot (6x + x^2 + 12 + 2x)$
$3x^2 + 24x + 36 = 3 \cdot (x^2 + 12 + 8x)$
$3x^2 + 24x + 36 = 3x^2 + 36 + 24x$ | $-3x^2$
$24x + 36 = 36 + 24x$ | −24x
$36 = 36$; $L = \mathbb{Q}$ (unendlich viele Lös.)

b) $(x - 7)(x + 5) = (x - 3)^2$ | Kl. auflösen

$x^2 + 5x - 7x - 35 = x^2 - 6x + 9$ | vereinf.
$x^2 - 2x - 35 = x^2 - 6x + 9$ | $-x^2$
$-2x - 35 = -6x + 9$ | +6x
$4x - 35 = 9$ | +35
$4x = 44$ | : 4
$x = 11$; $L = \{11\}$ (eine Lösung)

c) $-4x \cdot (x + 5) = 24x - (2x + 11)^2$ | Kl. auflösen

$-4x^2 - 20x = 24x - (4x^2 + 44x + 121)$
$-4x^2 - 20x = 24x - 4x^2 - 44x - 121$ | vereinf.
$-4x^2 - 20x = -4x^2 - 20x - 121$ | $+4x^2$
$-20x = -20x - 121$ | +20x
$0 = -121$; $L = \{\ \}$ (keine Lösung)

5 Das Paket ist doppelt so lang wie breit und 5 cm breiter als hoch. Das blaue Band ist 2,30 m lang. Für die Schleife wird 40 cm Band benötigt. Berechne die Maße des Paketes. [T1]

Höhe: $x - 5$ Länge: $2x$ Breite: x

$2 \cdot x + 2 \cdot 2x + 4 \cdot (x - 5) + 40 = 230$
$2x + 4 \cdot x + 4 \cdot x - 20 + 40 = 230$
$10 \cdot x + 20 = 230$ | −20
$10 \cdot x = 210$ | : 10
$x = 21$

Breite 21 cm; Länge: 42 cm; Höhe: 16 cm

[T1] Wähle für die Breite des Paketes x (in cm).

○ **1** Berechne die gesuchte Größe.

	a) Rechteck mit den Seitenlängen a und b	b) Quader mit den Kantenlängen a, b, c
gegeben	u = 66 m; a = 12 m	V = 84 cm³; b = 3 cm; c = 7 cm
gesucht	Seite b	Kante a
Formel	u = 2 · a + 2 · b	V = a · b · c
Ergebnis	b = 21 m	a = 4 cm

a) Rechnung:
$u = 2 \cdot a + 2 \cdot b$
$66 = 2 \cdot 12 + 2 \cdot b$
$66 = 24 + 2b \quad | -24$
$42 = 2b \quad | :2$
$21 = b$

b) Rechnung:
$V = a \cdot b \cdot c$
$84 = a \cdot 3 \cdot 7$
$84 = 21a \quad | :21$
$4 = a$

○ **2** Leonard Euler (1707–1793) bewies, dass für einen Körper, der von ebenen Flächen begrenzt wird, immer gilt: [T1]

$e + f = k + 2$
Anzahl der Ecken, Anzahl der Flächen, Anzahl der Kanten

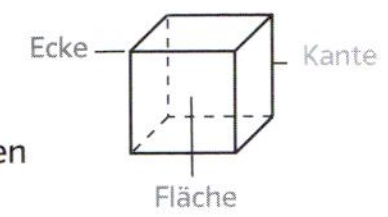
Ecke
Kante
Fläche

a) **Überprüfe** Eulers Behauptung an diesem Körper:

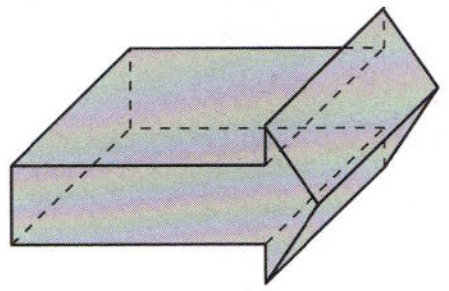

e = 14 ; f = 9
k = 21
e + f = 23
k + 2 = 23

b) Wie viele Kanten hat ein Körper, der 12 Ecken und 8 Flächen besitzt?

$e + f = k + 2$
$12 + 8 = k + 2$
$20 = k + 2 \quad | -2$
$18 = k$

Dieser Körper besitzt 18 Kanten.

○ **3** Chantal wandert mit einer Geschwindigkeit von 5 km/h. Sie ist 90 Minuten unterwegs. Wie weit ist sie gegangen? [T2]

$v = \frac{s}{t}$ 90 Minuten sind 1,5 Stunden.
$5 = \frac{s}{1{,}5} \quad | \cdot 1{,}5$
$7{,}5 = s$ Chantal ist 7,5 km weit gegangen.

◐ **3** Mesut legt mit einer Durchschnittsgeschwindigkeit von 6 km/h den 4 km langen Weg zum Fußballtraining zurück. Wie lange ist er unterwegs?

$6 = \frac{4}{t} \quad | \cdot t$ Mesut benötigt eine $\frac{2}{3}$ h,
$6t = 4 \quad | :6$ also 40 Minuten.
$t = \frac{4}{6} = \frac{2}{3}$

◐ **4** Den Prozentwert berechnet man mit der Formel:

W = G · p %. Verbinde passende Karten.

Aussage	Formel	Ergebnis
Die Schulsprecherin hat 75 der 300 Stimmen erhalten.	75 = 300 · p %	25 %
Eine 75-g-Tafel Schokolade besteht zu 20 % aus Kakao.	75 = G · 225 %	28
75 % der Schüler wünschen sich Pizza. Das sind 21 Schüler.	W = 75 · 20 %	33,33
	21 = G · 75 %	357,14
	75 = G · 21 %	15

● **4** Im Durchschnitt betrachtet, wird die Körpergröße eines Menschen nach den Formeln

$l_{Mä} = \frac{l_{Va} + l_{Mu}}{2} - 6{,}5\,cm$ für Mädchen und

$l_{Ju} = \frac{l_{Va} + l_{Mu}}{2} + 6{,}5\,cm$ für Jungen berechnet.

Dabei steht l_{Va} für die Körperlänge des Vaters, l_{Mu} für die der Mutter, $l_{Mä}$ für die Körperlänge der Mädchen und l_{Ju} für die Körperlänge der Jungen.
Berechne mithilfe einer der obigen Formeln, wie groß die Mutter vermutlich ist, wenn der Sohn 1,86 m und sein Vater 1,87 m groß ist.

$l_{Ju} = \frac{l_{Va} + l_{Mu}}{2} + 6{,}5$
$186 = \frac{187 + l_{Mu}}{2} + 6{,}5 \quad | -6{,}5$
$179{,}5 = \frac{187 + l_{Mu}}{2} \quad | \cdot 2$
$359 = 187 + l_{Mu} \quad | -187$
$172 = l_{Mu}$
Die Mutter ist dann vermutlich 1,72 m groß.

[T1] Eine Kante ist eine Linie, die zwei aufeinandertreffende Flächen bilden. Eine Ecke ist ein Punkt, an dem mehrere Kanten aufeinander treffen.

[T2] Denke daran, dass du mit den gleichen Einheiten rechnen musst. Wandle dazu die Laufzeit von 90 Minuten in Stunden um.

○ **1** Fülle die Lücken.

a) $(2x - 7) \cdot 5$
$= 10x - 35$

b) $4 - 16x$
$= 4 \cdot (1 - 4x)$

c) $12y - 20$
$= -4 \cdot (-3y + 5)$

d) $(28 + 49a) : 7$
$= 4 + 7a$

○ **2** Multipliziere und vereinfache.
$(3 + x) \cdot (2x + 3)$
$= 3 \cdot 2x + 3 \cdot 3 + x \cdot 2x + x \cdot 3$
$= 6x + 9 + 2x^2 + 3x$
$= 2x^2 + 9x + 9$

○ **3** Fülle die Lücken mithilfe der binomischen Formeln.

	a	b	(a + b)²	(a − b)²	(a + b) · (a − b)
a)	y	11	$(y + 11)^2 = y^2 + 22y + 121$	$(y - 11)^2 = y^2 - 22y + 121$	$(y + 11)(y - 11) = y^2 - 121$
b)	5	x	$(5 + x)^2 = 25 + 10x + x^2$	$(5 - x)^2 = 25 - 10x + x^2$	$(5 + x)(5 - x) = 25 - x^2$
c)	a	6b	$(a + 6b)^2 = a^2 + 12ab + 36b^2$	$(a - 6b)^2 = a^2 - 12ab + 36b^2$	$(a + 6b)(a - 6b) = a^2 - 36b^2$

○ **4** Verwandle in ein Produkt.

a) $x^2 + 12x + 6^2$
$= x^2 + 2 \cdot 6 \cdot x + 6^2$
$= (x + 6)^2$

b) $b^2 - 22b + 11^2$
$= b^2 - 2 \cdot 11 \cdot b + 11^2$
$= (b - 11)^2$

c) $a^2 - 15^2$
$= (a + 15) \cdot (a - 15)$

d) $z^2 - 14z + 49$
$= z^2 - 2 \cdot 7 \cdot z + 7^2$
$= (z - 7)^2$

e) $36 - 4y^2$
$= 6^2 - (2y)^2$
$= (6 + 2y) \cdot (6 - 2y)$

f) $a^2 + 16a + 64$
$= a^2 + 2 \cdot 8 \cdot a + 8^2$
$= (a + 8)^2$

○ **5** Löse die Gleichung. Mache die Probe und bestimme die Lösungsmenge.

$6x + 14 = 2(x - 3) \quad |$ Klammer auflösen
$6x + 14 = 2x - 6 \quad | -2x$
$4x + 14 = -6 \quad | -14$
$4x = -20 \quad | :4 \qquad x = -5$

Probe: $6 \cdot (-5) + 14 = 2(-5 - 3)$
$-30 + 14 = 2 \cdot (-8)$
$-16 = -16$ ✓

G = ℚ: L = {−5}; G = ℤ: L = {−5}; G = ℕ: L = { }

○ **6** Löse die Gleichung.

a) $20 - (80 - 15x) = 15 \cdot (20 - 2x) \quad |$ Kl. auflösen
$20 - 80 + 15x = 300 - 30x \quad | +30x$
$-60 + 45x = 300 \quad | +60$
$45x = 360 \quad | :45 \qquad x = 8$

b) $(3x - 2) \cdot (2 + 3x) = 9x^2 + 2x \quad |$ Kl. auflösen
$6x + 9x^2 - 4 - 6x = 9x^2 + 2x \quad |$ zusammenfassen
$9x^2 - 4 = 9x^2 + 2x \quad | -9x^2$
$-4 = 2x \quad | :2 \qquad x = -2$

○ **7**

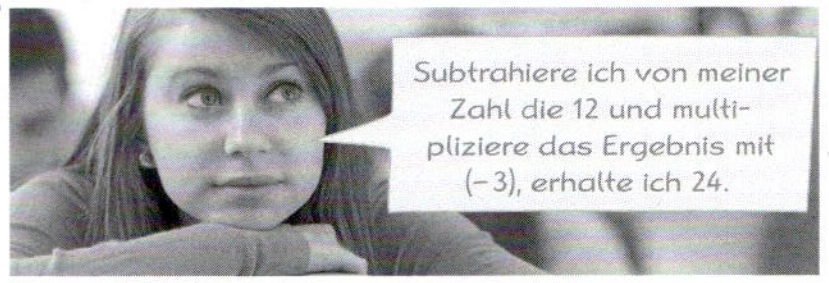
Subtrahiere ich von meiner Zahl die 12 und multipliziere das Ergebnis mit (−3), erhalte ich 24.

Stelle eine Gleichung auf und berechne Claras Zahl.
$(x - 12) \cdot (-3) = 24 \quad |$ Klammer auflösen
$-3x + 36 = 24 \quad | -36$
$-3x = -12 \quad | :(-3)$
$x = 4$

○ **8** Der Umfang der nebenstehenden Figur kann mithilfe der Formel u = 2a + 4b berechnet werden. Berechne die fehlenden Werte in der Tabelle.

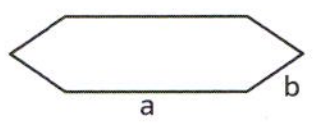
a
b

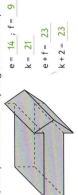

	a)	b)	c)
Seite a	4,2 km	5 m	2,5 cm
Seite b	2,5 km	3 m	3,7 cm
Umfang u	18,4 km	22 m	19,8 cm

a) $u = 2 \cdot 4{,}2 + 4 \cdot 2{,}5$
$= 8{,}4 + 10$
$= 18{,}4$

b) $22 = 2a + 4 \cdot 3$
$22 = 2a + 12 \quad | -12$
$10 = 2a \quad | :2$
$a = 5$

c) $19{,}8 = 2 \cdot 2{,}5 + 4b$
$19{,}8 = 5 + 4b \quad | -5$
$14{,}8 = 4b \quad | :4$
$b = 3{,}7$

9 Klammere einen möglichst großen Faktor aus.

a) $8x - 32$
$= 8 \cdot x - 8 \cdot 4$
$= 8 \cdot (x - 4)$

b) $42a + 28b$
$= 14 \cdot 3a + 14 \cdot 2b$
$= 14 \cdot (3a + 2b)$

c) $25xy - 70x$
$= 5x \cdot 5y - 5x \cdot 14$
$= 5x \cdot (5y - 14)$

d) $65a^2b + 26ab^2$
$= 13ab \cdot 5a + 13ab \cdot 2b$
$= 13ab \cdot (5a + 2b)$

10 Multipliziere jeweils den Term in der Zeile mit dem Term in der Spalte und vereinfache so weit wie möglich.

·	(y − 4)	(5x + 3y)	(2y − 2)	(5x − 3y)
(2y − 2)	$2y \cdot y - 2y \cdot 4 - 2y + 8 = 2y^2 - 10y + 8$	$10xy + 6y^2 - 10x - 6y$	$(2y)^2 - 2 \cdot 2y \cdot 2 + 2^2 = 4y^2 - 8y + 4$	$10xy - 6y^2 - 10x + 6y$
(5x + 3y)	$5xy - 20x + 3y^2 - 12y$	$(5x)^2 + 2 \cdot 5x \cdot 3y + (3y)^2 = 25x^2 + 30xy + 9y^2$	$10xy - 10x + 6y^2 - 6y$	$(5x)^2 - (3y)^2 = 25x^2 - 9y^2$

11 Fülle die Lücken mithilfe der drei binomischen Formeln.

Summe	a	b	± 2ab	Produkt
$4a^2 - 4ab + b^2$	$2a$	b	$-4ab$	$(2a - b)^2$
$100x^2 - 80x + 16$	$10x$	4	$-80x$	$(10x - 4)^2$
$16y^2 + 56y + 49$	$4y$	7	$+56y$	$(4y + 7)^2$
$81x^2 - 144x + 64$	$9x$	8	$-144x$	$(9x - 8)^2$
$9c^2 + 60c + 100$	$3c$	10	$+60c$	$(3c + 10)^2$
$4x^2 - 4x + 1$	$2x$	1	$-4x$	$(2x - 1)^2$

12 Bei seiner 3-tägigen Wanderung in den Alpen legt Markus insgesamt 52 km zurück. Die steilere Etappe am 2. Tag ist 12 km kürzer als die am 1. Tag. Am 3. Tag muss Markus die dreifache Strecke wie am 2. Tag zurücklegen. Berechne die Längen der einzelnen Etappen.

Strecke 1. Tag: x — 20 km
Strecke 2. Tag: $x - 12$ — 8 km
Strecke 3. Tag: $3 \cdot (x - 12)$ — 24 km

$x + (x - 12) + 3 \cdot (x - 12) = 52$ | Kl. auflösen
$x + x - 12 + 3x - 36 = 52$ | zusammenf.
$5x - 48 = 52$ | + 48
$5x = 100$ | : 5
$x = 20$

13 Löse die Gleichung schrittweise und bestimme die Lösungsmenge.

a) $(x + 1) \cdot (x + 2) + 3 = (x + 2) \cdot (x - 2) + 3 \cdot (x + 3)$

$x^2 + 2x + x + 2 + 3 = x^2 - 4 + 3x + 9$ | zusf.
$x^2 + 3x + 5 = x^2 + 3x + 5$ | $-x^2$
$3x + 5 = 3x + 5$ | $-3x$
$5 = 5$; $L = \mathbb{Q}$

Die Aussage ist richtig, also ist jede Zahl Lösung der Gleichung.

b) $2x^2 + 2\left(x + \frac{1}{2}\right) = 2(x + 1)^2 - 2x$

$2x^2 + 2x + 1 = 2(x^2 + 2x + 1) - 2x$ | Kl. auflösen
$2x^2 + 2x + 1 = 2x^2 + 4x + 2 - 2x$ | zusammenf.
$2x^2 + 2x + 1 = 2x^2 + 2x + 2$ | $-2x^2$
$2x + 1 = 2x + 2$ | $-2x$
$1 = 2$; $L = \{\ \}$

Die Aussage ist falsch.

14 Ein ICE hat eine Höchstgeschwindigkeit von 320 km/h. Er legt in 36 s eine Strecke von 3200 m zurück. [T1]

$v = \frac{s}{t}$ (s in km; t in h) $36\,s = \frac{36}{60}\,min = 0{,}6\,min = \frac{0{,}6}{60}\,h = 0{,}01\,h$

$320 = \frac{s}{0{,}01}$ $s = 3{,}2$ $s = 3{,}2\,km = 3200\,m$

Zur Erinnerung: $v = \frac{s}{t}$
mit v = Geschwindigkeit,
s = Strecke, t = Zeit

[T1] Wandle zunächst die 36 Sekunden in Stunden um.

1 Spiegele die Figur an der Symmetrieachse g. Markiere die Fixpunkte in blau.

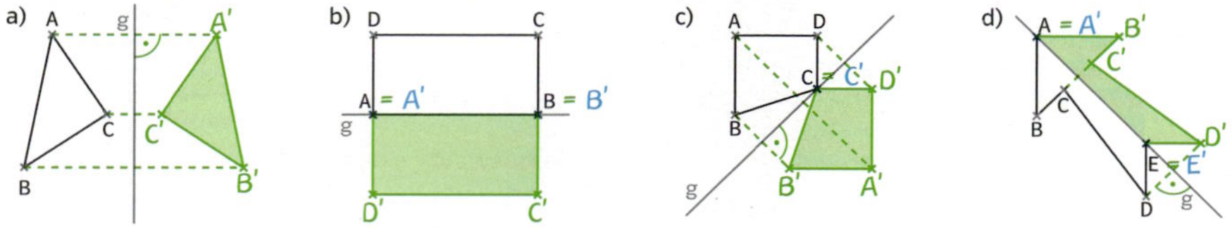

2 Die blaue Figur soll Spiegelbild der schwarzen Figur sein. **Prüfe** und korrigiere falls nötig.

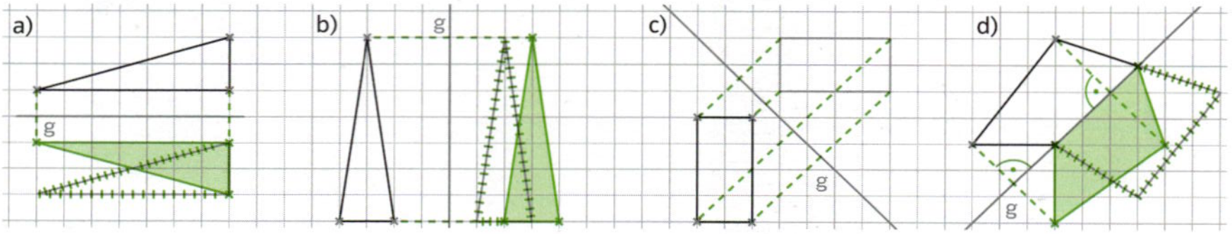

3 Spiegele zuerst an g. Spiegele die entstandene Figur dann an h.

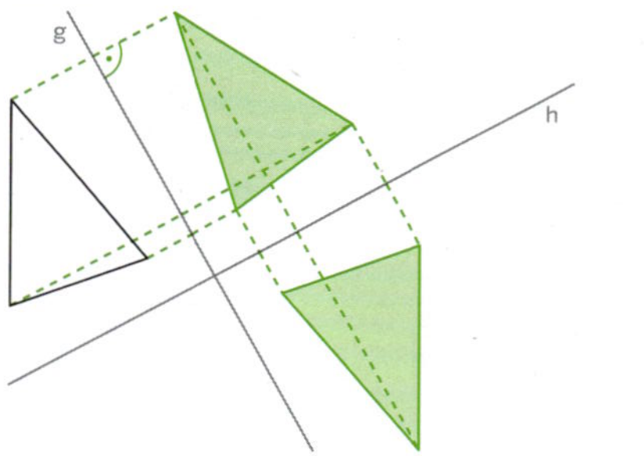

4 Das Viereck ABCD und der Bildpunkt A' sind gegeben.
a) Zeichne die Symmetrieachse g ein. [T1]
b) Führe die Spiegelung zu Ende.

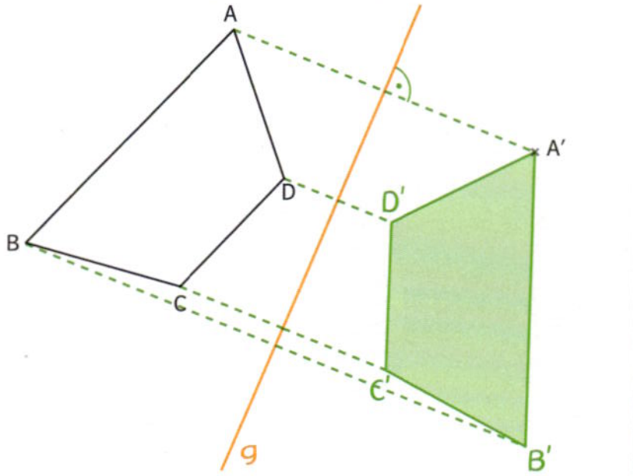

3 Spiegele die Figur an der Symmetrieachse g.

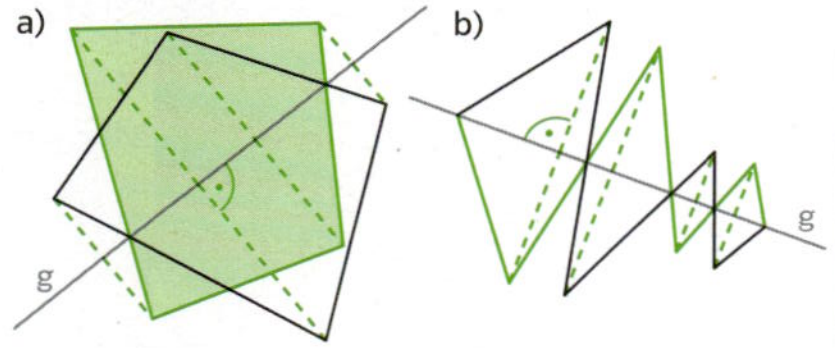

4 Das Dreieck ABC wird an g gespiegelt.
Die entstandene Figur wird dann an h gespiegelt.
a) Zeichne die Symmetrieachsen g und h ein.
b) Führe die Spiegelungen zu Ende. [T1]

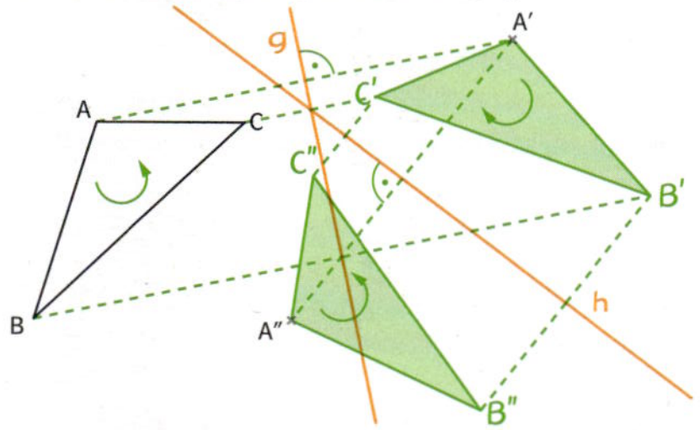

c) Sören behauptet: „Spiegelt man die Bildfigur einer Achsenspiegelung noch einmal, ist der Umlaufsinn wie in der Ausgangsfigur." Was meinst du? **Erkläre.**

Die Aussage ist richtig, da der Umlaufsinn durch zwei Achsenspiegelungen 2-mal umgekehrt wurde.

[T1] Die Symmetrieachse ist die Mittelsenkrechte der Strecke $\overline{AA'}$.

Schätze ein, wie gut du die Basisaufgaben auf Seite 19 bearbeitet hast.
Eine Anleitung für das Arbeiten mit dieser Tabelle findest du auf Seite 2 im Aufgabenteil.

Auswerten, Selbsteinschätzen und Weiterlernen

Ich kann ...	gut	etwas	nicht gut	Nachlesen und üben	
1 mithilfe des Verteilungsgesetzes Terme umformen, indem ich ausmultipliziere bzw. ausklammere.				**Nachlesen** Schülerbuch S. 8 Merke und Beispiele **Üben** Arbeitsheft: S. 11 Nr. 1, 2, 3 Schülerbuch: S. 9 Alles klar?; S. 36 Nr. 1, 2	☺
2 Summen miteinander multiplizieren.				**Nachlesen** Schülerbuch: S. 11 Merke und Beispiele **Üben** Arbeitsheft: S. 12 Nr. 2, 3 links Schülerbuch: S. 12 Alles klar?; S. 36 Nr. 3	☺
3 mithilfe der binomischen Formeln Produkte in Summen umwandeln.				**Nachlesen** Schülerbuch: S. 13 Merke, Beispiele a – c **Üben** Arbeitsheft: S. 13 Nr. 1, 2 Schülerbuch: S. 14 Alles klar?; S. 36 Nr. 4	☺
4 mithilfe der binomischen Formeln Summen in Produkte umwandeln.				**Nachlesen** Schülerbuch: S. 16 Merke und Beispiele **Üben** Arbeitsheft: S. 14 Nr. 1, 2, 3 links Schülerbuch: S. 17 Alles klar? A; S. 36 Nr. 6 links	☺
5 Lösungsmengen in verschiedenen Grundmengen bestimmen.				**Nachlesen** Schülerbuch: S. 18 Merke und Beispiele **Üben** Arbeitsheft: S. 15 Nr. 1, 2, 3 links Schülerbuch: S. 19 Alles klar?; S. 36 Nr. 5 links	☺
6 Gleichungen mit Klammern lösen.				**Nachlesen** Schülerbuch: S. 20 Merke und Beispiele **Üben** Arbeitsheft: S. 16 Nr. 1, 2 Schülerbuch: S. 21 Alles klar?	☺
7 für Zahlenrätsel Gleichungen aufstellen und lösen.				**Nachlesen** Schülerbuch: S. 20 Merke und Beispiele **Üben** Arbeitsheft: S. 16 Nr. 1, 2 Schülerbuch: S. 21 Alles klar?	☺
8 eine fehlende Größe mithilfe einer Formel berechnen.				**Nachlesen** Schülerbuch: S. 27 Merke und Beispiele **Üben** Arbeitsheft: S. 18 Nr. 1, 2, 3 links Schülerbuch: S. 28 Alles klar?	☺

○ **1** Verschiebe die Figur in Richtung des abgebildeten Verschiebungspfeils.

a) b) c) d)

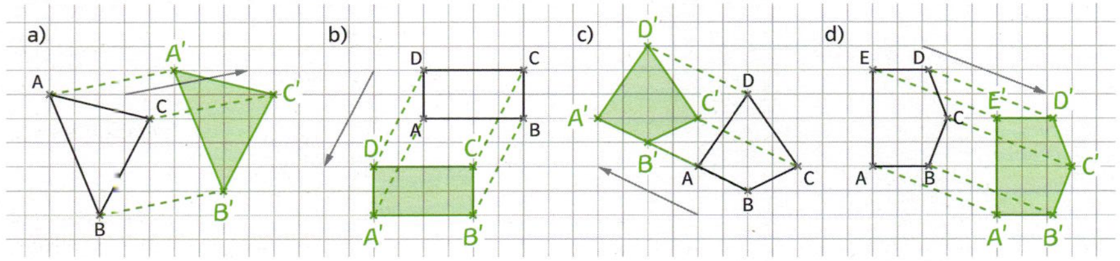

○ **2** Verschiebe die Figur dreimal in einer Zeichnung. Färbe die Figuren jeweils in einer anderen Farbe.

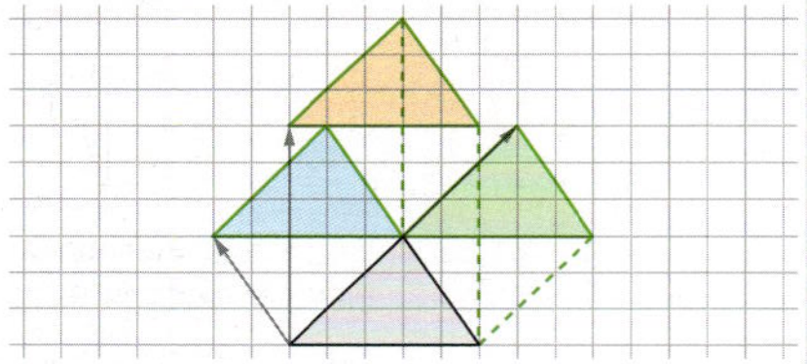

◐ **2** Verschiebe die Figur dreimal in einer Zeichnung. Färbe die Figuren jeweils in einer anderen Farbe.

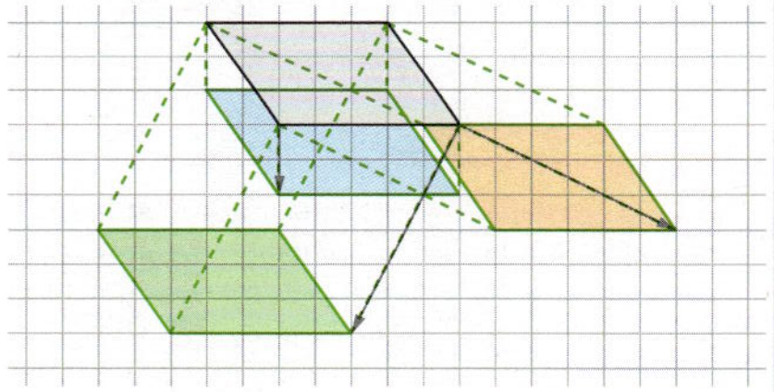

◐ **3** a) Verschiebe die Figur zunächst wie durch den Pfeil a angegeben. Verschiebe die Bildfigur dann wie durch Pfeil b angegeben.

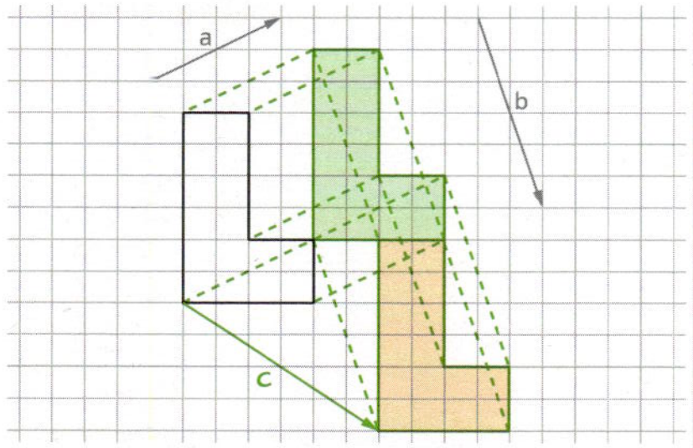

b) Durch welche Verschiebung kann man die beiden ausgeführten Verschiebungen in a) ersetzen? Zeichne den entsprechenden Verschiebungspfeil c.

◐ **3** a) Verschiebe die Figur.
b) Trage die Koordinaten der Bildpunkte ein.

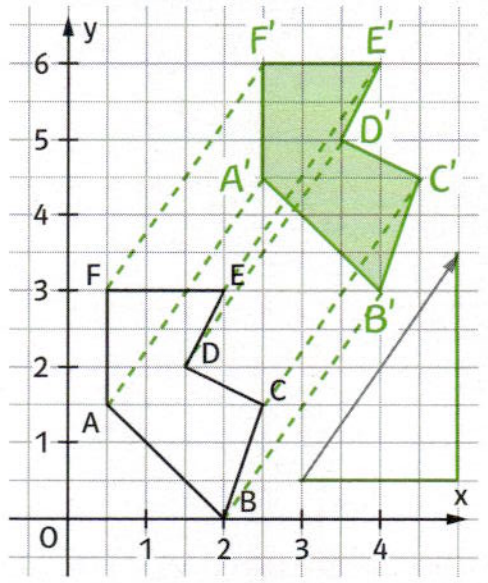

A′(2,5 | 4,5)
B′(4 | 3)
C′(4,5 | 4,5)
D′(3,5 | 5)
E′(4 | 6)
F′(2,5 | 6)

c) P(22 | 18) wird nach derselben Vorschrift verschoben. Gib seine Koordinaten an: P′(24 | 21)

◐ **4** Zeichne die Bandornamente bis zum Rand.

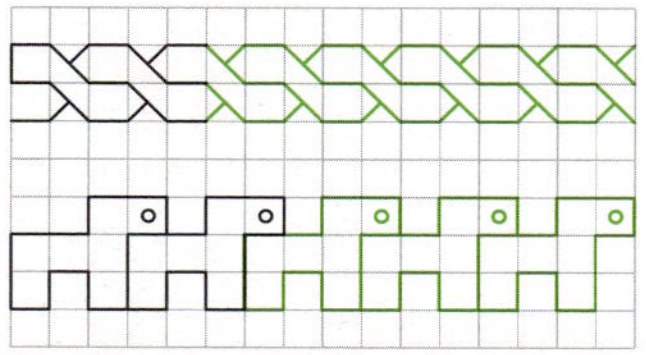

● **4** Färbe eine Grundfigur. Parkettiere dann das ganze Rechteck.

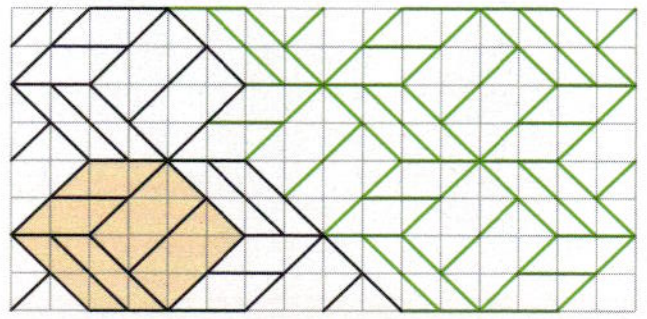

○ **1** Drehe die Figur um das Zentrum Z mit dem Drehwinkel φ.

a) φ = 75° b) φ = 150° c) φ = 180°

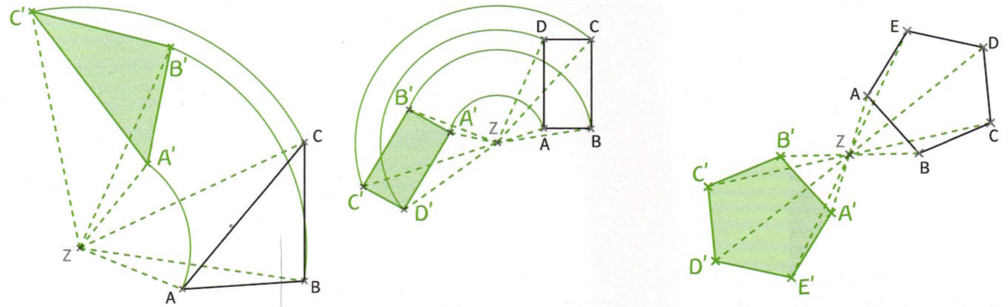

○ **2** a) Zeichne das Dreieck ABC mit A(5 | 1); B(7 | 1); C(6 | 3) und das Drehzentrum Z(4 | 0,5).
b) Drehe das Dreieck um Z mit φ = 90°.

Die Bildpunkte sind A′(3,5 | 1,5);

B′(3,5 | 3,5) und C′(1,5 | 2,5).

c) Drehe das Dreieck A′B′C′ um Z mit φ = 45°.

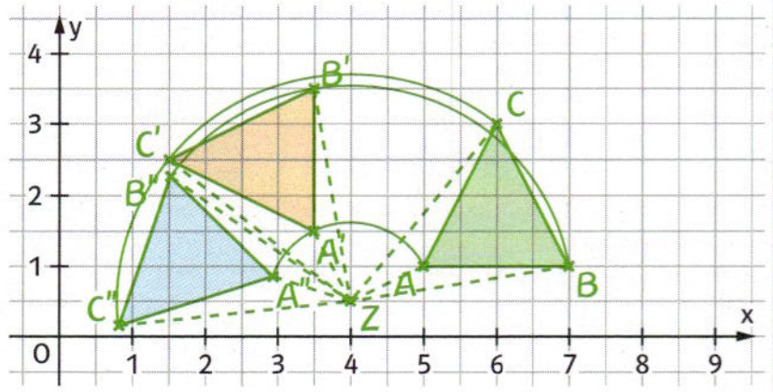

◐ **2** a) Zeichne das Dreieck ABC mit A(3 | 3,5); B(1 | 3); C(3 | 2) und das Drehzentrum Z(2 | 2).
b) Drehe die Figur um Z mit φ = 160°.
c) Miss alle Längen und Winkel und notiere sie. Was fällt dir auf?

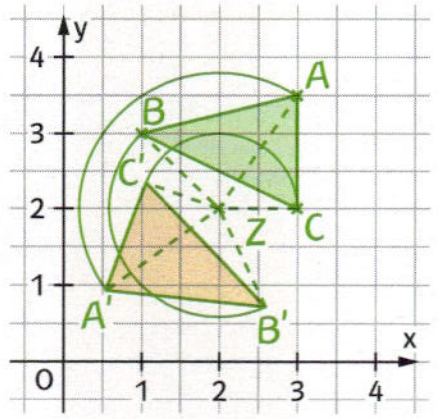

α = 75 °
α′ = 75 °
β = 40 °
β′ = 40 °
γ = 65 °
γ′ = 65 °

$\overline{AB}$ = 2,1 cm; $\overline{BC}$ = 2,2 cm; $\overline{AC}$ = 1,5 cm

$\overline{A'B'}$ = 2,1 cm; $\overline{B'C'}$ = 2,2 cm; $\overline{A'C'}$ = 1,5 cm

Figur und Bildfigur stimmen in den entsprechenden Seitenlängen und Winkeln überein.

◐ **3** a) Drehe den Fisch um das Drehzentrum Z(3 | 3) mit dem Drehwinkel φ = 180°.
b) Bestimme die Koordinaten der Bildpunkte.

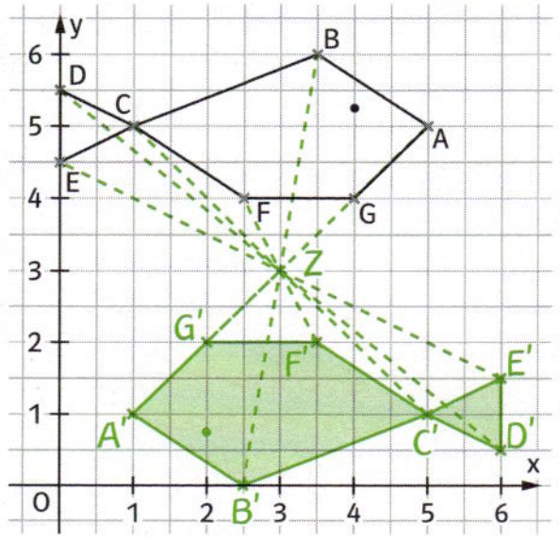

A′(1 | 1);
B′(2,5 | 0);
C′(5 | 1);
D′(6 | 0,5);
E′(6 | 1,5);
F′(3,5 | 2);
G′(2 | 2)

● **3** Konstruiere das Drehzentrum Z, bestimme den Drehwinkel φ und vervollständige die Drehung. [T1]

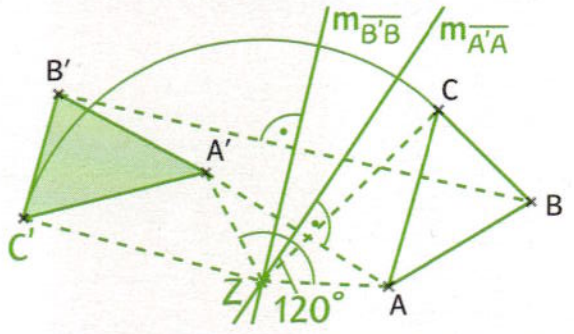

φ = 120 °

[T1] A und A′ liegen ebenso wie B und B′ gleich weit vom Drehzentrum Z entfernt.

○ **1** Finde Paare kongruenter Figuren.

A ist kongruent zu G.
B ist kongruent zu J.
D ist kongruent zu F.
E ist kongruent zu H.
Zwei Figuren bleiben übrig,
C und I.

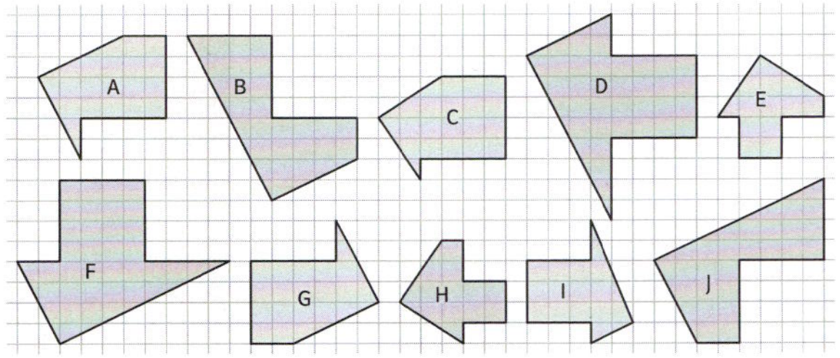

○ **2** Ist die blaue Figur durch eine Kongruenzabbildung entstanden? Wenn ja, notiere durch welche?

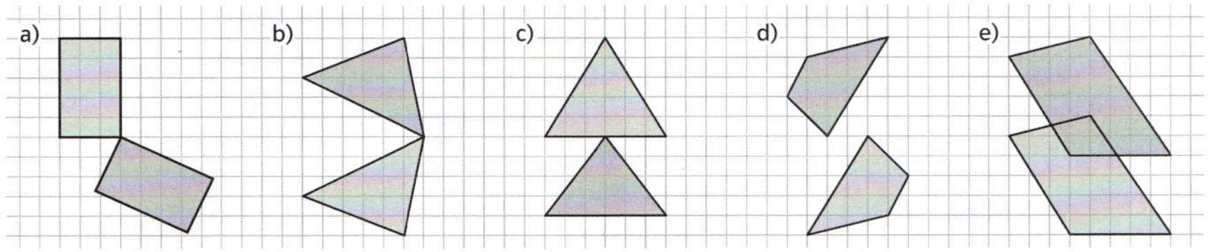

a)	b)	c)	d)	e)
Drehung	Achsen-spiegelung	keine Kongru-enzabbildung	Drehung/Punkt-spiegelung	Verschiebung

◒ **3** a) Ein Quadrat wurde in Teilfiguren zerlegt. In den folgenden Fällen entstehen dabei lauter kongruente Teilfiguren: A, B, C, F

b) Suche zwei weitere Möglichkeiten, das Quadrat in kongruente Teilfiguren zu zerlegen.

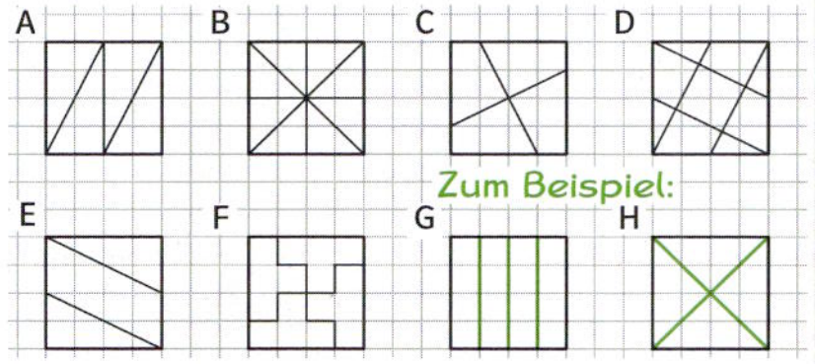

◒ **4** Welche der Fähnchen B bis F können durch
a) Achsenspiegelung: D, F
b) Verschiebung: C, E
c) Drehung: B
aus Figur A enstanden sein?

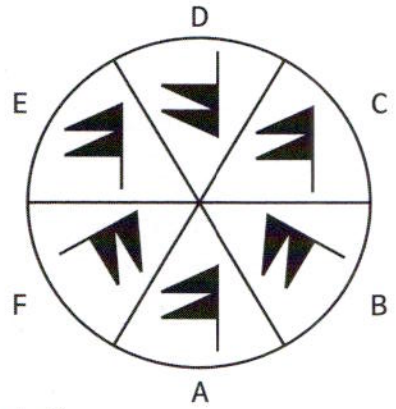

● **3** Kongruente Figuren lassen sich durch Verschieben, Drehen und Spiegeln erzeugen. Zeichne das Dreieck A (1 | 0), B (3 | 2) und C (0 | 4) und seine Bilder.
a) Dreieck A'B'C' entsteht durch Spiegelung an einer Symmetrieachse.
b) Dreieck A''B''C'' entsteht durch Punktspiegelung.
c) Dreieck A'''B'''C''' entsteht durch Verschiebung.

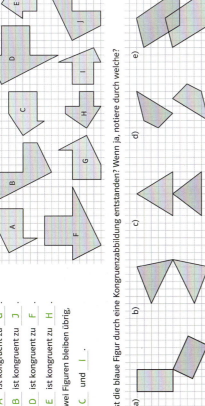

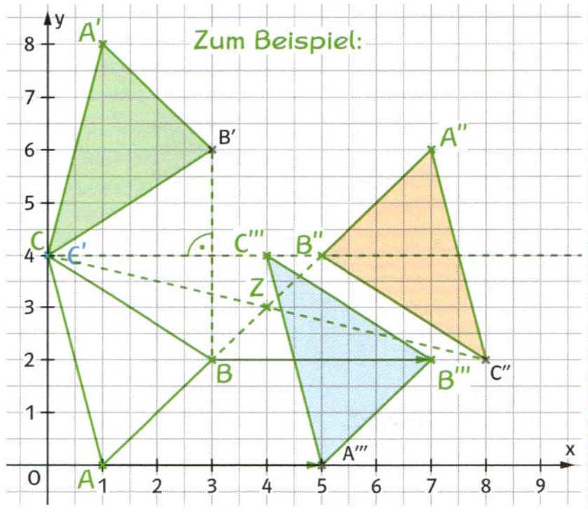

○ **1** Spiegele die Figur an der Symmetrieachse g.

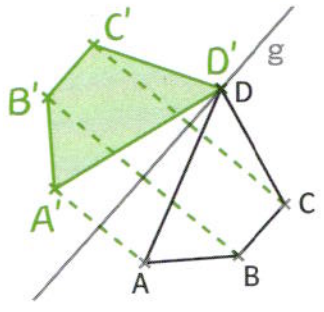

○ **2** Spiegele die Figur am Punkt Z.

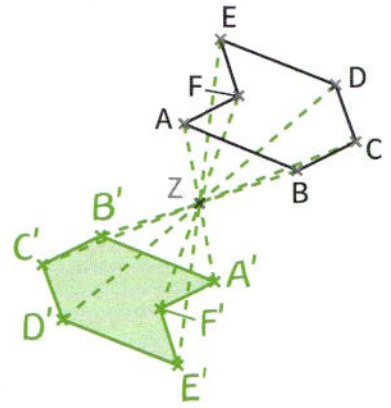

○ **3** Drehe die Figur um das Drehzentrum Z mit φ = 60°.

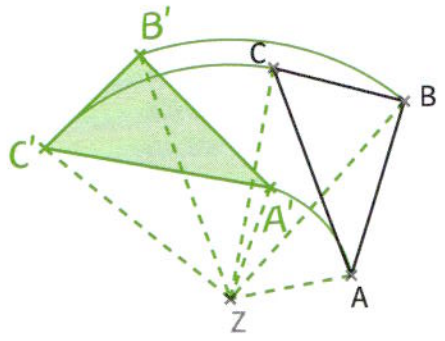

○ **4** Verschiebe die Figur in Richtung des Verschiebungspfeils.

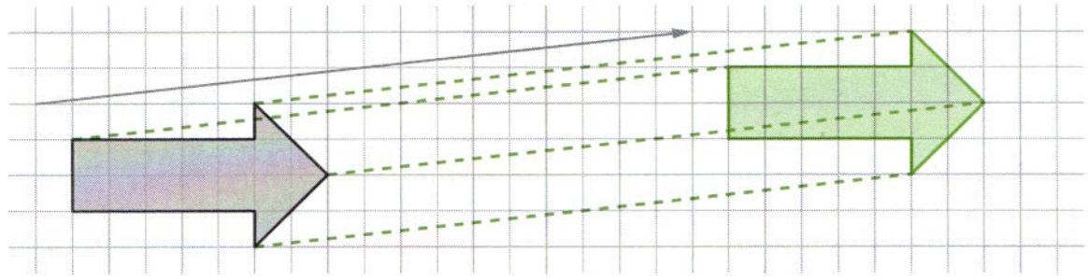

○ **5** Finde in der zweiten Figur die kongruenten Teilstücke aus der ersten Figur. Notiere darin die entsprechende Zahl.

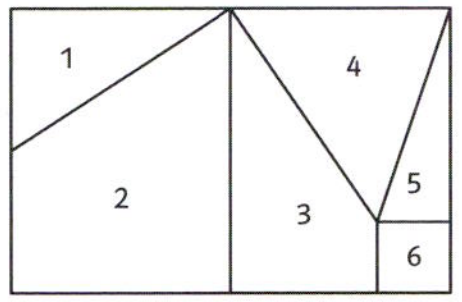

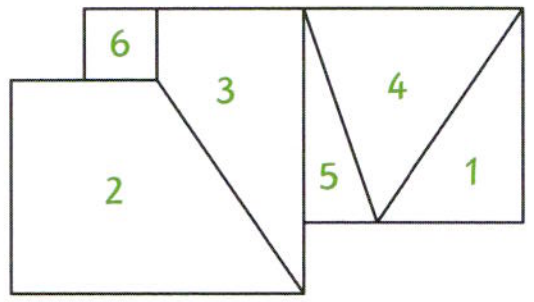

◒ **6** a) Spiegele das Viereck ABCD an der Symmetrieachse g.
b) Drehe das entstandene Viereck A'B'C'D' um das Drehzentrum Z mit dem Drehwinkel φ = 100°.

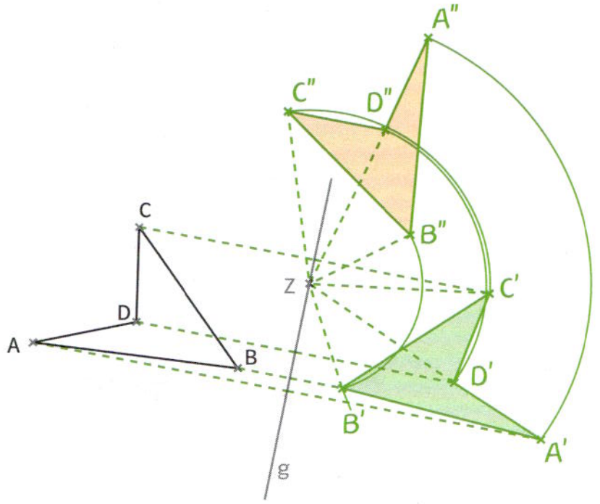

● **7** Die abgebildeten Dreiecke A, B, C und D sind alle durch Kongruenzabbildungen aus dem blauen Dreieck entstanden. Durch welche?

Achsenspiegelung: B Verschiebung: C
Punktspiegelung: D Drehung: A ; φ = 90°

Zeichne den entsprechenden Verschiebungspfeil, die Symmetrieachse, das Symmetriezentrum und das Drehzentrum ein.

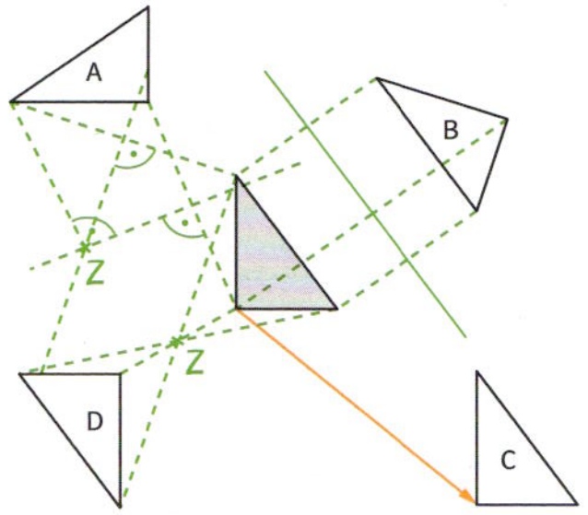

2 Geometrische Abbildungen | **Basistraining - Selbsteinschätzen & Weiterlernen**

Schätze ein, wie gut du die Basisaufgaben auf Seite 25 bearbeitet hast.
Eine Anleitung für das Arbeiten mit dieser Tabelle findest du auf Seite 2 im Aufgabenteil.

Auswerten, Selbsteinschätzen und Weiterlernen

	Ich kann …	gut	etwas	nicht gut	Nachlesen und üben
1	eine Figur an einer Symmetrieachse spiegeln.	☐	☐	☐	**Nachlesen** Schülerbuch: S. 40 Merke und Beispiel **Üben** Arbeitsheft: S. 21 Nr. 1, 3 links Schülerbuch: S. 41 Alles klar? A a; S. 54 Nr. 1
2	eine Figur an einem Punkt spiegeln.	☐	☐	☐	**Nachlesen** Schülerbuch: S. 44 Merke und Beispiel b **Üben** Arbeitsheft: S. 23 Nr. 1 c Schülerbuch: S. 45 Alles klar? A a
3	eine Figur an einem Drehzentrum drehen.	☐	☐	☐	**Nachlesen** Schülerbuch: S. 44 Merke und Beispiel a **Üben** Arbeitsheft: S. 23 Nr. 1a, b, 2 links Schülerbuch: S. 45 Alles klar? A b; S. 54 Nr. 3
4	eine Figur mithilfe eines Verschiebungspfeils verschieben.	☐	☐	☐	**Nachlesen** Schülerbuch: S. 42 Merke und Beispiel **Üben** Arbeitsheft: S. 22 Nr. 1, 2 links Schülerbuch: S. 43 Alles klar?; S. 54 Nr. 2
5	kongruente Figuren erkennen.	☐	☐	☐	**Nachlesen** Schülerbuch: S. 46 Merke und Beispiele **Üben** Arbeitsheft: S. 24 Nr. 1 Schülerbuch: S. 47 Alles klar? A

○ **1** Luisa vergleicht die monatlichen Durchschnittstemperaturen in München (blau) und in London (orange).

a) Lies die monatlichen Durchschnittstemperaturen des ersten Halbjahres aus der Grafik ab und notiere sie in der Wertetabelle.

Monat	Jan.	Feb.	Mär.	Apr.	Mai	Jun.
Temperatur in München in °C	−3	−2	5	10	13	16
Temperatur in London in °C	4	5	7	12	13	16

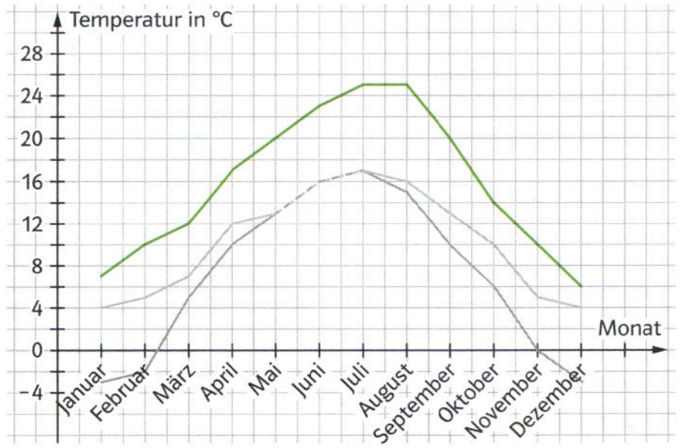

b) Markiere in der Tabelle in Teilaufgabe a) für beide Städte jeweils die tiefste Monatstemperatur in orange und die höchste Monatstemperatur in blau.

c) Zeichne den Graphen der Wertetabelle für die Stadt Rom in das Schaubild ein.

Monat	Jan.	Feb.	Mär.	Apr.	Mai	Jun.	Jul.	Aug.	Sep.	Okt.	Nov.	Dez.
Temperatur in Rom in °C	7	10	12	17	20	23	25	25	20	14	10	6

d) Fülle die Lücken: In München sinkt die Temperatur am stärksten von Monat Oktober auf Monat November (um 6 °C), in London von Oktober auf November (um 5 °C) und in Rom von September auf Oktober (um 6 °C).

○ **2** Kreuze an, ob das Schaubild im Koordinatensystem zu einer Funktion gehört oder nicht. **Begründe.**

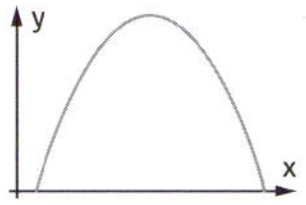

Die Zuordnung ist
☒ eine Funktion/
☐ keine Funktion, denn
sie ist eindeutig.

Die Zuordnung ist
☐ eine Funktion/
☒ keine Funktion, denn
sie ist nicht eindeutig.

◒ **3** Das Schaubild zeigt den Wasserstand in einer 1 m hohen Regentonne.

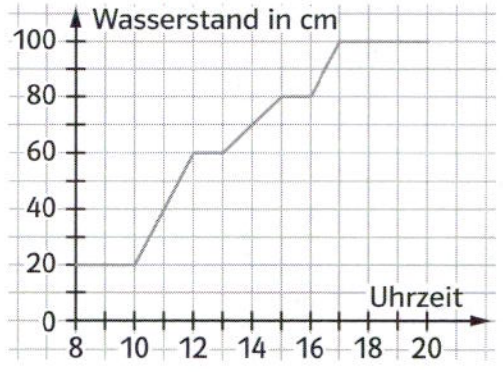

a) Ergänze den Text.

Es hat um 10:00 Uhr begonnen zu regnen. Am stärksten hat es zwischen 10:00 Uhr und 12:00 Uhr geregnet. Zwischen 12:00 Uhr und 13:00 Uhr hat es nicht geregnet.

b) Hat es um 19:00 Uhr geregnet? Seit 17:00 Uhr ist die Regentonne voll. Ob es weiter geregnet hat, kann man aus dem Schaubild nicht ablesen.

◒ **3** Ein Rennfahrer durchfährt mehrmals eine Trainingsschleife und zeichnet seine beste Runde auf. Fülle die Lücken.

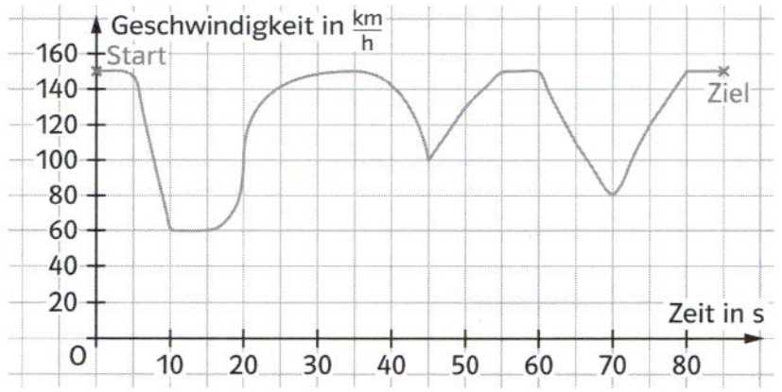

Die höchste Geschwindigkeit betrug 150 km/h, die niedrigste 60 km/h. Insgesamt dauerte die Trainingsrunde 85 s. Im Streckenverlauf gibt es 3 Kurven, die engste nach etwa 10 Sekunden.

Der Start der Runde ist im Streckenverlauf mit S_3 gekennzeichnet.

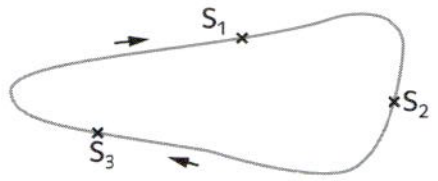

○ **1** a) Fülle die Wertetabellen aus und ordne den Funktionen das passende Schaubild (A oder B) zu.

$f(x) = 0{,}5x$ Schaubild A

x	0	1	2	3	4
f(x)	0	0,5	1	1,5	2

$f(x) = -\frac{1}{2}x + 2$ Schaubild B

x	0	1	2	3	4
f(x)	2	1,5	1	0,5	0

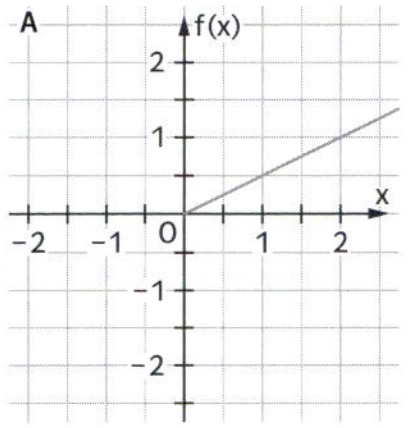

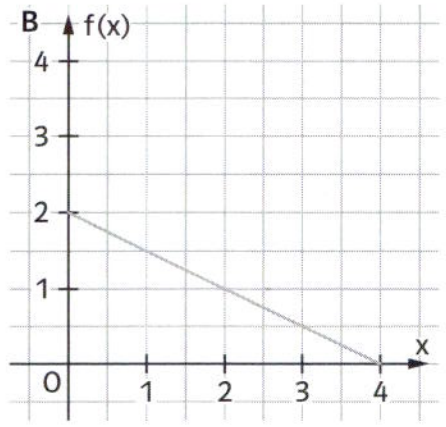

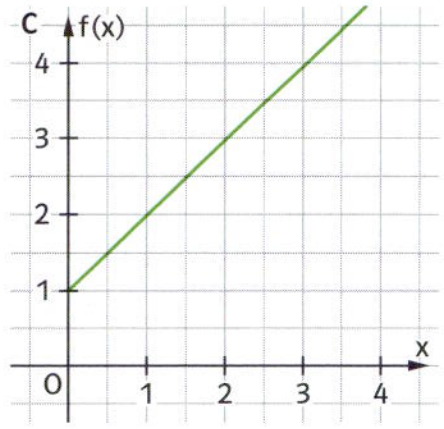

b) Zeichne das Schaubild zu $f(x) = x + 1$ (siehe Wertetabelle) in das leere Koordinatensystem (C).

$f(x) = x + 1$

x	0	1	2	3	4
f(x)	1	2	3	4	5

c) Liegt Punkt P(10 | 12) auf der Geraden $f(x) = x + 2$? Setze dazu die Koordinaten ein.

12 = 10 + 2
12 = 12 ✓

d) Ordne die Schaubilder A bis C einer Sachsituation zu.

C — Ein Stift kostet 1 €. Hinzu kommt eine Versandpauschale von 1 €.

A — Jedes Los kostet 0,50 €.

B — Pro Stunde wird die 2 cm dicke Eisschicht um $\frac{1}{2}$ cm dünner.

○ **2** Bei der Wertetabelle für die Funktion $y = 2x + 1$ hat Meike einige **Fehler** gemacht.

a) Korrigiere.

x	−2	−1	0	1	2
y	~~5~~ −3	−1	~~2~~ 1	3	~~6~~ 5

b) Zeichne den Funktionsgraphen in das Koordinatensystem.

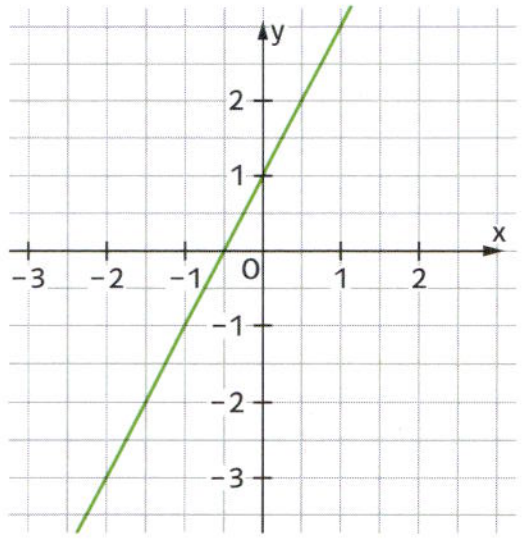

◒ **3** Die Wertepaare gehören zur Funktionsgleichung. Fülle die Lücken.

a) $y = 2x - 4$ (3 | 2)

b) $y = -x - 2$ (−4 | 2)

c) $y = 0{,}5x - 6$ (2 | −5)

d) $y = 3x + 0{,}5$ (−4 | −11,5)

◒ **2** a) Welche Funktionsgleichung gehört zu welchem Graphen? Markiere mit der entsprechenden Farbe.

☒ $y = 0{,}5x + 2$
☒ $y = 2x + 2$
☒ $y = 3x - 1$

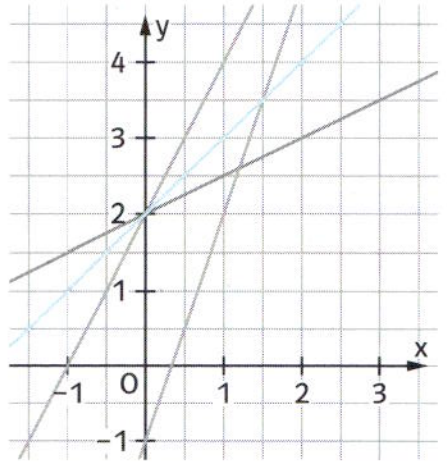

b) „Eine Zahl wird um 2 vermehrt.“ Gib die Funktionsgleichung an:

y = x + 2

Zeichne den Funktionsgraphen in das Koordinatensystem aus Teilaufgabe a).

● **3** An einem −3 °C kalten Wintertag fällt ab 8:00 Uhr stündlich 2 cm Schnee zur Erde. Die Schneedecke war zu Beginn des Tages 17 cm hoch.

a) Stelle eine Funktionsgleichung für die Gesamthöhe der Schneeschicht auf.

y = 2 · x + 17

b) Am Ende des Tages ist die Schneedecke 33 cm hoch. Es hat 8 Stunden geschneit.

y = 2 · x + 17
33 = 2 · x + 17 | −17
16 = 2 · x
8 = x
x = 8

1 Zeichne ein Steigungsdreieck in das Schaubild ein. Gib die Steigung m und die Funktionsgleichung an.

a)

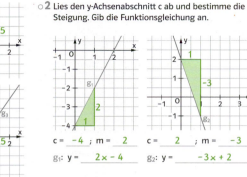

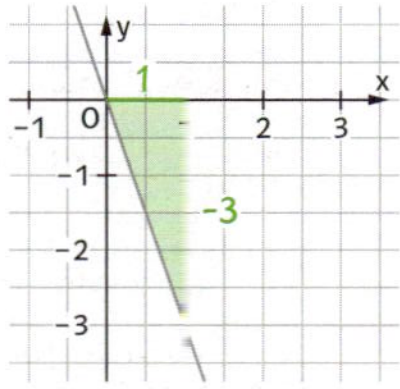

$m = -3$; $y = -3x$

b)

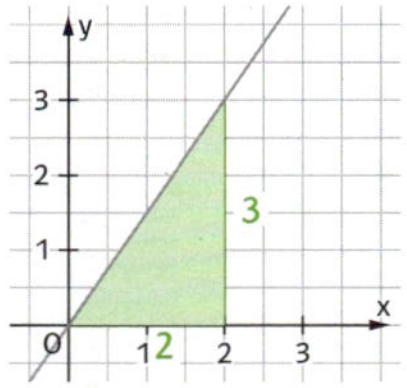

$m = \frac{3}{2} = 1{,}5$; $y = 1{,}5x$

2 Gegeben sind die Funktionsgleichungen der Geraden g: $y = 3x$ und der Geraden h: $y = -x$.

a) Notiere jeweils die Steigung der Geraden.

g: $m = 3$ h: $m = -1$

b) Zeichne die Graphen.

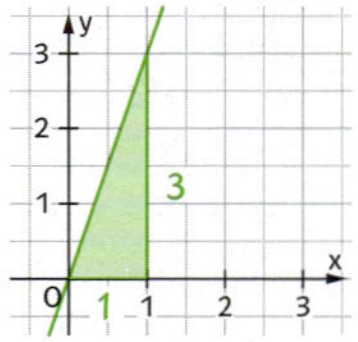

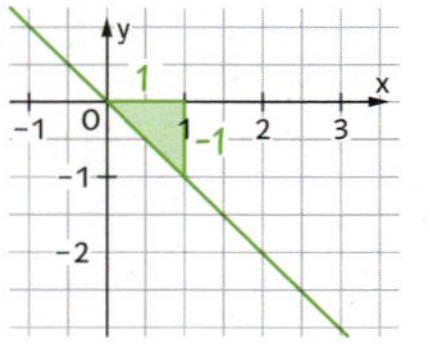

3 Zeichne den Graphen der Funktion, die durch den Ursprung und durch den angegebenen Punkt geht. Notiere die Steigung, die Funktionsgleichung und die Quadranten, durch die die Gerade verläuft.

a) P(−1|−2); $m = 2$; $y = 2x$ 1. und 3. Quadrant

b) Q(2|−1); $m = -\frac{1}{2}$; $y = -\frac{1}{2}x$ 2. und 4. Quadrant

c) R(2|1); $m = \frac{1}{2}$; $y = \frac{1}{2}x$ 1. und 3. Quadrant

d) S(1|−2); $m = -2$; $y = -2x$ 2. und 4. Quadrant

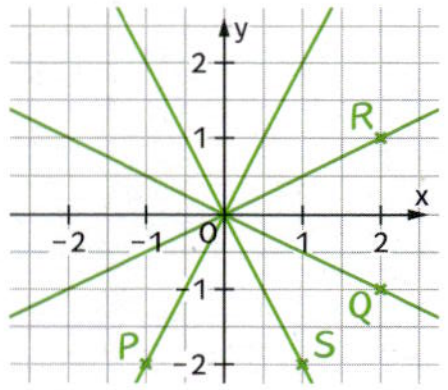

4 Die Wertetabelle gehört zu einer proportionalen Funktion. Zeichne den Graphen und gib die Funktionsgleichung an.

a)

x	−0,5	0	0,5
y	−1,5	0	1,5

$y = 3x$

b)

x	−1	0	1
y	1,5	0	−1,5

$y = -1{,}5x$

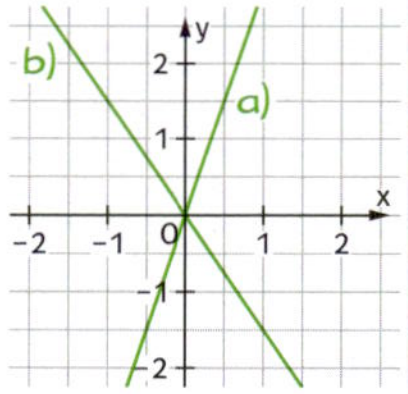

5 Pia fährt Skateboard.

a) Berechne die Steigung der Rampe beim Anstieg.

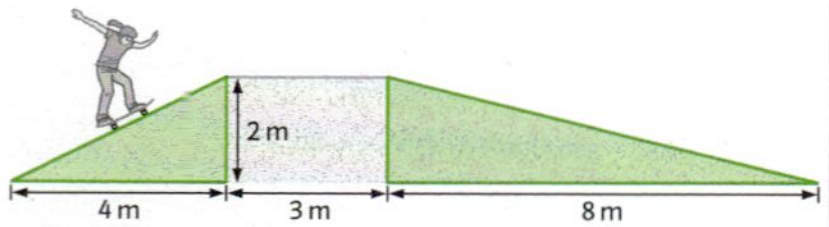

$m = \frac{2}{4} = \frac{1}{2}$

b) Berechne die Steigung bei der Abfahrt.

$m = -\frac{2}{8} = -\frac{1}{4}$ [T1]

4 Notiere die Funktionsgleichung der Gerade.

g_1: $y = \frac{1}{4}x$ g_2: $y = \frac{3}{5}x$

g_3: $y = 1{,}5x$ g_4: $y = -3x$

g_5: $y = -\frac{2}{3}x$

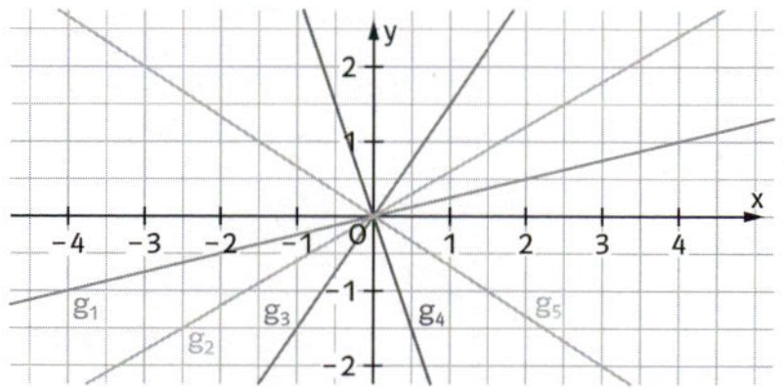

5 Notiere eine Funktionsgleichung für eine Gerade die

a) steiler als $y = 2{,}5x$ verläuft:

Z.B: $y = 3x$ $(m > 2{,}5)$

b) flacher als $y = \frac{1}{3}x$ verläuft:

Z.B: $y = \frac{1}{4}x$ $\left(m < \frac{1}{3}\right)$

c) steiler als $y = \frac{1}{2}x$ und flacher als $y = x$ verläuft:

Z.B: $y = \frac{3}{4}x$ $\left(\frac{1}{2} < m < 1\right)$.

[T1] Markiere den Anfangs- und Endpunkt der jeweiligen Strecke und zeichne das Steigungsdreieck zwischen den beiden Punkten ein.

1 Bestimme jeweils die Funktionsgleichung.

a) g_1: $m = 1{,}5$

$c = 0$

$y = 1{,}5x$

g_2: $m = 1{,}5$

$c = 2$

$y = 1{,}5x + 2$

g_3: $m = 1{,}5$

$c = -1$

$y = 1{,}5x - 1$

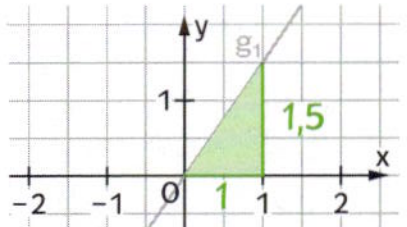

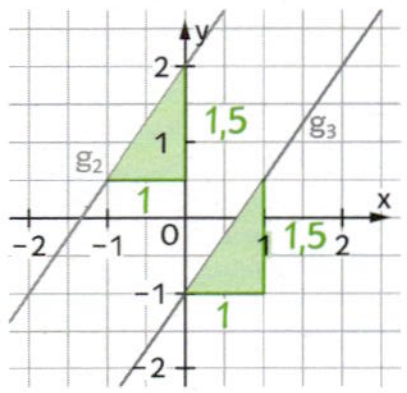

2 Lies den y-Achsenabschnitt c ab und bestimme die Steigung. Gib die Funktionsgleichung an.

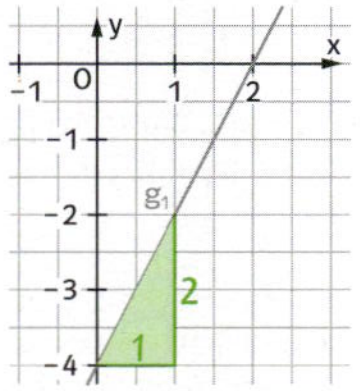

$c = -4$; $m = 2$

g_1: $y = 2x - 4$

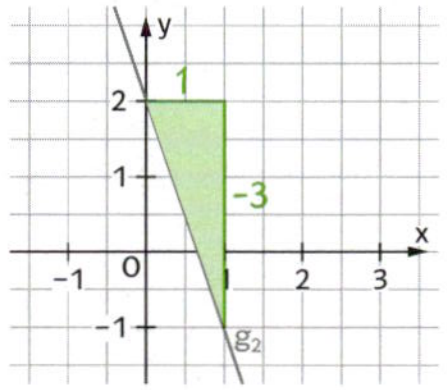

$c = 2$; $m = -3$

g_2: $y = -3x + 2$

3 Zeichne die Gerade mit der Funktionsgleichung $y = \frac{1}{2}x - 1$ in das Koordinatensystem. Markiere erst den y-Achsenabschnitt $c = -1$, trage dann ein Steigungsdreieck mit der Steigung $m = \frac{1}{2}$ ein.

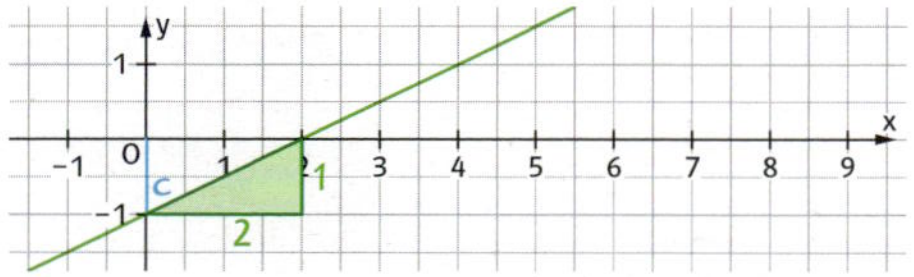

4 a) Zeichne die Graphen der Funktionen in das Koordinatensystem.

g_1: $y = 2x - 2$

g_2: $y = -3x + 1$

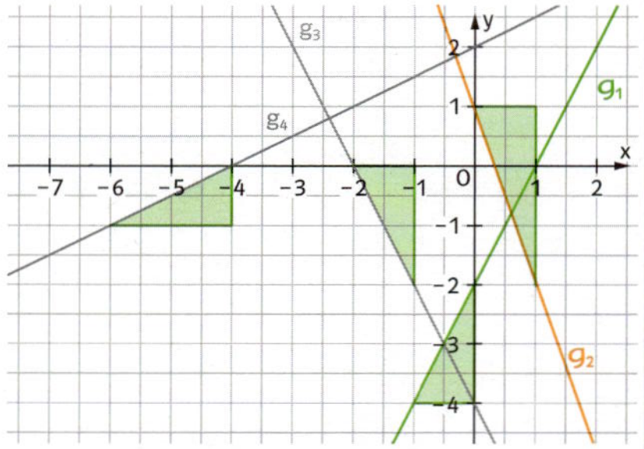

b) Notiere die Funktionsgleichungen der Geraden.

g_3: $m = -2$; $c = -4$; $y = -2x - 4$

g_4: $m = 0{,}5$; $c = 2$; $y = 0{,}5x + 2$

4 a) Gib die Funktionsgleichungen für die Geraden an. [T1]

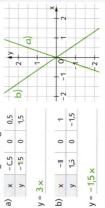

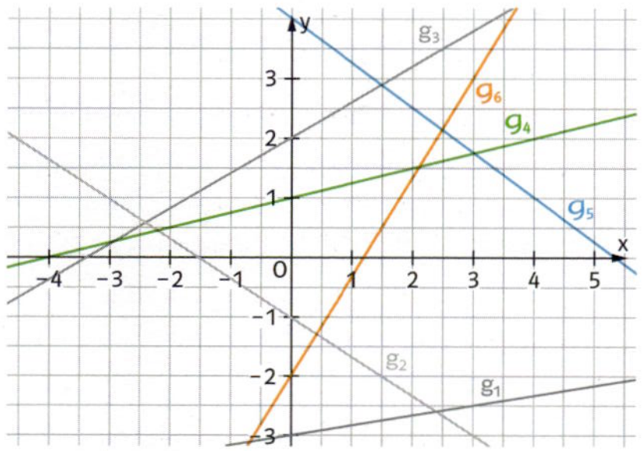

g_1: $y = \frac{1}{6}x - 3$ g_2: $y = -\frac{2}{3}x - 1$

g_3: $y = \frac{3}{5}x + 2$

b) Zeichne die Graphen der Funktionen in das Koordinatensystem.

g_4: $y = \frac{1}{4}x + 1$ g_5: $y = -\frac{3}{4}x + 4$ g_6: $y = \frac{5}{3}x - 2$

[T1] Suche dir eine günstige Stelle an der Geraden, wo du das Steigungsdreieck einzeichnen kannst.

○ **5** Jeweils drei Kärtchen gehören zusammen. Verbinde und fülle die Lücken.

y = 5 x − 1	y = −5x − 3	y = −3x − 5
m = 5; c = −1	m = −3; c = −5	m = −5; c = −3

x	−2	1	2
y	1	−8	−11

x	−1	0	3
y	−6	−1	14

x	−2	1	3
y	7	−8	−18

◐ **6** a) Zeichne mithilfe der Angaben die Geraden und bestimme ihre Funktionsgleichungen.

- P(−1|3,5); Q(2|2)
  $y = -\frac{1}{2}x + 3$
- R(1|−1,5); c = −3
  $y = 1{,}5x - 3$
- S(−2|−1); $m = \frac{1}{2}$
  $y = \frac{1}{2}x$

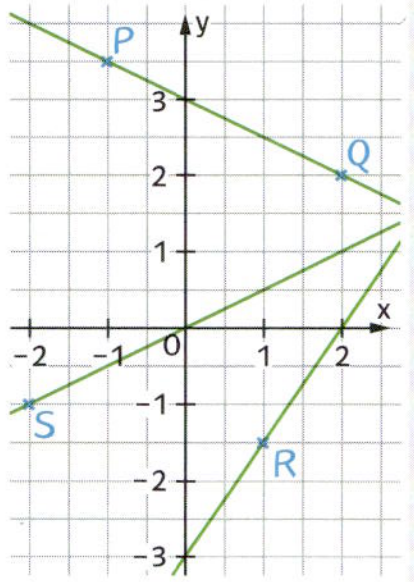

b) Michael behauptet: „Die Geraden schneiden sich im Punkt T(3|1,5). Hat er recht? Berechne.

$-\frac{1}{2}\cdot 3 + 3 = 1{,}5$ ✓ Michael hat recht.
$1{,}5\cdot 3 - 3 = 1{,}5$ ✓
$\frac{1}{2}\cdot 3 = 1{,}5$ ✓

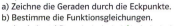

◐ **7** Frau Blank hat von ihrer Tante 4800 € geliehen. Sie bezahlt das Geld in monatlichen Raten von 400 € zurück.
a) Stelle eine Funktionsgleichung zur Berechnung der Restschuld y auf.

x: Anzahl der Monate

y = 4800 − 400 · x

b) Nach 12 Monaten hat sie ihre Schulden bezahlt.

c) Nach 5 Monaten muss sie noch 2800 € zahlen.

b) $4800 - 400\cdot x = 0 \quad |+400x$
$4800 = 400x \quad |:400$
$12 = x$
c) $4800 - 400\cdot 5 = 2800$

◐ **5** Die Punkte A(0|0), B(5|0,5) und C(1|1,5) bilden die Eckpunkte eines Dreiecks.
a) Zeichne die Geraden durch die Eckpunkte.
b) Bestimme die Funktionsgleichungen.
- durch A und B: $y = \frac{1}{10}x$
- durch A und C: $y = 1{,}5x$
- durch B und C: $y = -\frac{1}{4}x + 1{,}75$

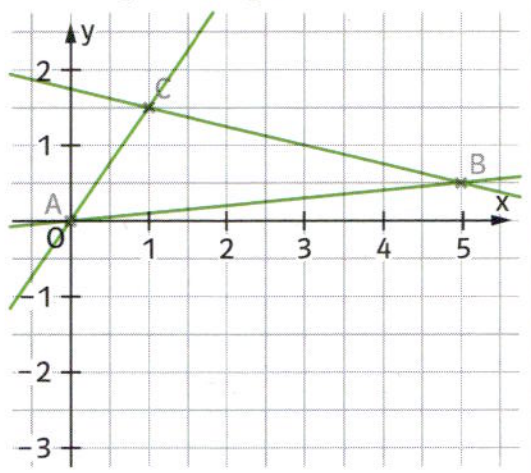

◐ **6** Die Koordinaten des Steigungsdreiecks sind gegeben. Bestimme die Geradengleichung. Notiere erst die Seitenlängen des Dreiecks.

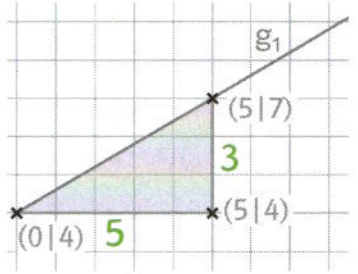

g_1: $y = \frac{3}{5}x + 4$

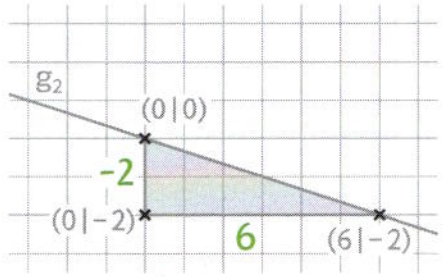

g_2: $y = -\frac{1}{3}x$

● **7** Ein zu 60 % gefüllter Feuerwehrtankwagen (Gesamtvolumen: 16 000 l) soll entleert werden.
In einer Viertelstunde laufen 6000 l ab. Nach welcher Zeit ist der Tank leer?
a) Der Wagen ist momentan mit 9600 l gefüllt.
b) In einer Minute laufen 400 Liter Wasser ab.
c) Die zugehörige Funktionsgleichung lautet: y = 9600 − 400x.

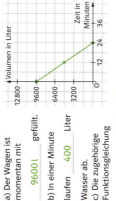

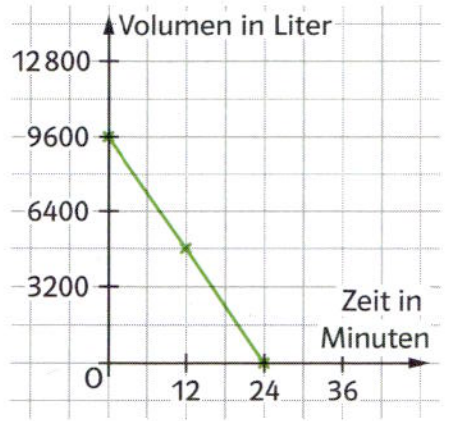

d) Zeichne den Graphen der Funktion.
e) Nach 20 Minuten sind noch 1600 l im Tankwagen.
f) Bei einem Füllstand von 6400 l sind 8 Minuten vergangen.
g) Nach 24 Minuten ist der Tank leer.

○ **1** a) Vervollständige: Zwei Geraden verlaufen parallel zueinander, wenn sie die gleiche Steigung haben.

b) Markiere alle Geradengleichungen, die zu y = −2x + 7 parallel verlaufen, grün und alle, die zu y = 0,5x − 1 parallel verlaufen, blau.

$y = -2x$ | $y = \frac{2}{4}x + 3$ | $y = -\frac{2}{1}x + 8$ | $y = 2x + 6$ | $y = \frac{1}{2}x + 2$ | $y = -\frac{4}{2}x + 0{,}5$ | $y = -2x + 0{,}25$ | $y = 0{,}5x$

c) Finde drei Geradengleichungen, deren Geraden parallel zu y = −4x − 0,5 verlaufen.

m = −4 Z.B.: g_1: y = −4x g_2: y = −4x + 1 g_3: y = −4x − 1

○ **2** a) Vervollständige den Merksatz: Zwei Geraden mit den Steigungen m_1 und m_2 verlaufen senkrecht zueinander, wenn das Produkt der Steigungen den Wert −1 hat. Kurz: $m_1\cdot m_2 = -1$

b) Markiere Funktionsgleichungen, deren Graphen zueinander senkrecht verlaufen, mit derselben Farbe.

$y = \frac{1}{2}x + 3$ | $y = -\frac{5}{2}x + 0{,}9$ | $y = -2x - 3$ | $y = 3x + 2$ | $y = -\frac{1}{2}x - \frac{1}{2}$ | $y = 2x - 5$ | $y = -\frac{1}{3}x + 5$ | $y = \frac{2}{5}x - 1$

c) Finde drei weitere Geradengleichungen, deren Graphen zu y = 4x − 8 senkrecht verlaufen.

$m = -\frac{1}{4}$ Z.B.: g_1: $y = -\frac{1}{4}x$ g_2: $y = -\frac{1}{4}x + 1$ g_3: $y = -\frac{1}{4}x - 1$

b) $\frac{1}{2}\cdot(-2) = -1$ $3\cdot\left(-\frac{1}{3}\right) = -1$ c) $4\cdot\left(-\frac{1}{4}\right) = -1$
$-\frac{1}{2}\cdot 2 = -1$ $\frac{2}{5}\cdot\left(-\frac{5}{2}\right) = -1$

○ **3** a) Bestimme die Funktionsgleichung der Geraden g.
g: $y = 2x + \frac{1}{2}$

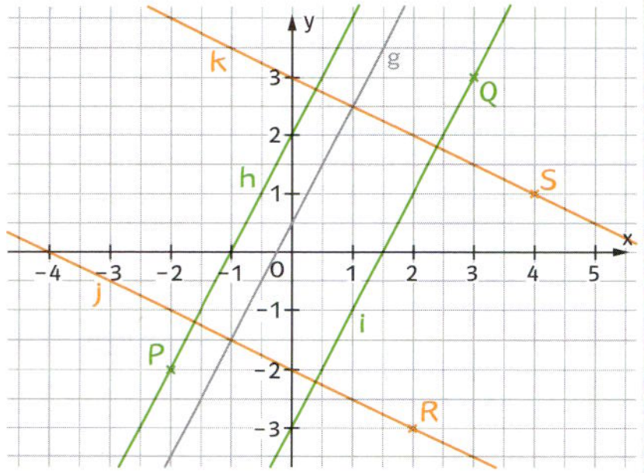

b) Zeichne zwei zur Geraden g parallele Geraden:
h durch Punkt P(−2|−2) i durch Punkt Q(3|3).
h: y = 2x + 2 i: y = 2x − 3

c) Zeichne zwei zur Geraden g senkrechte Geraden:
j durch Punkt R(2|−3) k durch Punkt S(4|1).
j: $y = -\frac{1}{2}x - 2$ k: $y = -\frac{1}{2}x + 3$

● **3** Die Gerade g ist durch die Punkte A(−2|−4) und B(1|2) und die Gerade h durch die folgende Wertetabelle festgelegt.

x	−1	0	1	2
y	−6	−3	0	3

a) Zeichne beide Geraden.
b) Notiere ihre Funktionsgleichungen
g: y = 2x
h: y = 3x − 3

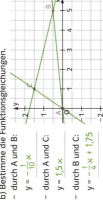

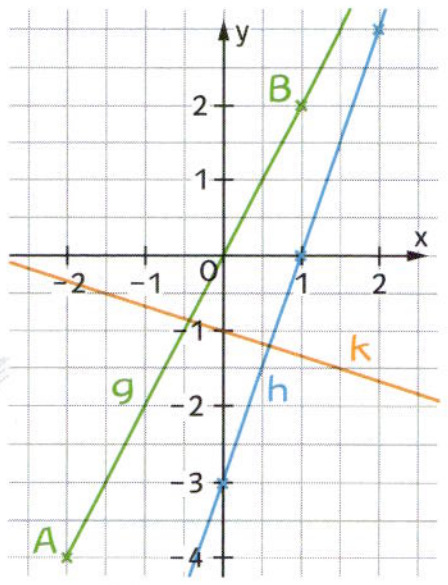

c) Verlaufen die beiden Geraden parallel zueinander? **Begründe.**

Nein, die Geraden sind augenscheinlich nicht parallel zueinander. Ihre Steigungen sind nicht gleich.

c) Zeichne die Gerade k mit dem y-Achsenabschnitt c = −1, die senkrecht zu h verläuft. Ihre Gleichung lautet: k: $y = -\frac{1}{3}x - 1$ $\left(\text{da } 3\cdot\left(-\frac{1}{3}\right) = -1\right)$

1 Berechne den Steigungsfaktor.

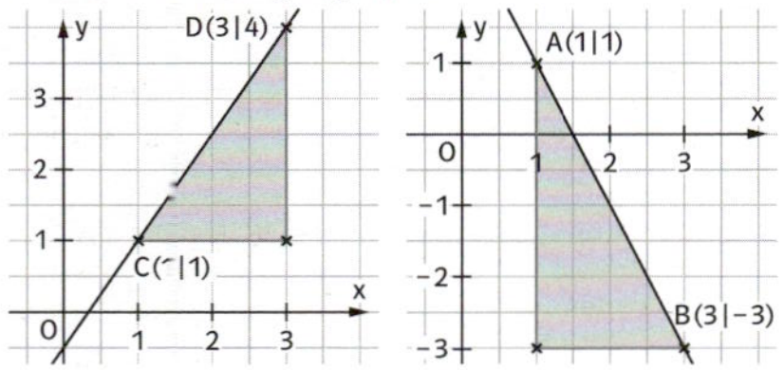

$m = \frac{4 - 1}{3 - 1} = \frac{3}{2} = 1{,}5$ $m = \frac{-3-1}{3-1} = \frac{-4}{2} = -2$

2 Von einer Geraden sind ihre Steigung und ein Punkt bekannt. Bestimme die Funktionsgleichung.

a) m = 3; P(1|4)
y = 3 x + c
4 = 3·1 + c | −3
c = 1
y = 3 x + 1

b) m = −2; P(3|−8)
y = −2 x + c
−8 = −2·3 + c | +6
c = −2
y = −2x − 2

3 Gegeben ist eine unvollständige Funktionsgleichung und ein Punkt auf der Geraden. Bestimme die Funktionsgleichung.

a) y = 1,5x − c; P(6|4)
4 = 1,5·6 + c
4 = 9 + c | −9
c = 4 − 9
c = −5
y = 15x − 5

b) y = mx − 3; Q(2|−7)
−7 = m·2 − 3
−7 = 2m − 3 | +3
−4 = 2m | :2
m = −2
y = −2x − 3

4 Die Wertetabelle gehört zu einer linearen Funktion.

x	−5	−1	3	4	5	7	9
y	−20	−8	4	7	10	16	22

a) Der Tabelle kann man die Punkte A(−5| −20) und B(5| 10) entnehmen. Daraus kann man m berechnen: $m = \frac{10-(-20)}{5-(-5)} = \frac{30}{10} = 3$

Setzt man die Koordinaten des Punktes A in die Funktionsgleichung ein, so kann man c berechnen:
−20 = 3·(−5) + c
−20 = −15 + c | +15
c = −5

Die Funktionsgleichung lautet: y = 3x − 5.

b) Ergänze die fehlenden Werte in der Tabelle.

3 Die zwei Punkte A(3|−3) und B(6|−2) liegen auf einer Geraden.

a) Berechne die Steigung m und den y-Achsenabschnitt c. Notiere die Funktionsgleichung.

$m = \frac{-2-(-3)}{6-3} = \frac{1}{3}$ c = −4
$y = \frac{1}{3}x + c$
$-3 = \frac{1}{3}\cdot 3 + c$ | zusf.
−3 = 1 + c | −1
$y = \frac{1}{3}x - 4$

b) Bestimme die Koordinaten der Schnittpunkte mit den beiden Achsen.

y-Achse: S_y(0 | −4)
x-Achse: S_x(12 | 0)

$\frac{1}{3}x - 4 = 0$ | +4
$\frac{1}{3}x = 4$ | ·3
x = 12
$\frac{1}{3}\cdot 12 - 4 = 0$

4 Kurz nach dem Öffnen des Fallschirms fällt ein Springer annähernd mit einer konstanten Geschwindigkeit. Deshalb kann man diese Phase mit einer linearen Funktion beschreiben.

In welcher Höhe begann die Phase der konstanten Fallgeschwindigkeit, wenn der Springer 5 s später eine Höhe von 1000 m und nach 15 s eine Höhe von 400 m über der Erde erreicht hat? [T1]

A(5|1000); B(15|400)
$m = \frac{400-1000}{15-5} = \frac{-600}{10} = -60$
1000 = −60·5 + c | +300
c = 1300
y = −60x + 1300
0 = −60x + 1300 | +60x
60x = 1300 | :60
$x = \frac{1300}{60}$
x ≈ 22

Der Springer öffnet den Schirm in 1300 m Höhe.
Von da an dauert es etwa 22 s bis zur Landung.

[T1] Entnimm dem Text zwei Punkte: T(5|1000) und B(15|400). Bestimme daraus die Funktionsgleichung.

1 Piet Baier und seine Eltern machen Urlaub am Bodensee. Sie möchten Fahrräder ausleihen. Finde bei den vier Lösungsschritten jeweils die Informationen heraus, die für die Lösung der Aufgabe bedeutend sind. Wenn du alle Zahlen neben den bedeutenden und wahren Aussagen addierst, erhältst du die Zahl 20. Beschrifte die Pfeile mit den Worten: Lösen, Bewerten, Interpretieren, Übersetzen.

Stufe 1: Wirkliche Situation (Pfeil: Übersetzen)
−12 Piet und seine Eltern fahren gerne Rad.
3 Die Familie will Fahrräder ausleihen.
(−5) Familie Baier vergleicht zwei Angebote:
Angebot 1: 5 € pro Tag für ein Fahrrad
Angebot 2: Miete für ein Fahrrad: 12 € Grundgebühr und 3 € pro Tag.

Stufe 2: Mathematisches Modell
(7) Beide Angebote lassen sich als lineare Funktion darstellen.
(15) Dabei steht x für die Anzahl der Tage, an denen die Räder geliehen werden sollen.
−8 Dabei steht x für die Anzahl der Personen.
−1 Angebot 1: y = 15x −5 Angebot 2: y = 12x + 3
(−5) Angebot 1: y = 5x (7) Angebot 2: y = 3x + 12

(Pfeil: Bewerten)

Stufe 4: Wirkliche Ergebnisse
(5) Angebot 1 ist günstiger bei einer Ausleihzeit bis zu 6 Tagen.
(3) Die Familie muss klären, wie viele Tage sie die Räder zur Verfügung haben möchte.
−11 Angebot 2 ist günstiger.

(Pfeil: Interpretieren)

Stufe 3: Mathematische Ergebnisse (Pfeil: Lösen)
−5 Bis zum 6. Tag ist es gleichgültig, welches Angebot die Familie wählt.
(−7) Das Schaubild zeigt, dass Angebot 1 ab dem 7. Tag mehr kostet als Angebot 2.

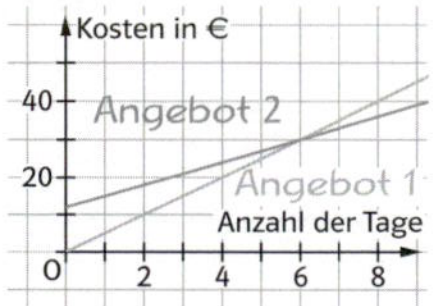

2 **Stufe 1:** Familie Müller möchte die Fassade ihres Hauses streichen. Die Farbe dazu muss gemischt werden.
A: Einmalig 20 € und 2 € pro Liter Farbe
B: Einmalig 10 € und 3 € pro Liter Farbe
Welches Angebot ist günstiger?
Stufe 2: Die Kosten lassen sich mit einer linearen Funktion beschreiben. Dabei steht x für die Anzahl der Liter Farbe.

Die Funktionsgleichungen der Angebote lauten:
A: y = 2x + 20 B: y = 3x + 10

Stufe 3: Zeichne die Graphen für Angebot A und B.

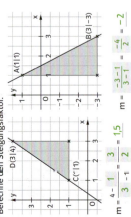

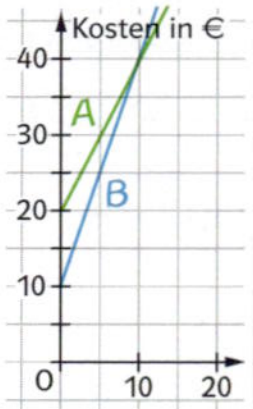

Bis zu einem Verbrauch von 10 l ist Angebot B günstiger, bei höherem Verbrauch ist Angebot A günstiger.

Stufe 4: Familie Müller muss herausfinden, wie viel Liter Farbe sie braucht.

d) Bei einem Verbrauch von 24 l zahlen sie beim günstigeren Anbieter 68 €.

2 Frank und seine Schülerband haben zwei Angebote für einen Auftritt beim Stadtfest erhalten.
A: 250 € und 50 ct pro Besucher.
B: 100 € und 1,25 € pro Besucher.

a) Die Einkünfte lassen sich mithilfe linearer Funktionen berechnen. Die Funktionsgleichungen lauten:
A: y = 0,5x + 250 B: y = 1,25x + 100

b) Bei wenigen Besuchern lohnt sich Angebot A, bei vielen Besuchern lohnt sich Angebot B.

c) Die Band rechnet mit maximal 100 Besuchern. Angebot A ist das beste.
0,5·100 + 250 = 300 €
1,25·100 + 100 = 225 €

d) Ab einer Besucherzahl von 201 lohnt sich Angebot B. Die Gage beträgt dann 351,25 €.
1,25x + 100 = 0,5x + 250 | −100 | −0,5x
0,75x = 150 | : 0,75
x = 200
1,25·200 + 100 = 350,00 €
1,25·201 + 100 = 351,25 €

1 Das Schaubild zeigt die Umsätze eines T-Shirt-Ladens. Fülle die Lücken.
Die höchsten Umsätze gab es in den Monaten Juni und Juli, und zwar jeweils etwa 32 500 €.
Die geringsten Umsätze, nämlich jeweils 7500 €, gab es in den Monaten März und Dezember.

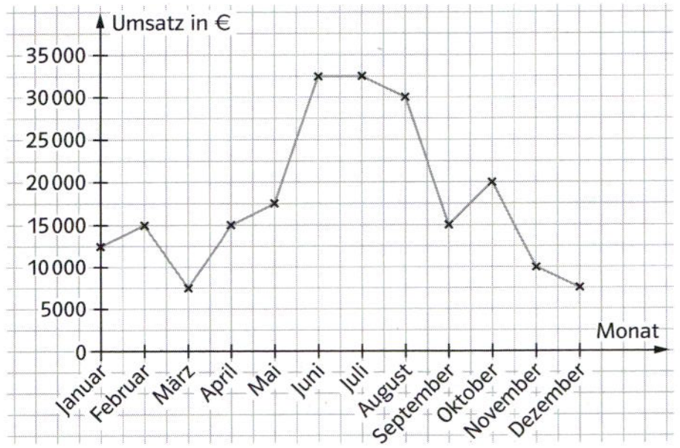

2 Je eine Wertetabelle, eine Funktionsgleichung, eine Beschreibung und ein Schaubild gehören zusammen. Verbinde zueinander gehörende Kärtchen in der gleichen Farbe. Fülle die Lücken.

x	1	3	5	10
f(x)	15	45	75	150

x	1	3	5	10
f(x)	30	60	90	165

x	1	2	3	4
f(x)	30	15	0	−15

$f(x) = 45 - 15x$

$f(x) = 15x$

$f(x) = 15 + 15x$

Zu den 15 Litern in der Regentonne laufen stündlich 15 Liter hinzu.

Von ihren 45 € Ersparnissen hebt Linda monatlich 15 € ab.

Herr Maier verdient in 3 Stunden 45 €.

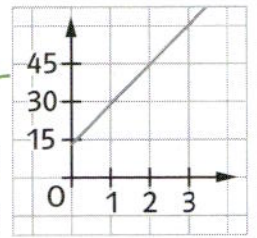

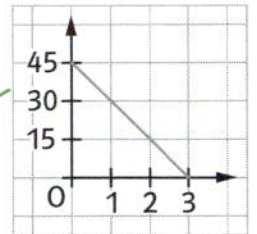

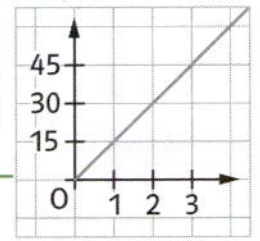

3 Welcher Punkt liegt auf welcher Geraden? Färbe zusammengehörige Kärtchen in der gleichen Farbe ein.

$y = 2x$ | $y = 0{,}5x + 4$ | $y = -0{,}25x + 4$ | $y = -0{,}75x + 1$ | P(0|0) | P(−2|3)

P(4|3) | P(4|−2) | P(1|−5) | $y = -3x - 2$

4 Bestimme die Funktionsgleichungen, notiere, ob die Funktionen proportional (p) oder linear (l) sind.

g_1: $y = 3x$ p g_2: $y = 1{,}5x - 3$ l

g_3: $y = -x - 2$ l g_4: $y = -2x$ p

b) Zeichne die Graphen der Funktionen g_5: $y = -\frac{1}{2}x + 1$ und g_6: $y = \frac{3}{4}x + 2$ ins Koordinatensystem.

c) Schneiden sich die Geraden g_1 und g_2 im Punkt P(−2|−6)?

g_1: $3 \cdot (-2) = -6$ ✓ g_2: $1{,}5 \cdot (-2) - 3 = -6$ ✓

Ja, die Geraden schneiden sich im Punkt P(−2|−6).

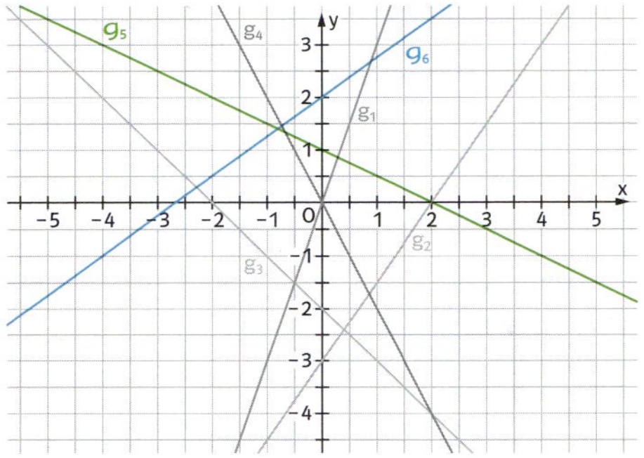

5 Familie Blau holt sich für eine Arbeit an ihrem Haus zwei Angebote ein.

A: Firma Schmidt
keine Anfahrgebühr,
45 € pro Sunde

B: Firma Müller
Anfahrt: 20 €
Stundenpreis: 35€

Die Arbeit wird voraussichtlich 5 Stunden dauern.
Firma Müller ist um 30 € günstiger.

A: $y = 45x$; $45 \cdot 5 = 225$
B: $y = 35x + 20$; $35 \cdot 5 + 20 = 195$

6 a) Bestimme die Funktionsgleichung:

g: $y = \frac{2}{5}x + 2$ h: $y = -\frac{1}{4}x - 1$ i: $y = -\frac{3}{4}x + 2\frac{3}{4}$

zu i: P(1|2) und R(5|−1)

$m = \frac{-1-2}{5-1} = -\frac{3}{4}$ $-\frac{3}{4} + c = 2$ $|+\frac{3}{4}$

$c = 2\frac{3}{4}$

b) Die Wertetabelle beschreibt eine lineare Funktion. Zeichne ihren Graphen.

x	1	2	4	5
y	−1,25	−0,5	1	1,75

Gleichung: j: $y = \frac{3}{4}x - 2$

c) Zeichne die Graphen der Geraden k: $y = -\frac{2}{3}x + 1$ und l: $y = \frac{5}{3}x - 3$

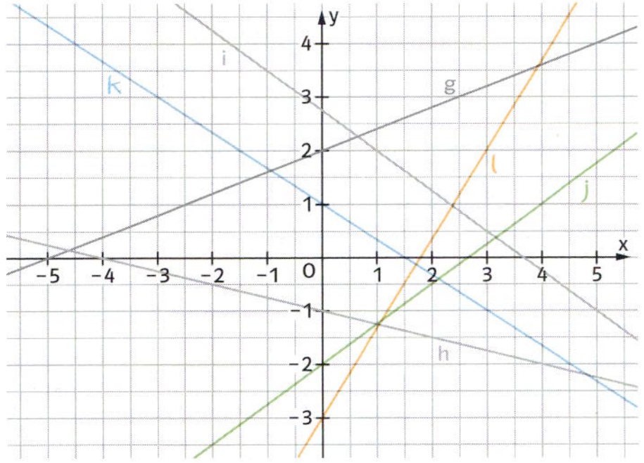

7 Wie heißt die Funktionsgleichung, die zur Wertetabelle gehört?

a)

x	−1	0	1	2
$y = -2x + 4$	6	4	2	0

a)

x	−2	−1	2	4
$y = \frac{1}{2}x + 3$	2	2,5	4	5

8 Die allgemeine Funktionsgleichung für lineare Funktionen lautet: $y = mx + c$. Notiere die Funktionsgleichung für alle lineare Funktionen, die … [T1]

durch den Punkt (0|−2) gehen: $y = mx - 2$

die Steigung −4 haben: $y = -4x + c$

durch den Punkt (0|7) gehen: $y = mx + 7$

die Steigung $\frac{3}{5}$ haben: $y = \frac{3}{5}x + c$

durch den Ursprung verlaufen: $y = mx$

9 Die Stadtwerke bieten einen Öko-Strom-Tarif an. Er setzt sich zusammen aus einer monatlichen Grundgebühr von 9,00 € und einem Arbeitspreis von 29 ct pro Kilowattstunde.

a) Die Funktionsgleichung für die Ermittlung der jährlichen Gesamtkosten lautet: $y = 0{,}29x + 108$

b) Bei einem Jahresverbrauch von 4500 kWh (durchschnittlicher Vier-Personen-Haushalt) betragen die Kosten 1413 €.

c) Familie Hupp erhält eine Jahresendabrechnung über 1210,00 €. Sie hat 3800 kWh verbraucht.

a) $y = 0{,}29x + 12 \cdot 9{,}00 = 0{,}29x + 108$
b) $0{,}29 \cdot 4500 + 108 = 1413$
c) $1210 = 0{,}29x + 108$ $|-108$
$1102 = 0{,}29x$ $|:0{,}29$
$x = 3800$
d) P(3000|850); Q(5000|1250)
$m = \frac{1250-850}{5000-3000} = \frac{400}{2000} = 0{,}2$
$850 = 0{,}2 \cdot 3000 + c$
$850 = 600 + c$ $|-600$
$c = 250$
$y = 0{,}2x + 250$
e) $0{,}2 \cdot 4500 + 250 = 1150$
$1413 - 1150 = 263$

d) Ein Jahresverbrauch von 3000 kWh kosten bei einem anderen Anbieter 850,00 €; für 5000 kWh müsste man 1250,00 € bezahlen. [T2]

Der Arbeitspreis beträgt bei diesem Anbieter 0,20 € pro kWh, die Grundgebühr 250 €.

e) Familie Hupp kann 263 € sparen, wenn sie den Anbieter wechselt.

[T1] Durch die Bedingungen sind jeweils entweder m oder c gegeben.
[T2] Die Angaben liefern zwei Wertepaare der linearen Funktion. Daraus lassen sich m und c berechnen.

Schätze ein, wie gut du die Basisaufgaben auf Seite 34 bearbeitet hast.
Eine Anleitung für das Arbeiten mit dieser Tabelle findest du auf Seite 2 im Aufgabenteil.

Auswerten, Selbsteinschätzen und Weiterlernen

Ich kann …	gut	etwas	nicht gut	Nachlesen und üben	
1 aus Schaubildern von Funktionen Daten ablesen und interpretieren.	▫	▫	▫	**Nachlesen** Schülerbuch: S. 58 Merke und Beispiel **Üben** Arbeitsheft: S. 26 Nr. 1, 2 Schülerbuch: S. 59 Alles klar; S. 88 Nr. 1	☺
2 zusammengehörende Wertetabellen, Funktionsgleichungen, Schaubilder und Sachzusammenhänge einander zuordnen.	▫	▫	▫	**Nachlesen** Schülerbuch: S. 63 Merke und Beispiel **Üben** Arbeitsheft: S. 27 Nr. 1 Schülerbuch: S. 64 Alles klar?	☺
3 Funktionsgleichungen proportionaler und linearer Funktionen aus ihrem Graphen ablesen, Schaubilder von Funktionen zeichnen.	▫	▫	▫	**Nachlesen** Schülerbuch: S. 66 Merke und Beispiele; S.70 Merke und Beispiele **Üben** Arbeitsheft: S. 27 Nr. 1; S. 28 Nr. 1 – 3, Nr. 4 links; S. 29 Nr. 1 – 3, 4 links Schülerbuch: S. 67 A und S. 71 Alles klar?; S. 88 Nr. 2	☺
4 die Punktprobe durchführen.	▫	▫	▫	**Nachlesen** Schülerbuch: S. 64 Nr. 4 **Üben** Arbeitsheft: S. 27 Nr. 1c Schülerbuch: S. 88 Nr. 3	☺
5 Sachprobleme mithilfe von linearen Funktionen lösen.	▫	▫	▫	**Nachlesen** Schülerbuch: S. 78 Merke und Beispiel **Üben** Arbeitsheft: S. 33 Nr. 1, 2 links Schülerbuch: S. 79 Alles klar?	☺

1 Berechne den Umfang und den Flächeninhalt der beiden Figuren. Miss die benötigten Längen.

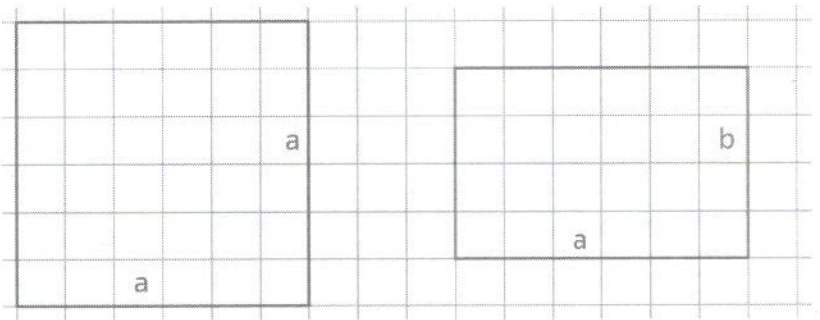

u = 4 · a = 4 · 3
u = 12 cm
A = a · a = 3 · 3
A = 9 cm²

u = 2·a + 2·b
u = 2·3 + 2·2
u = 10 cm
A = a·b = 3·2
A = 6 cm²

2 Berechne die gesuchten Größen.

a) Quadrat:
u = 24 cm
a = 6 cm; A = 36 cm²

u = 4a
24 = 4·a | : 4
a = 6
A = a²
= 6²
A = 36

b) Rechteck:
b = 9 m; A = 144 m²
a = 16 m; u = 50 m

A = a·b
144 = a·9 | : 9
a = 16
u = 2a + 2b
= 2·16 + 2·9
u = 50

c) Quadrat: A = 81 cm²; gesucht: a = 9 cm

81 = a², also gilt a = 9

3 Lies die Koordinaten der Punkte ab.

A(1 | 1); B(6 | 1); D(1 | 3).

Ergänze den Punkt C(6 | 3) so, dass ein Rechteck ABCD entsteht. Berechne den Flächeninhalt und den Umfang.

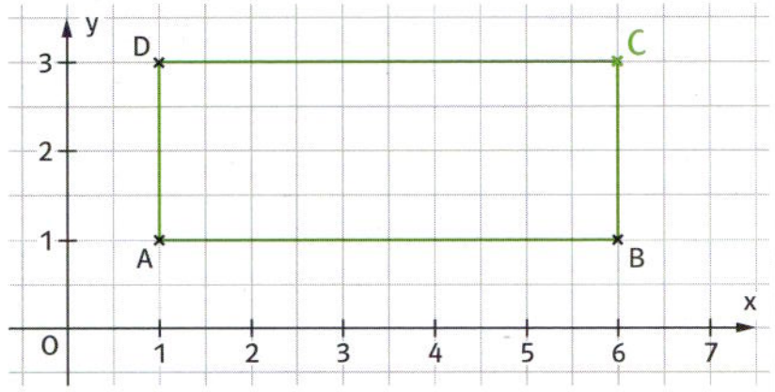

A = a·b = 5·2 ; u = 2a + 2b = 2·5 + 2·2

A = 10 cm² ; u = 14 cm

4 a) Berechne die Fläche, die das aufgehängte Bild an der Wand verdeckt. Maße in cm.
b) Berechne den Umfang und den Flächeninhalt des Bildes ohne den Rahmen.

a) A = a·b
= 50·80
A = 4000 cm²

b) A = a·b
= 40·70
A = 2800 cm²

u = 2·a + 2·b
= 2·40 + 2·70
u = 220 cm

3 a) Ergänze zu einem Rechteck ABCD mit dem Umfang u = 15 cm. [T1]

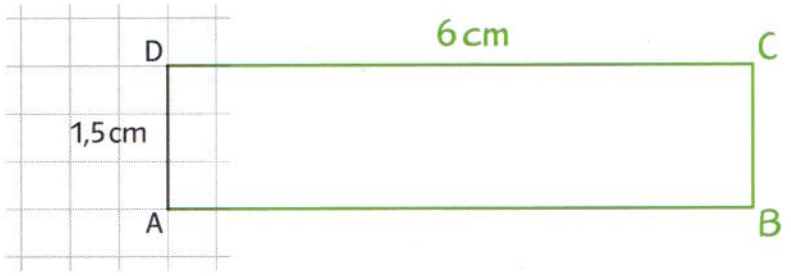

b) Der Flächeninhalt des Rechtecks berechnet sich

mit A = a·b = 6·1,5 ; A = 9 cm².

4 Ralf will den neuen Holzboden seines Zimmers mit einem Lack versiegeln. Der Lack wird in 1-Liter-Dosen zum Preis von 6,20 € verkauft. Laut Dosenaufschrift reicht ein Liter Lack für 4 m² Boden.

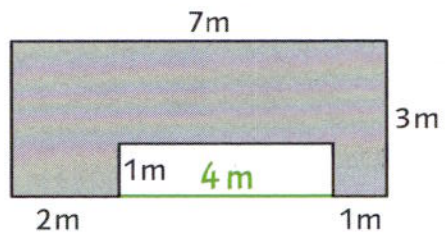

a) Der Lack kostet 31,00 €.

b) Es bleibt 0,75 l Lack übrig, das sind 750 ml.

a) A_{gesamt} = a·b
= 7·3
A_{gesamt} = 21 m²
$A_{Ausschnitt}$ = a·b
= 4·1
$A_{Ausschnitt}$ = 4 m²
A = 21 m² − 4 m²

A = 17 m²
17 : 4 = 4,25
5 Dosen werden benötigt.
5·6,20 = 31

b) 5 − 4,25 = 0,75

[T1] Berechne zunächst die andere Seitenlänge des Rechtecks.

1 Berechne den Flächeninhalt und den Umfang des Dreiecks. Miss die benötigten Längen.

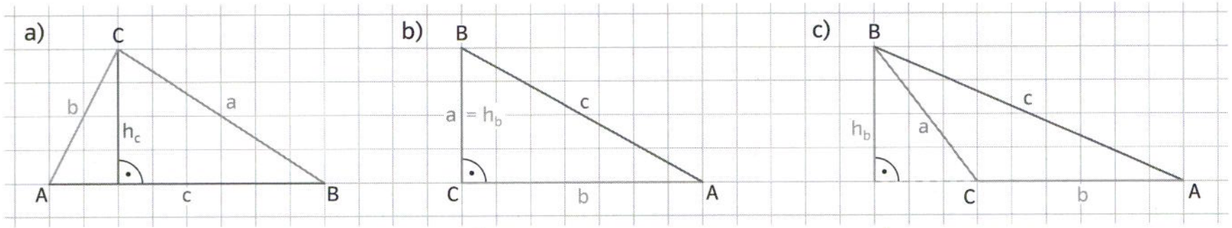

a) $A = \frac{1}{2} \cdot c \cdot h_c$
$= \frac{1}{2} \cdot 4 \cdot 2$
A = 4 cm²

u = a + b + c
= 3,6 + 2,2 + 4
u = 9,8 cm

b) $A = \frac{1}{2} \cdot b \cdot h_b$
$= \frac{1}{2} \cdot 3{,}5 \cdot 2$
A = 3,5 cm²

u = a + b + c
= 2 + 3,5 + 4
u = 9,5 cm

c) $A = \frac{1}{2} \cdot b \cdot h_b$
$= \frac{1}{2} \cdot 3 \cdot 2$
A = 3 cm²

u = a + b + c
= 2,5 + 3 + 4,9
u = 10,4 cm

2 Ein Dreieck hat den Flächeninhalt A = 24 cm². **Prüfe**, welche Karten zu einem solchen Dreieck gehören, indem du alle Flächeninhalte zu den Karten berechnest. Es sind die Karten L und N.

K a = 4 cm; h_a = 6 cm
L ~~b = 16 cm; h_b = 3 cm~~
M a = 2 cm; h_a = 12 cm
N c = 6 cm; h_c = 8 cm

$A = \frac{1}{2} \cdot c \cdot h_c = \frac{1}{2} \cdot a \cdot h_a = \frac{1}{2} \cdot b \cdot h_b$

K: $\frac{1}{2} \cdot 4 \cdot 6 = 12$ L: $\frac{1}{2} \cdot 16 \cdot 3 = 24$

M: $\frac{1}{2} \cdot 2 \cdot 12 = 12$ N: $\frac{1}{2} \cdot 6 \cdot 8 = 24$

3 Berechne die Länge der Seite b.
Es gilt: h_c = 2,1 cm; h_b = 2 cm

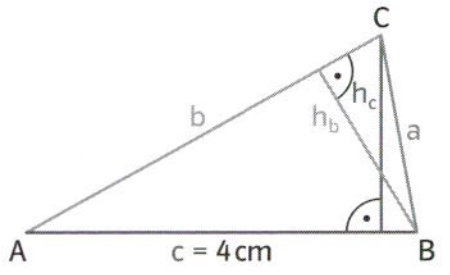

$A = \frac{1}{2} \cdot c \cdot h_c$
$= \frac{1}{2} \cdot 4 \cdot 2{,}1$
A = 4,2 cm²
$A = \frac{1}{2} \cdot b \cdot h_b$
$4{,}2 = \frac{1}{2} \cdot b \cdot 2$
b = 4,2 cm

4 Dominik hat einen Drachen aus zwei gleich großen dreieckigen Stoffteilen gebaut.

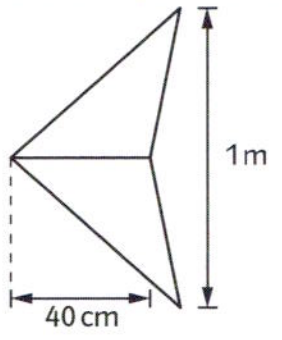

$A_{Dreieck} = \frac{1}{2} \cdot c \cdot h_c$
$= \frac{1}{2} \cdot 40 \cdot 50$
= 1000 cm²
$A_{Drache} = 2 \cdot A_{Dreieck}$
A_{Drache} = 2 · 1000 = 2000
A_{Drache} = 2000 cm²

Der Drachen hat einen Flächeninhalt von 2000 cm².

2 Zeichne das Dreieck ABC mit A(0 | 2); B(0 | 0) und C(7 | 1). Entnimm benötigte Maße der Zeichnung.

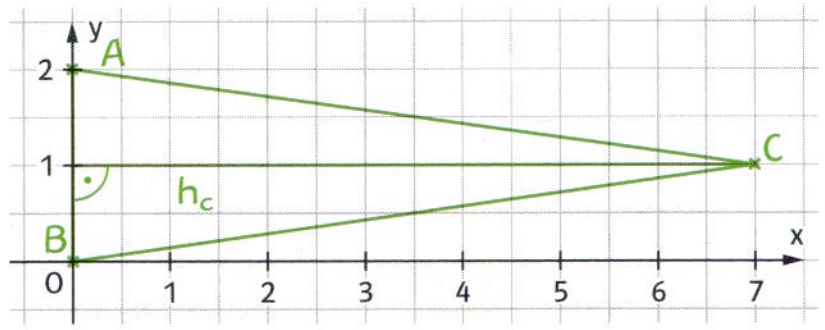

u = a + b + c
= 7,1 + 7,1 + 2
u = 16,2 cm

$A = \frac{1}{2} \cdot c \cdot h_c$
$= \frac{1}{2} \cdot 2 \cdot 7$
A = 7 cm²

3 Konstruiere das Dreieck mit a = 3 cm, b = 5 cm und c = 7 cm. Berechne seinen Flächeninhalt. Entnimm der Zeichnung die nötigen Maße.

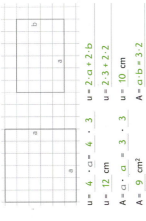

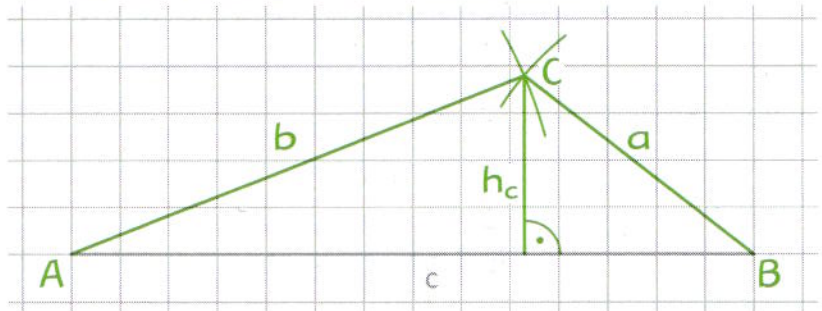

$A = \frac{1}{2} \cdot c \cdot h_c = \frac{1}{2} \cdot 7 \cdot 1{,}9$ A = 6,7 cm²

4 Das Dreieck ABC mit a = 7 cm und c = 6 cm, hat den Umfang u = 16 cm und den Flächeninhalt A = 9 cm². Berechne die Länge der Höhe h_b. [T1]

u = a + b + c
16 = 7 + b + 6 | −13
b = 3

$A = \frac{1}{2} \cdot b \cdot h_b$
$9 = \frac{1}{2} \cdot 3 \cdot h_b$
$9 = 1{,}5\, h_b$ | : 1,5
h_b = 6 cm

Die Höhe h_b beträgt 6 m.

[T1] Berechne zuerst b aus dem Umfang und den Seitenlängen a und c.

○ **1** Berechne den Umfang und den Flächeninhalt des Parallelogramms. Miss die benötigten Längen.

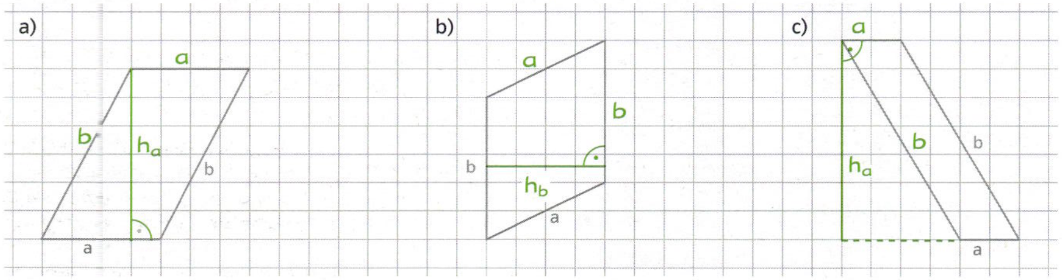

a) $u = 2 \cdot a + 2b$ $= 2 \cdot 2 + 2 \cdot 3{,}3$ $u = 10{,}6$ cm

$A = a \cdot h_a$ $= 2 \cdot 3$ $A = 6$ cm²

b) $u = 2 \cdot a + 2 \cdot b$ $= 2 \cdot 2{,}2 + 2 \cdot 2{,}5$ $u = 9{,}4$ cm

$A = b \cdot h_b$ $= 2{,}5 \cdot 2$ $A = 5$ cm²

c) $u = 2 \cdot a + 2 \cdot b$ $= 2 \cdot 1 + 2 \cdot 4$ $u = 10$ cm

$A = a \cdot h_a$ $= 1 \cdot 3{,}5$ $A = 3{,}5$ cm²

○ **2** Die Punkte A(0|0), B(4|0), C(6|2) und D(2|2) sind Eckpunkte eines Parallelogramms. Zeichne das Parallelogramm. Berechne seinen Umfang und Flächeninhalt. Miss die benötigten Längen.

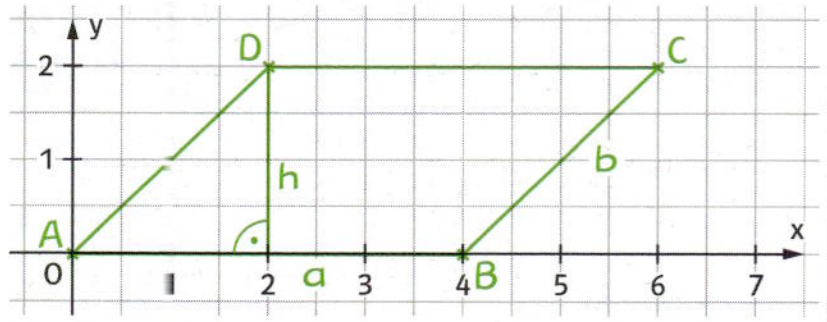

$u = 2 \cdot a + 2 \cdot b$ $= 2 \cdot 4 + 2 \cdot 2{,}8$ $u = 13{,}6$ cm

$A = a \cdot h_a$ $= 4 \cdot 2$ $A = 8$ cm²

◐ **3** Für den Bau einer Straße hat Landwirt Groß einen Teil seines Grundstücks verkauft. Wie viel % seines Grundstücks sind das?

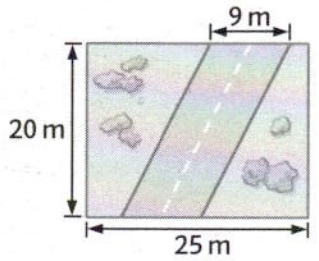

$A_{Rechteck} = a \cdot b = 20 \cdot 25$

$A_{Rechteck} = 500\,m^2$

$A_{Parallelogramm} = a \cdot h_a = 9 \cdot 20$

$A_{Parallelogramm} = 180\,m^2$

$G = 500\,m^2$
$W = 180\,m^2$
$p\% = \frac{W}{G}$
$p\% = \frac{180}{500}$
$p\% = 0{,}36 = 36\,\%$

Das sind 36 % seines Grundstücks.

◐ **2** Ergänze die Koordinaten des Punktes C so, dass das Viereck ABCD ein Parallelogramm ist mit

A(−3|−1); B(3|0); C(3 | 2); D(−3|1).

Zeichne und berechne den Flächeninhalt. Entnimm der Zeichnung die nötigen Maße.

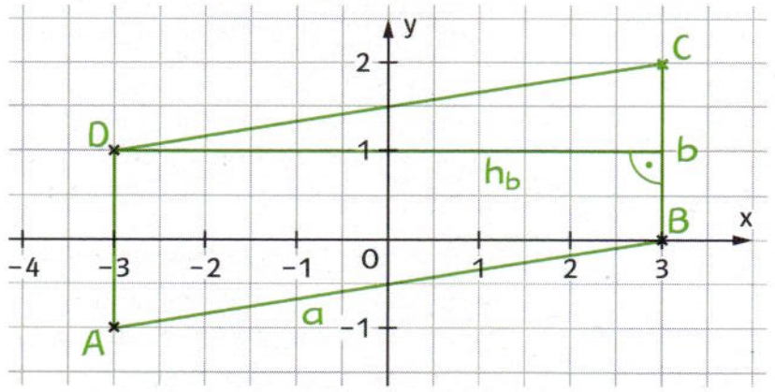

$A = b \cdot h_b = 2 \cdot 6$ $A = 12$ cm²

● **3** Beide Figuren haben denselben Flächeninhalt. Berechne die gesuchten Größen. [T1]

u = 9,6 cm; a = 2,4 cm; h = 1,2 cm

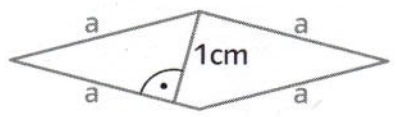

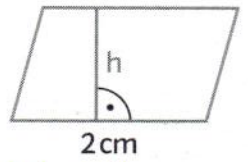

1. a berechnen:
$u = 4a$
$9{,}6 = 4 \cdot a \quad |:4$
$a = 2{,}4$

2. A_{Raute} berechnen:
$A = a \cdot h_a$
$A = 2{,}4 \cdot 1 = 2{,}4$

$A_{Raute} = 2{,}4\,cm^2$
$A_{Parall.} = 2{,}4\,cm^2$

3. $h_{Parallelogramm}$ berechnen:
$A = a \cdot h$
$2{,}4 = 2 \cdot h \quad |:2$
$h = 1{,}2$

[T1] Berechne zuerst die Seitenlänge a der Raute, dann den Flächeninhalt der Raute und daraus die gesuchte Höhe h.

○ **1** Berechne den Flächeninhalt und den Umfang des Trapezes.

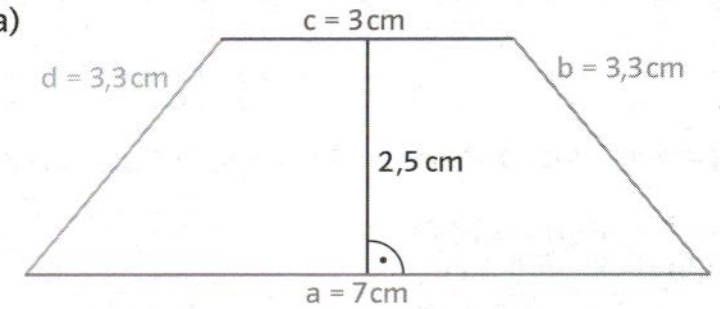

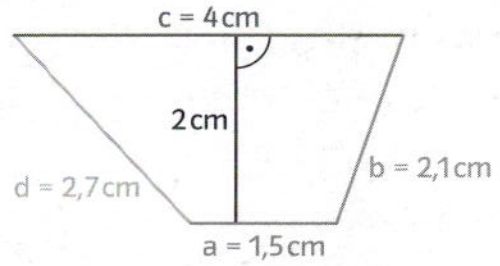

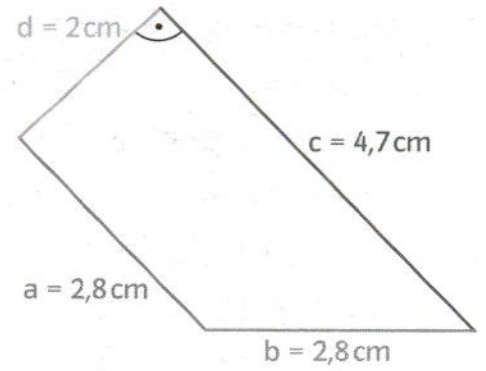

a) $u = a + b + c + d$ $= 7 + 3{,}3 + 3 + 3{,}3$ $u = 16{,}6$ cm

$A = \frac{1}{2} \cdot (a + c) \cdot h_T$ $= \frac{1}{2} \cdot (7 + 3) \cdot 2{,}5$ $A = 12{,}5$ cm²

b) $u = a + b + c + d$ $= 1{,}5 + 2{,}1 + 4 + 2{,}7$ $u = 10{,}3$ cm

$A = \frac{1}{2}(a + c) \cdot h_T$ $= \frac{1}{2}(1{,}5 + 4) \cdot 2$ $A = 5{,}5$ cm²

c) $u = a + b + c + d$ $= 2{,}8 + 2{,}8 + 4{,}7 + 2$ $u = 12{,}3$ cm

$A = \frac{1}{2}(a + c) \cdot h_T$ $= \frac{1}{2}(2{,}8 + 4{,}7) \cdot 2$ $A = 7{,}5$ cm²

○ **2** Ein Trapez hat die Eckpunkte A(−2|−2), B(4|−2), C(3|1) und D(1|1). Zeichne. Berechne den Umfang und den Flächeninhalt. Miss die benötigten Längen.

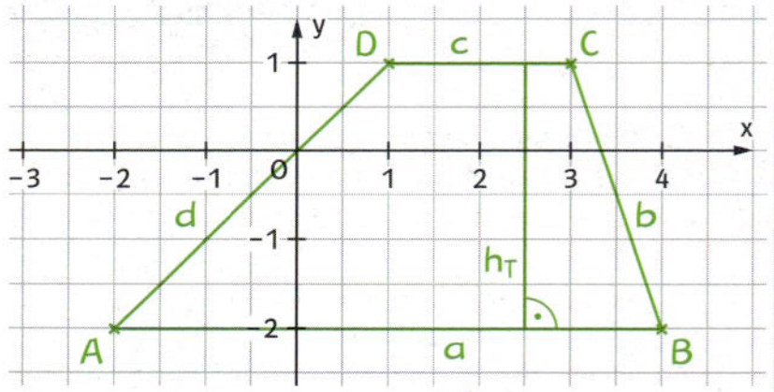

$u = a + b + c + d$ $= 6 + 3{,}2 + 2 + 4{,}2$ $u = 15{,}4$ cm

$A = \frac{1}{2}(a + c) \cdot h_T$ $= \frac{1}{2}(6 + 2) \cdot 3$ $A = 12$ cm²

◐ **3** Wer wohnt auf dem größeren Grundstück?

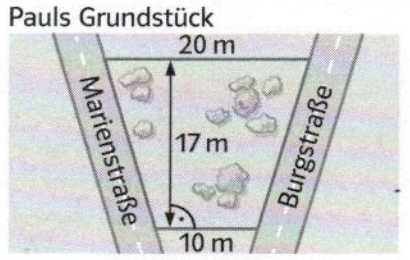

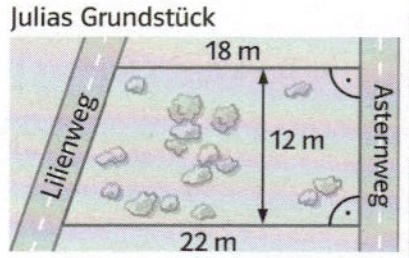

$A_{Paul} = \frac{1}{2}(a + c) \cdot h_T$ $= \frac{1}{2}(10 + 20) \cdot 17$ $A_{Paul} = 255\,m^2$

$A_{Julia} = \frac{1}{2}(a + c) \cdot h_T$ $= \frac{1}{2}(22 + 18) \cdot 12$ $A_{Julia} = 240\,m^2$

Auf dem größeren Grundstück wohnt Paul.

◐ **2** Der abgeholzte Teil des Waldgrundstücks soll wieder aufgeforstet werden. Fülle die Lücken. [T1]

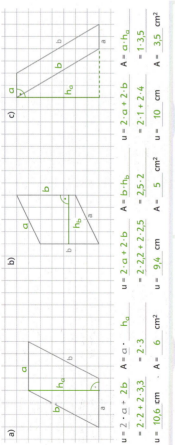

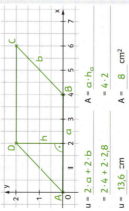

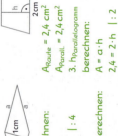

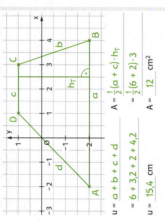

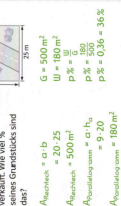

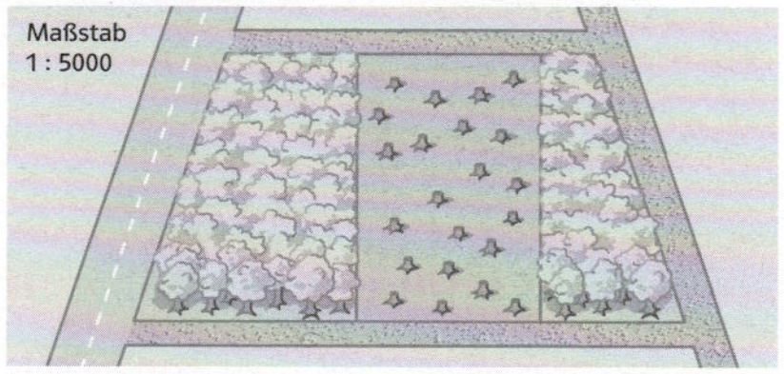

Der abgeholzte Teil des Waldes ist 1,5 ha groß [T2].

Das gesamte Waldgrundstück ist 3,75 ha groß.

Wieder aufgeforstet werden 40 % des Grundstücks.

$A_{Rechteck} = a \cdot b = 100 \cdot 150$

$A_R = 15\,000\,m^2 = 150\,a = 1{,}5\,ha$

$A_{Trapez} = \frac{1}{2}(a + c) \cdot h_T = \frac{1}{2}(200 + 300) \cdot 150$

$A_T = 37\,500\,m^2 = 375\,a = 3{,}75\,ha$

$\frac{1{,}5}{3{,}75} = 0{,}4 = 40\,\%$

● **3** a) Jedes Trapez mit a ∥ c und a = c ist ein Parallelogramm.

b) Zeige mithilfe der Formel für den Flächeninhalt eines Trapezes, dass deine Aussage aus Teilaufgabe a) stimmt. [T3]

$A = \frac{1}{2}(a + c) \cdot h_T$
$A = \frac{1}{2}(a + a) \cdot h_T$
$= \frac{1}{2} \cdot 2a \cdot h_T$
$= a \cdot h_T$

[T1] Der Maßstab 1 : 5000 bedeutet, dass 1 cm im Bild in Wirklichkeit 5000 cm sind. [T2] 100 m² = 1 a; 100 a = 1 ha
[T3] Setze a = c in die Flächeninhaltsformel des Trapezes ein und vereinfache.

○1 a) Wie weit würden diese Rädchen mit einer Umdrehung rollen? Runde auf Zehntel. Zeichne diese Strecken.

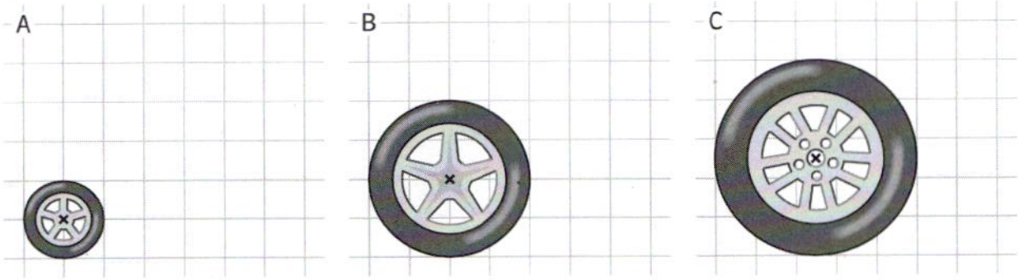

A	B	C
$u = \pi \cdot d$	$u = \pi \cdot d$	$u = \pi \cdot d$
$u = \pi \cdot 1$	$u = \pi \cdot 2$	$u = \pi \cdot 2{,}5$
$u = 3{,}1\,cm$	$u = 6{,}3\,cm$	$u = 7{,}9\,cm$

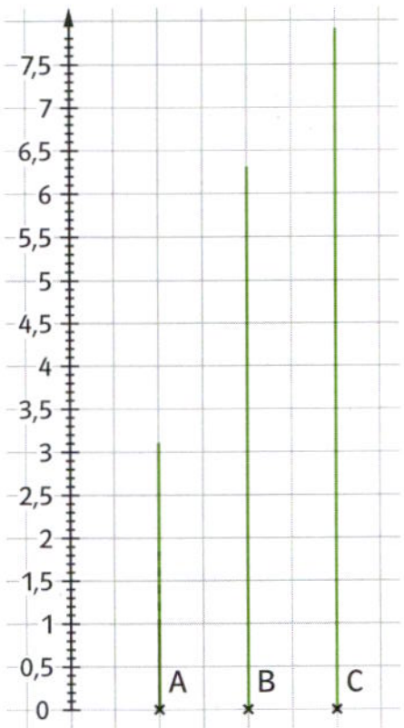

b) Kreuze an. Ein Rädchen mit dem achtfachen Durchmesser würde
☐ 4-mal so weit ☒ 8-mal so weit ☐ 16-mal so weit rollen.

○2 Berechne den Umfang des Hula-Hoop-Reifens mit d = 95 cm.

$u = \pi \cdot d$
$u = \pi \cdot 95$
$u = 298{,}45\,cm$

◐3 Der Teich wird mit 40 cm langen Randsteinen begrenzt. Wie viele Steine sind zu bestellen?

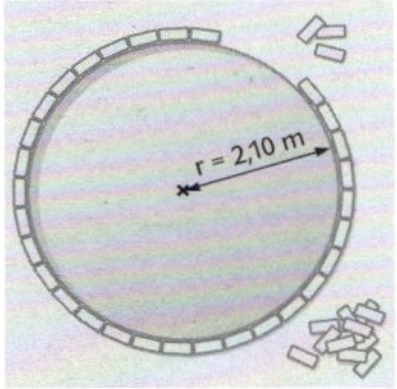

$u = 2 \cdot \pi \cdot r$
$u = 2 \cdot \pi \cdot 2{,}10$
$u = 13{,}19\,m$
$13{,}19 : 0{,}4 = 32{,}98$
≈ 33

Es werden etwa 33 Steine benötigt.

◐4 Die Pizzeria „Toscana" wirbt mit einer Maxi-Pizza, die einen Umfang von 1 Meter haben soll. Yvi glaubt nicht, dass es eine so große Pizza gibt, und berechnet den Durchmesser der Pizza.

$\pi \cdot d = u$
$\pi \cdot d = 100 \quad | : \pi$
$d = 31{,}8\,cm$

Der Durchmesser der Pizza beträgt 31,8 cm.

◐2 Berechne den Umfang der roten Kreise und vervollständige die Sätze.

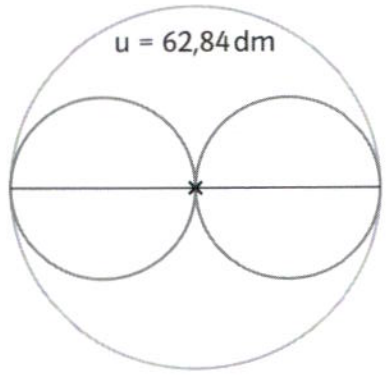

a) Der Umfang des grünen und der roten Kreise ist gleich groß.

$\pi \cdot d = u$
$\pi \cdot d = 62{,}84 \quad | : \pi$
$d = 20\,dm$

$u = \pi \cdot 10$
$u = 31{,}42$
$2 \cdot u = 62{,}84\,dm$

b) Der Umfang des grünen Kreises ist doppelt so groß, wie der Umfang eines roten Kreises.

●3 Ein Düsenflugzeug fliegt mit einer Geschwindigkeit von 900 km/h. Wie lange würde ein Flug rund um die Erdkugel (r = 6370 km) in 10 km Höhe dauern? [T1]

$u = \pi \cdot d$
$u = \pi \cdot 2 \cdot (6370 + 10)$
$u = 40\,086{,}72\,km$

Flugdauer:
$40\,086{,}72 : 900$
$= 44{,}54$
Der Fug dauert etwa 44,5 h.

[T1] s = v · t

○1 Berechne den Flächeninhalt des Kreises. Berechne mit: 1 Karo = 0,5 cm.

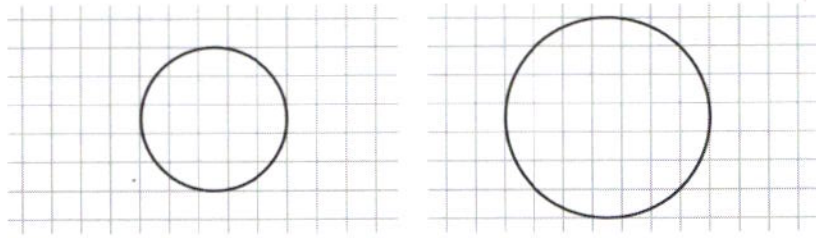

$A = \pi \cdot r^2$	$A = \pi \cdot r^2$
$A = \pi \cdot 1{,}25^2$	$A = \pi \cdot 1{,}75^2$
$A = 4{,}91\,cm^2$	$A = 9{,}62\,cm^2$

○2 a) Wie groß ist der Flächeninhalt einer originalen 10-ct-Münze? Schätze zunächst: Z. B.: 3 cm^2.

b) Miss den Durchmesser der originalen 10-ct-Münze und berechne den Flächeninhalt.

d = 1,9 cm $A = \pi \cdot 0{,}95^2$
r = 0,95 cm $A = 2{,}84\,cm^2$

Der Flächeninhalt beträgt ca. 2,84 cm^2.

○3 Eine Glaserwerkstatt liefert das Glas für vier kreisrunde Fenster (d = 1,0 m) einer Turnhalle. Berechne den Preis, wenn 1 m^2 Glas 210 € kostet.

$A = \pi \cdot 0{,}5^2$
$A = 0{,}79\,m^2$
$4 \cdot A = 3{,}14\,m^2$
Preis:
$3{,}14 \cdot 210 = 659{,}73$

Antwort: Das Glas kostet etwa 660 €.

◐4 Das Pulvermaar in der Eifel ist ein fast kreisförmiger See. Es ist vulkanischen Ursprungs und hat einen Durchmesser von etwa 700 m. Wie viel ha ist das Maar groß? [T1]

$A = \pi \cdot r^2$
$A = \pi \cdot 350^2$
$A = 384\,650\,m^2$

Das Maar ist ungefähr 38,47 ha groß.

◐5 a) Jan möchte auf der Feuerstelle (u = 75 cm) in einer Pfanne Kastanien rösten. Kreuze an, welche Pfanne dafür geeignet ist.
☐ ⌀ 18 cm ☐ ⌀ 20 cm
☒ ⌀ 24 cm

$\pi \cdot d = u$
$\pi \cdot d = 75 \quad | : \pi$
$d = 23{,}87\,cm$

b) Der Flächeninhalt des Pfannenbodens beträgt
$\pi \cdot 12^2 = 452{,}39$ A = 452,39 cm^2

◐3 Der Geländeplan eines Parks ist auf einer runden Steinplatte (u = 4,71 m) verkleinert nachgebildet. Berechne den Flächeninhalt der Platte.

$\pi \cdot d = u$
$\pi \cdot d = 4{,}71 \quad | : \pi$
$d = 1{,}50\,m$
$r = 0{,}75\,m$

$A = \pi \cdot r^2$
$A = \pi \cdot 0{,}75^2$
$A = 1{,}77\,m^2$

Die Steinplatte hat einen Flächeninhalt von etwa 1,8 m^2.

●4 Die Schülervertretung plant eine 50 cm breite Sitzbank um einen Eichenbaum im Schulhof. Der Baum ist zum Schutz von einem kreisrunden Stahlband (u = 4,40 m) umgeben. Berechne die Größe der Sitzfläche. [T2]

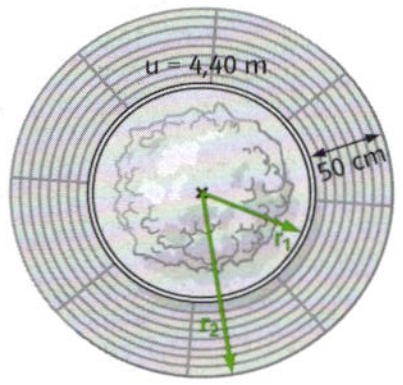

$\pi \cdot d_1 = u$
$\pi \cdot d_1 = 4{,}40 \quad | : \pi$
$d_1 = 1{,}40\,m$
$r_1 = 0{,}70\,m$
$r_2 = 0{,}70\,m + 0{,}50\,m$
$r_2 = 1{,}20\,m$

$A_1 = \pi \cdot r_1^2$
$A_1 = \pi \cdot 0{,}70^2$
$A_1 = 1{,}54\,m^2$
$A_2 = \pi \cdot r_2^2$
$A_2 = \pi \cdot 1{,}20^2$
$A_2 = 4{,}52\,m^2$

$A_2 - A_1 = 4{,}52\,m^2 - 1{,}54\,m^2 = 2{,}98\,m^2$

Die Sitzbank ist etwa 3 m^2 groß.

[T1] 1 ha = 10000 m^2
[T2] Berechne mithilfe des Umfangs den Durchmesser des runden Stahlbandes.

○ **1** Berechne den Flächeninhalt der gefärbten Figur.

a)

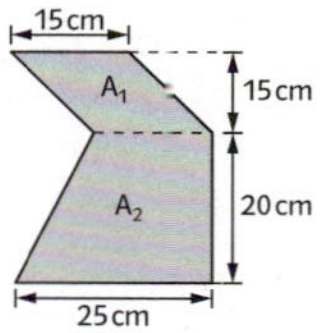

$A = A_1 + A_2$

$A_1 = 15 \cdot 15 = 225$

$A_2 = \frac{1}{2} \cdot (25 + 15) \cdot 20$

$= 400$

$A = 625\,cm^2$

b)

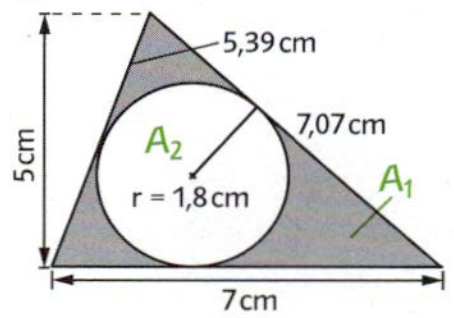

$A = A_1 - A_2$

$A_1 = \frac{1}{2} \cdot 7 \cdot 5 = 17{,}5$

$A_2 = \pi \cdot 1{,}8^2 = 10{,}18$

$A = 17{,}5 - 10{,}18 = 7{,}32$

$A = 7{,}32\,cm^2$

○ **2** Anna und Leo berechnen den Flächeninhalt der Trennwand unterschiedlich. Rechne beide Rechenwege zu Ende.

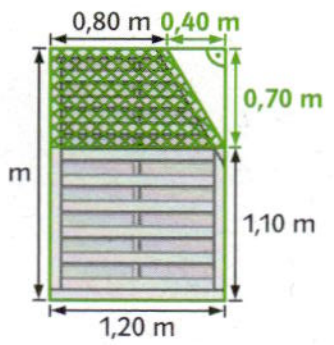

$A = A_1 + A_2$

$A_1 = 1{,}20 \cdot 1{,}10 = 1{,}32$

$A_2 = \frac{1}{2} \cdot (1{,}2 + 0{,}8) \cdot 0{,}7$

$= 0{,}70$

$A = 1{,}32 + 0{,}70$

$= 2{,}02\,m^2$

$A = A_1 - A_2$

$A_1 = 1{,}20 \cdot 1{,}80 = 2{,}16$

$A_2 = \frac{1}{2} \cdot 0{,}40 \cdot 0{,}70$

$= 0{,}14$

$A = 2{,}16 - 0{,}14$

$= 2{,}02\,m^2$

○ **3** Berechne den Flächeninhalt des Pfeils.

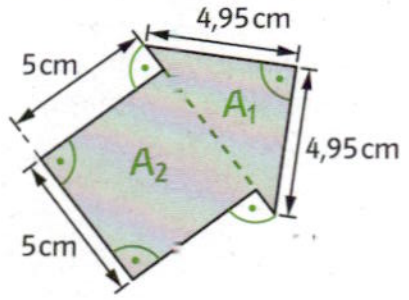

$A = A_1 + A_2$

$A_1 = \frac{1}{2} \cdot 4{,}95^2 = 12{,}25$

$A_2 = a^2 = 5^2 = 25$

$A = 12{,}25 + 25$

$A = 37{,}25\,cm^2$

○ **4** Berechne den Flächeninhalt und den Umfang des achteckigen Tisches. Ergänze zuerst die Zerlegung in Teilflächen.

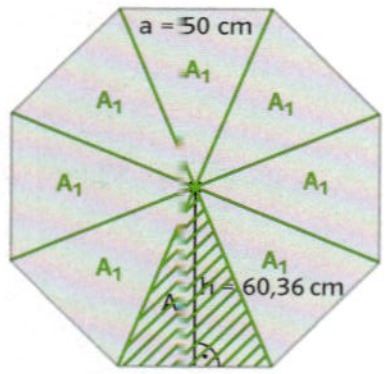

$A = 8 \cdot A_1$

$A_1 = \frac{1}{2} \cdot 50 \cdot 60{,}36$

$A = 8 \cdot A_1$

$A = 8 \cdot 1509$

$u = 8 \cdot 50$

Der Flächeninhalt beträgt 12 072 cm^2 = 1,21 m^2.

Der Umfang beträgt 400 cm = 4 m.

◐ **2** An einem Ortseingang befindet sich ein Willkommensschild aus Edelrost. Berechne den Flächeninhalt des Schildes. Der Flächeninhalt besteht aus 2 Teilflächen.

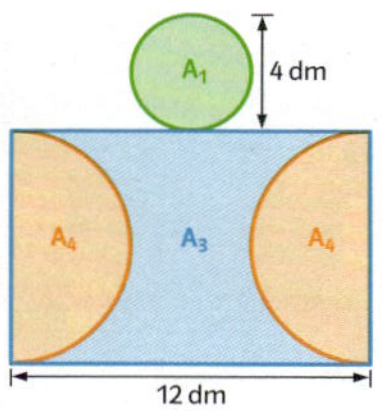

$A = A_1 + A_2$

$A_1 = \pi \cdot 2^2 = 12{,}57$

$A_3 = 12 \cdot 8 = 96$

$A_2 = A_3 - A_4$

$A_4 = \pi \cdot 4^2 = 50{,}27$

$A = 12{,}57 + (96 - 50{,}27) = 58{,}30$

Der Flächeninhalt beträgt 58,30 dm^2.

● **3** Die Giebelseite eines Hallenbades wird neu gestrichen. Berechne die Fläche des Logos.

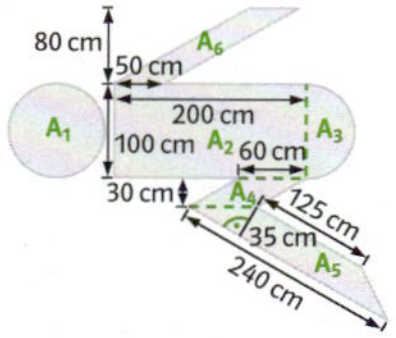

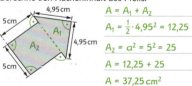

$A_1 = \pi \cdot 50^2 = 7853{,}98$

$A_2 = 200 \cdot 100 = 20\,000$

$A_3 = \frac{1}{2} \cdot \pi \cdot 50^2$

$= 3926{,}99$

$A_4 = 60 \cdot 30 = 1800$

$A_5 = \frac{1}{2} \cdot (125 + 240) \cdot 35$

$= 6387{,}50$

$A_6 = 50 \cdot 80 = 4000$

$A = 43\,968{,}47\,cm^2 = 4{,}40\,m^2$

Der Flächeninhalt des Logos beträgt etwa 4,4 m^2.

○ **1** Zeichne die drei gegebenen Punkte in das Koordinatensystem. Verbinde sie zu einem Dreieck. Berechne den Flächeninhalt und den Umfang des Dreiecks. Entnimm der Zeichnung die nötigen Maße.

a) A(0|0), B(2|0), C(1|2)

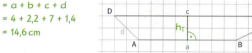

$A = \frac{1}{2} \cdot c \cdot h_c$

$= \frac{1}{2} \cdot 2 \cdot 2$

$A = 2\,cm^2$

$u = a + b + c$

$= 2{,}2 + 2{,}2 + 2$

$u = 6{,}4$ cm

b) D(3|2), E(3|0), F(7|1)

$A = \frac{1}{2} \cdot f \cdot h_f$

$= \frac{1}{2} \cdot 2 \cdot 4$

$A = 4\,cm^2$

$u = d + e + f$

$= 4{,}1 + 4{,}1 + 2$

$u = 10{,}2$ cm

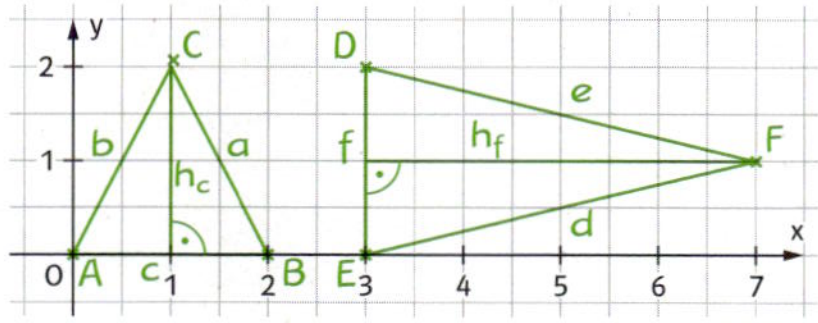

○ **2** Zeichne beide Höhen des Parallelogramms ein. Berechne den Flächeninhalt auf zwei verschiedene Arten. Bestimme auch den Umfang des Parallelogramms. Entnimm der Zeichnung die nötigen Maße.

$A = a \cdot h_a$

$= 6 \cdot 2{,}7$

$A = 16{,}2\,cm^2$

$A = b \cdot h_b$

$= 2{,}9 \cdot 5{,}6$

$A = 16{,}24\,cm^2$

$u = 2 \cdot a + 2 \cdot b = 2 \cdot 6 + 2 \cdot 2{,}9$

$u = 17{,}8$ cm

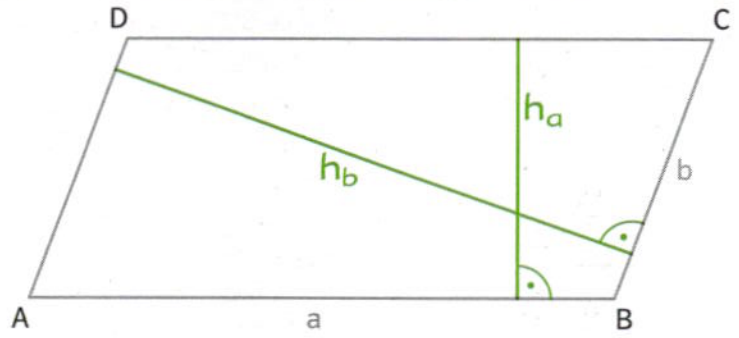

○ **3** Berechne den Flächeninhalt und den Umfang des Trapezes. Entnimm der Zeichnung die nötigen Maße.

$A = \frac{1}{2} \cdot (a + c) \cdot h_T$

$= \frac{1}{2} \cdot (4 + 7) \cdot 1$

$A = 5{,}5\,cm^2$

$u = a + b + c + d$

$= 4 + 2{,}2 + 7 + 1{,}4$

$u = 14{,}6\,cm$

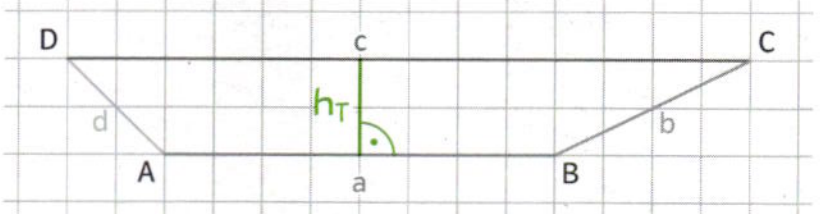

○ **4** Berechne den Umfang und den Flächeninhalt.

a)

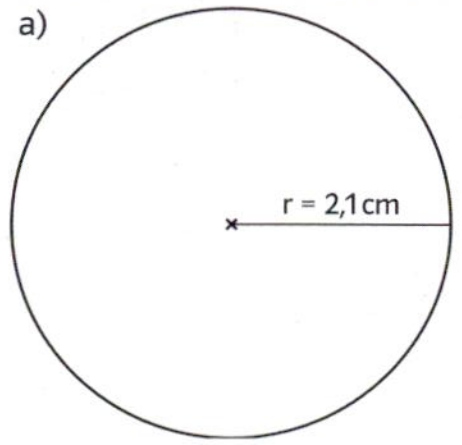

b)

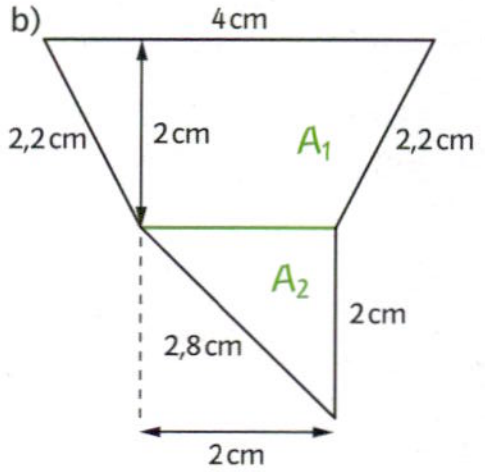

c)

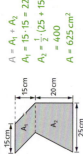

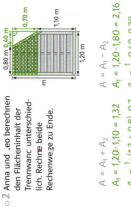

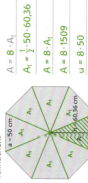

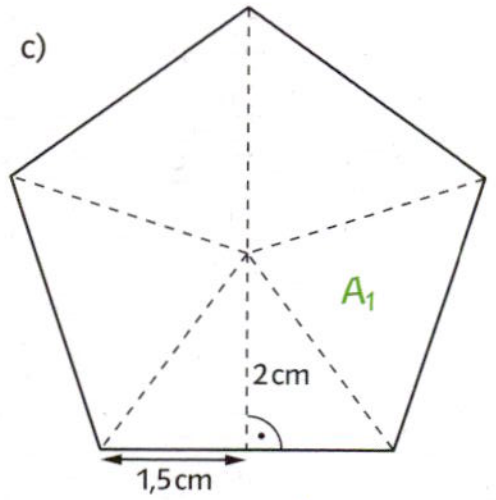

a) $A = \pi \cdot r^2$

$A = \pi \cdot 2{,}1^2$

$A = 13{,}85\,cm^2$

$u = 2 \cdot \pi \cdot r$

$u = 2 \cdot \pi \cdot 2{,}1$

$u = 13{,}19\,cm$

b) $A_1 = A_{Trapez} = \frac{1}{2} \cdot (4 + 2) \cdot 2$

$A_1 = 6\,cm^2$

$A_2 = A_{Dreieck} = \frac{1}{2} \cdot 2 \cdot 2$

$A_2 = 2\,cm^2$

$A_{gesamt} = A_1 + A_2 = 8\,cm^2$

$u = 2{,}2 + 4 + 2{,}2 + 2 + 2{,}8$

$u = 13{,}2\,cm$

c) $A_1 = A_{Dreieck} = \frac{1}{2} \cdot 3 \cdot 2$

$A_1 = 3\,cm^2$

$A_{gesamt} = 5 \cdot A_1 = 15\,cm^2$

$u = 5 \cdot 3$

$u = 15\,cm$

Schätze ein, wie gut du die Basisaufgaben auf Seite 43 bearbeitet hast.
Eine Anleitung für das Arbeiten mit dieser Tabelle findest du auf Seite 2 im Aufgabenteil.

Auswerten, Selbsteinschätzen und Weiterlernen

Ich kann ...	gut	etwas	nicht gut	Nachlesen und üben	
1 den Umfang und den Flächeninhalt eines Dreiecks bestimmen.				**Nachlesen** Schülerbuch: S. 94 Merke und Beispiel a **Üben** Arbeitsheft: S. 37 Nr. 1, 2 links Schülerbuch: S. 95 Alles klar?; S. 122 Nr. 1	☺
2 den Umfang und den Flächeninhalt eines Parallelogramms bestimmen.				**Nachlesen** Schülerbuch: S. 99 Merke und Beispiel a **Üben** Arbeitsheft: S. 38 Nr. 1, 2 links Schülerbuch: S. 100 Alles klar?; S. 122 Nr. 2	☺
3 den Umfang und den Flächeninhalt eines Trapezes bestimmen.				**Nachlesen** Schülerbuch: S. 103 Merke und Beispiel a **Üben** Arbeitsheft: S. 39 Nr. 1, 2 links Schülerbuch: S. 104 Alles klar?; S. 122 Nr. 3	☺
4 den Umfang und den Flächeninhalt eines Kreises bestimmen.				**Nachlesen** Schülerbuch: S. 107 Merke und Beispiel a; S. 109 Merke und Beispiel a **Üben** Arbeitsheft: S. 40 Nr. 1, 2 links; S. 41 Nr. 1, 2, 3 links Schülerbuch: S. 108 Alles klar?; S. 110 Alles klar? S. 122 Nr. 4;	☺
5 den Umfang und den Flächeninhalt zusammengesetzter Figuren und eines regelmäßigen Vielecks bestimmen.				**Nachlesen** Schülerbuch: S. 111 Merke und Beispiel a **Üben** Arbeitsheft: S. 42 Nr. 1, 2 links, 3 links, 4 links Schülerbuch: S. 112 Alles klar? A	☺

5 Die Eckpunkte eines Vielecks sind gegeben. Berechne den Flächeninhalt und den Umfang des Vielecks. Miss die benötigten Längen.
A(−3 | −1), B(−2 | −2), C(3 | −2), D(2 | 1), E(−2 | 1) und F(−3 | 2)

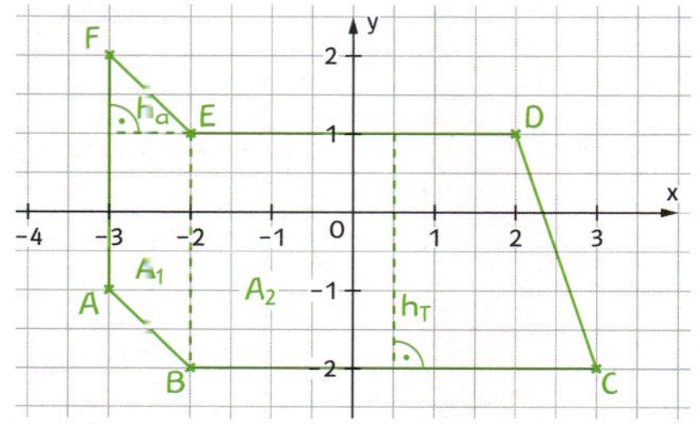

$u = 1{,}4 + 5 + 3{,}2 + 4 + 1{,}4 + 3$
$u = 18\,cm$
$A_1 = a \cdot h_c$
$= 3 \cdot 1$
$A_1 = 3\,cm^2$
$A_2 = \frac{1}{2}(a + c) \cdot h_T$
$= \frac{1}{2}(4 + 5) \cdot 3$
$A_2 = 13{,}5\,cm^2$
$A_{gesamt} = A_1 + A_2 = 16{,}5\,cm^2$

6 Der abgebildete Besprechungstisch (Maßstab 1:100) für ein Großraumbüro soll neu lackiert werden. Eine Dose Lack kostet 7,50 € und reicht für 2,5 m². Der Rand des Tisches wird anschließend mit einer Metallschiene verkleidet. Sie kostet 15 € pro Meter. Berechne die Gesamtkosten.

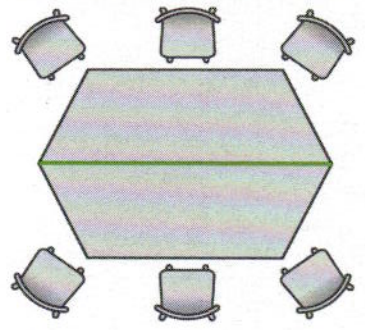

$A_{Trapez} = \frac{1}{2} \cdot (a + c) \cdot h_T$
$= \frac{1}{2} \cdot (2 + 3) \cdot 1$
$A_{Trapez} = 2{,}5\,m^2$
$A_{gesamt} = 2 \cdot A_T = 5\,m^2$
Anzahl Dosen Lack:
$5 : 2{,}5 = 2$
Preis Lack: $2 \cdot 7{,}50\,€ = 15\,€$
$u = 2 \cdot 2 + 4 \cdot 1{,}1$
$u = 8{,}4\,m$
Preis Metallschiene: $8{,}4 \cdot 15\,€ = 126\,€$
Preis gesamt: $15\,€ + 126\,€ = 141\,€$

Die Gesamtkosten betragen 141 €.

7 Aus einer quadratischen Edelstahlplatte wird ein Muster gestanzt.
a) Berechne den Flächeninhalt der gefärbten Figur.

$A_{gefärbte\ Figur} = 8 \cdot A_1 - A_2$
$A_1 = \frac{1}{2} \cdot 6 \cdot 7{,}25 = 21{,}75$
$8 \cdot A_1 = 174$
$A_2 = \pi \cdot 3^2 = 28{,}27$
$A_{gefärbte\ Figur} = 174 - 28{,}27$
$= 145{,}73$

Der Flächeninhalt der gefärbten Figur beträgt 145,73 cm².

b) Berechne den Abfall in %.

$A_3 = 14{,}49^2 = 209{,}96$
$A_{Abfall} = 209{,}96 - 145{,}73$
$= 64{,}23$
$P\% = 64{,}23 : 209{,}96$
$P\% = 30{,}59\,\%$

Der Abfall beträgt 30,59 %.

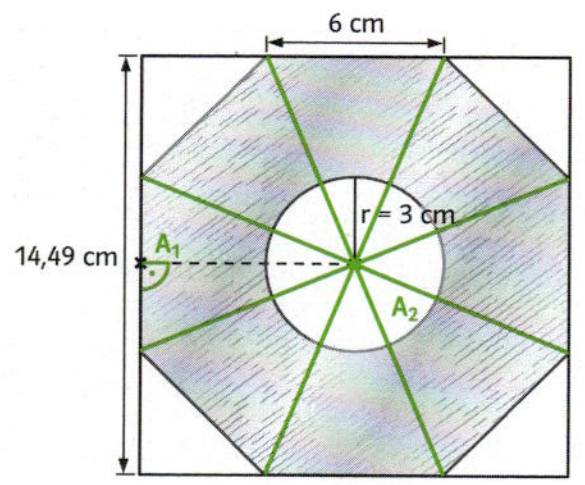

8 a) Berechne den Flächeninhalt des regelmäßigen 12-Ecks mit der Seitenlänge a = 5,42 cm.

$A = 6 \cdot A_1 + 12 \cdot A_2$
$A_1 = 5{,}42^2 = 29{,}38$
$A_2 = \frac{1}{2} \cdot 5{,}42 \cdot 4{,}69 = 12{,}71$
$A_{12\text{-}Eck} = 328{,}80$

Der Flächeninhalt des 12-Ecks beträgt 328,80 m².

b) Dem 12-Eck ist ein Kreis umbeschrieben mit u = 65,78 m. Berechne den Radius.

$2 \cdot \pi \cdot r = u$
$2 \cdot \pi \cdot r = 65{,}78 \quad | : (2 \cdot \pi)$
$r = 10{,}47$

Der Radius des umbeschriebenen Kreises beträgt 10,47 m.

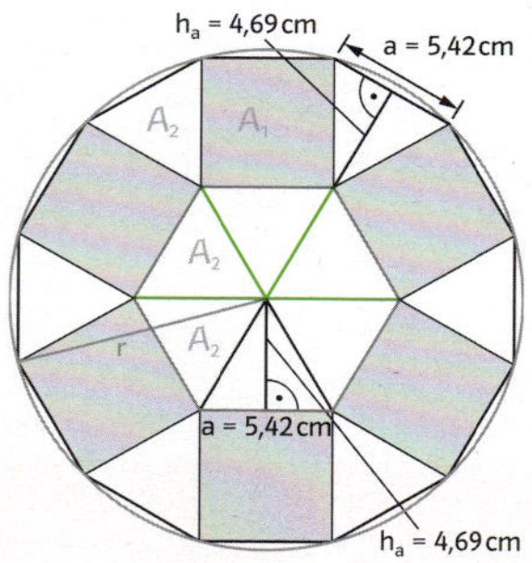

1 Berechne die fehlenden Werte möglichst im Kopf.

	a)	b)	c)	d)	e)	f)
G	300 €	50 g	32 t	60 km	500 €	60 m
W	30 €	35 g	8 t	18 km	90 €	45 m
p%	10 %	70 %	25 %	30 %	18 %	75 %

Mögliche Rechnungen im Kopf:
a) 300 € – 100 %; 30 € – 10 %
b) 100 % – 50 g; 10 % – 5 g; 70 % – 35 g
c) 25 % – 8 t; 100 % – 32 t
d) 30 % – 18 km; 10 % – 6 km; 100 % – 60 km
e) 100 % – 500 €; 2 % – 10 €; 18 % – 90 €
f) 60 m – 100 %; 15 m – 25 %; 45 m – 75 %

2 Das Diagramm zeigt die Verteilung der 768 Mitglieder des Sportvereins SV Altstadt.
a) Berechne den Prozentsatz der anderen Abteilungen.
a) 100 % − 20 % − 40 % − 25 % = 15 %

b) Die Tennisabteilung hat 192 Mitglieder.
Gesucht: ☐ G ☒ W ☐ p%

b) $W = G \cdot p\%$
$= 768 \cdot 25\,\%$
$= 768 \cdot 0{,}25$
$= 192$

c) 72 der Mitglieder der Tennisabteilung sind jünger als 18 Jahre. Das sind 37,5 %.
Gesucht: ☐ G ☐ W ☒ p%

c) $W = G \cdot p\%$
$72 = 192 \cdot p\% \quad | : 192$
$p\% = 0{,}375$
$p\% = 37{,}5\,\%$

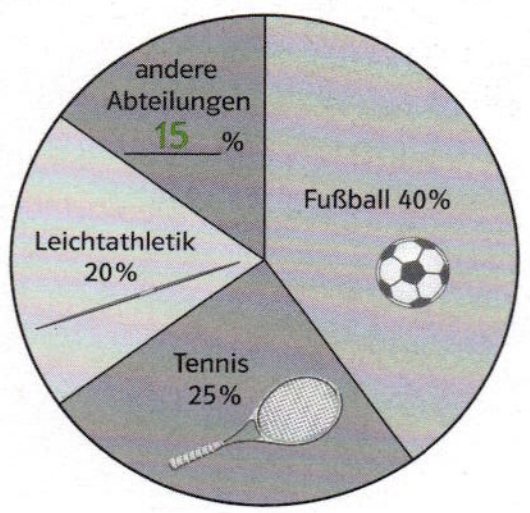

3 Ein Faultier schläft täglich durchschnittlich 18 Stunden. Wie viel Prozent des Tages verschläft es?
Gesucht: ☐ G ☐ W ☒ p%

$W = G \cdot p\%$
$18 = 24 \cdot p\% \quad | : 24$
$p\% = 0{,}75$
$p\% = 75\,\%$

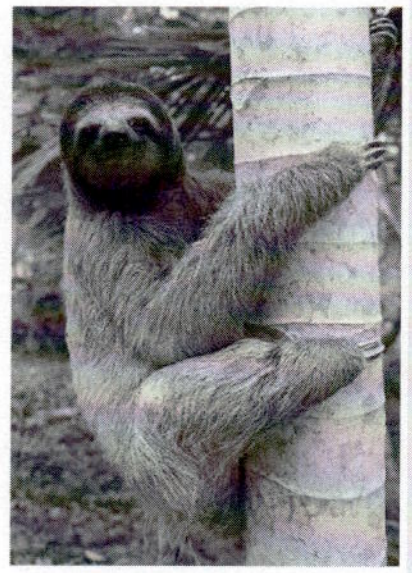

Ein Faultier verschläft 75 % des Tages.

4 Jan spart jeden Monat 12,5 % von seinen 320 € Azubi-Gehalt für den Autoführerschein. Wie viel Euro bleiben ihm übrig?
Gesucht: ☐ G ☒ W ☐ p%

$W = G \cdot p\%$
$= 320 \cdot 12{,}5\,\%$
$= 320 \cdot 0{,}125$
$= 40$
$320 - 40 = 280$

Jan hat jeden Monat 280 € übrig.

3 2015 konnten etwa 7,5 % der 79,8 Mio. Einwohner Deutschlands nicht lesen und schreiben.
Es gab 2015 etwa 6 Mio. Analphabeten in Deutschland.

$W = G \cdot p\%$
$= 79{,}8 \cdot 7{,}5\,\%$
$= 79{,}8 \cdot 0{,}075$
$= 5{,}985$

4 Nach einem Sommerfest wurden alle Beteiligten gefragt, wie zufrieden sie waren. Ergänze die Tabelle und erstelle ein Kreisdiagramm. [T1]

	☺	😐	☹	gesamt
Anzahl	378	126	216	720
Prozentsatz	52,5 %	17,5 %	30 %	100 %
Winkel im Kreisdiagramm	189°	63°	108°	360°

$W = 378 + 126 + 216$
$= 720$
$W = G \cdot p\%$
$378 = 720 \cdot p\% \quad | : 720$
$p\% = 52{,}5\,\%$

100 % – 360°
1 % – 3,6°
52,5 % – 189°
17,5 % – 63°
30 % – 108°

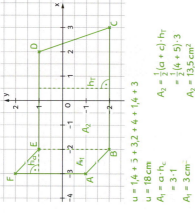

[T1] Berechne zuerst die Gesamtzahl der befragten Personen.

1 Welche Angaben gehören zusammen? Verbinde mit dem entsprechenden Prozentfaktor.

+2 % — ·1,02
vermindert um 2 % — ·0,98
vermindert um 8 % — ·0,92
vermehrt um 20 % — ·1,2
vermehrt um 8 % — ·1,08
−20 % — ·0,8

2 Berechne die fehlenden Werte. Trage sie in die Tabelle ein.

alter Wert in €	500 €	800 €	60 €	2500 €
Veränderung in %	+10 %	+35 %	−20 %	−8 %
veränderter Prozentsatz	110 %	135 %	80 %	92 %
Prozentfaktor	·1,1	·1,35	·0,8	·0,92
neuer Wert in €	550 €	1080 €	48 €	2300 €

3 Rechne am Pfeilbild.
a) 250 € vermehrt um 30 %

250 € —(·1,3)→ 325 €

b) 900 € vermindert um 25 %

900 € —(·0,75)→ 675 €

4 Berechne die neuen Preise.

a)

Preis: 40 000 €
+19 % MWSt.

40 000 · 1,19 = 47 600

neuer Preis: 47 600 €

b)

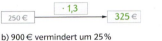

Preis: 18 000 €
−3 % bei Barzahlung

18 000 · 0,97 = 17 460

neuer Preis: 17 460 €

5 a) Durch den Rabatt spart Mara 38,70 € beim Kauf von Sportschuhen.

30%

Die Schuhe kosteten vorher 129 € und nun nur noch 90,30 €.

b) Maras Bruder Torben hat in demselben Geschäft für eine Jeans 68,60 € bezahlt.

Die Jeans kostete vorher 98 €.

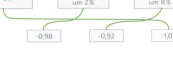

a)
W = G · p%
38,70 = G · 30 %
38,70 = G · 0,3 | : 0,3
129 = G
129 − 38,70 = 90,30

b)
W = G · p%
68,60 = G · 70 %
68,60 = G · 0,7 | : 0,7
98 = G

4 Mateus spart für ein Mountain-Bike. Er hat schon 60 % zusammen. Die noch fehlenden 198 € hofft er, an seinem Geburtstag zu bekommen.

Das Mountain-Bike kostet 495 €.

Mateus hat schon 297 € gespart.

198 € entsprechen 100 % − 60 % = 40 %.

495 € ←(: 0,40)— 198 €

5 Anlässlich der Aktion „Sie bekommen die Mehrwertsteuer geschenkt“, möchte Tom ein neues Mobiltelefon, das vorher 499 € gekostet hat, kaufen. Was meinst du? **Begründe.**

499 · 0,19 = 94,81
499 − 94,81 = 404,19
Also muss ich
404,19 € bezahlen.

Tom hat ☐ recht. ☒ nicht recht.

499 : 1,19 = 419,33; Tom müsste also 419,33 € bezahlen. Er ist davon ausgegangen, dass 499 € der Grundwert ist, also 100 %. 499 € entspricht aber 119 %, da die Mehrwertsteuer schon enthalten ist.

1 Berechne die **Jahreszinsen** im Kopf.

a) Kapital: 3000 €; Zinssatz: 1 %
Zinsen: 30 €

b) Kapital: 1200 €; Zinssatz: 2 %
Zinsen: 24 €

c) Kapital: 500 €; Zinssatz: 3 %
Zinsen: 15 €

2 Berechne den **Zinssatz**.

a) K = 800 €; Z = 12 €
Z = K · p%
12 = 800 · p% | : 800
0,015 = p%
p% = 1,5 %

b) K = 1250 €; Z = 31,25 €
Z = K · p%
31,25 = 1250 · p% | : 1250
0,025 = p%
p% = 2,5 %

c) K = 2870 €; Z = 51,66 €
Z = K · p%
51,66 = 2870 · p% | : 2870
0,018 = p%
p% = 1,8 %

3 Berechne das **Kapital**.

Z = 187,50 €
p% = 3,75 %
K = 5000 €

Z = 67,50 €
p% = 2,7 %
K = 2500 €

Z = K · p%
187,50 = K · 3,75 %
187,50 = K · 0,0375 | : 0,0375
5000 = K

Z = K · p%
67,50 = K · 2,7 %
67,50 = K · 0,027 | : 0,027
2500 = K

4 Tabea hat 2750 € auf ihrem Sparbuch. Die Bank bietet ihr einen Zinssatz von 1,8 %. Wie viel Zinsen erhält sie in einem Jahr?

Z = K · p%
= 2750 · 1,8 %
= 2750 · 0,018
= 49,5

Gesucht: ☐ K ☒ Z ☐ p%

Tabea erhält 49,50 € Jahreszinsen.

5 Fynn hat vor einem Jahr 350 € auf sein Sparbuch eingezahlt. Jetzt sind 354,20 € auf dem Konto.

Z = K · p%
4,20 = 350 · p% | : 350
0,012 = p%
p% = 1,2 %

Gesucht: ☐ K ☐ Z ☒ p%

Der Zinssatz betrug 1,2 %.

6 Herr Kiem leiht sich für ein Jahr 2800 € zu einem Zinssatz von 2,25 % von der Bank. Die Bank verlangt außerdem eine Bearbeitungsgebühr von 0,5 % des Kreditbetrages. Nach einem Jahr muss Herr Kiem insgesamt 2877 € zurückzahlen.

Z = K · p%
Z = 2800 · 2,25 %
Z = 2800 · 0,0225
Z = 63
63 + 14 = 77
2800 + 77 = 2877

W = G · p%
W = 2800 · 0,5 %
W = 2800 · 0,005
W = 14

4 Lara möchte ein neues Handy zu 499 € kaufen. Auf ihrem Sparbuch hat sie noch 500 € die mit 2 % verzinst werden.

Elektronikmarkt:
Kaufe sofort.
Zahle erst in einem Jahr 520 €.

Kreuze an, was günstiger ist.
☒ Lara sollte das Handy gleich bezahlen.
☐ Lara sollte das Angebot des Fachmarktes nutzen.

Elektronikfachmarkt: 21 € Zuzahlung
Sparbuch: Z = K · p%
Z = 500 · 2 %
Z = 500 · 0,02 = 10
Den Zinsen von 10 € steht eine Zuzahlung von 21 € gegenüber.

5 Bei einem Zinssatz von 1,5% erhält Jule 27 € Jahreszinsen, die dem Konto gutgeschrieben werden.

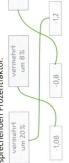

Z
I
N
S

Jule hat 1827 € auf ihrem Konto. Wenn sie kein Geld abbucht und der Zinssatz bleibt, hat sie nach einem weiteren Jahr 1854,41 € auf ihrem Konto.

Z = K · p%
27 = K · 1,5 %
27 = K · 0,015 | : 0,015
1800 = K
1800 + 27 = 1827

Z = K · p%
Z = 1827 · 1,5 %
Z = 1827 · 0,015
Z ≈ 27,41
1827 + 27,41
= 1854,41

1 Für ein Kapital von 36 000 € betragen die Jahreszinsen 540 €. Für die angegebenen Zeiträume fallen anteilig Zinsen an. Verbinde oder markiere zusammengehörende Kärtchen.

237 € | 158 Tage | 135 € | 5 Tage | 315 €

3 Monate | 472,50 € | 7 Monate | 7,50 € | 315 Tage

2 Berechne zuerst die Jahreszinsen. Berechne dann die Zinsen für den angegebenen Zeitraum.

Kapital	Zinssatz	Jahreszinsen in €	Zeitraum	Zinsen für angegebenen Zeitraum in €
600 €	2 %	$Z = K \cdot p\% = 600 \cdot 0{,}02 = 12$	1 Monat	$12 \cdot \frac{1}{12} = 1$
20 000 €	1,2 %	$Z = K \cdot p\% = 20\,000 \cdot 0{,}012 = 240$	7 Monate	$240 \cdot \frac{7}{12} = 140$
900 €	16 %	$Z = K \cdot p\% = 900 \cdot 0{,}16 = 144$	1 Tag	$144 \cdot \frac{1}{360} = 0{,}40$
5000 €	0,8 %	$Z = K \cdot p\% = 5000 \cdot 0{,}008 = 40$	252 Tage	$40 \cdot \frac{252}{360} = 28$

3 Herr Klein überzieht sein Konto um 2650 €. Für Überziehungszinsen verlangt die Bank einen Zinssatz von 14 %.
Jahreszinsen: 371 €

$Z = K \cdot p\%$
$= 2650 \cdot 14\%$
$= 2650 \cdot 0{,}14$
$= 371$

Zinsen für 3 Monate: $371 \cdot \frac{8}{12}$ Z = 247,33 €

Zinsen für 34 Tage: $371 \cdot \frac{84}{360}$ Z = 86,57 €

4 Bei welchem Zinssatz erhält man für ein Kapital von 5000 € in 3 Monaten 20 € Zinsen?
Bei einem Zinssatz von 1,6 %.

$Z = K \cdot p\% \cdot \frac{m}{12}$
$20 = 5000 \cdot p\% \cdot \frac{3}{12}$ | · 4
$80 = 5000 \cdot p\%$ | : 5000
$p\% = 0{,}016 = 1{,}6\%$

5 Frau Groß hat ihr Konto überzogen. Ergänze das Datum für den neuen Kontostand.

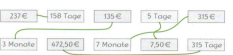

Kontostand am 10.06.2017	− 8 400 €
Zinsen (12 % für Dispositionskredit)	− 56 €
Kontostand am 30.06.2017	− 8 456 €

$Z = K \cdot p\% \cdot \frac{t}{360}$
$56 = 8400 \cdot 0{,}12 \cdot \frac{t}{360}$
$56 = 1008 \cdot \frac{t}{360}$ | · 360
$20\,160 = 1008 \cdot t$ | : 1008
$t = 20$

3 Frau Kern erhält für 10 Monate 1260 € Zinsen für ein Kapital, das mit 1,4 % verzinst wird. Berechne das angelegte Kapital mit der Formel $Z = K \cdot p\% \cdot \frac{m}{12}$.

$Z = K \cdot p\% \cdot \frac{m}{12}$
$1260 = K \cdot 0{,}014 \cdot \frac{10}{12}$ | : $\frac{10}{12}$
$1512 = 0{,}014\,K$ | : 0,014
$K = 108\,000$

Frau Kern hat 108 000 € angelegt.

4 Herr Reins möchte einen Kredit über 10 000 € für 9 Monate. Er hat dafür 3 Angebote eingeholt [T1]:

A	B	C
Kredit über **10 000 €** für nur 6,75 %	Täglich nur **1,99 € Zinsen** für einen Kredit **bis 10 000 €**	Kredit über **10 000 €** für nur 0,6 % pro Monat

Für welche Bank sollte er sich entscheiden?
☒ Bank A ☐ Bank B ☐ Bank C

A: $Z = K \cdot p\% \cdot \frac{m}{12}$
$Z = 10\,000 \cdot 0{,}0675 \cdot \frac{9}{12} = 506{,}25$ Kosten: 506,25 €

B: $1{,}99 \cdot 9 \cdot 30 = 537{,}30$ Kosten: 537,30 €

C: $Z = K \cdot p\%$
$Z = 10\,000 \cdot 0{,}006$
$Z = 60$
$9 \cdot 60 = 540$ Kosten: 540 €

[T1] Berechne für jedes Angebot die Kosten, die zusätzlich zu den 10 000 € anfallen.

1 Leonie legt 15 000 € für 3 Jahre zu einem Zinssatz von 1,4 % an. Berechne das Kapital nach 3 Jahren.

Jahr	Kapital Anfang des Jahres in €	Zinsen in € (Z = K · p%)	Kapital Ende des Jahres in €
1	15 000	15 000 · 0,014 = 210	15 210
2	15 210	15 210 · 0,014 = 212,94	15 422,94
3	15 422,94	15 210 · 0,014 ≈ 215,92	15 638,86

2 Noah schließt einen Ratensparvertrag über 3 Jahre zu einem Zinssatz von 0,75 % ab. Die jährliche Rate von 800 € bezahlt er zu Beginn des Jahres. Berechne sein Kapital nach 3 Jahren.

Jahr	Kapital Anfang des Jahres in €	Zinsen in €	Kapital Ende des Jahres in €
1	800	800 · 0,0075 = 6	806
2	806 + 800 = 1606	1606 · 0,0075 ≈ 12,05	1618,05
3	1618,05 + 800 = 2418,05	2418,05 · 0,0075 ≈ 18,14	2436,19

3 Anfang des Jahres zahlt Herr Kiefer jeweils 1500 € in einen Ratensparvertrag ein. Die Bank gewährt ihm für 3 Jahre einen Zinssatz von 1,3 %. Ergänze.

Jahr	Kapital Anfang des Jahres in €	Zinsen in €	Kapital Ende des Jahres in €
1	1500	19,50	1519,50
2	3019,50	39,25	3058,75
3	4558,75	59,26	4618,01

4 Ron legt 1300 € in einem Zuwachssparvertrag an. Sein Kapital Ende des 4. Jahres beträgt 1352,74 €.

Zuwachssparen
1. Jahr: 0,5 %
2. Jahr: 0,8 %
3. Jahr: 1,2 %
4. Jahr: 1,5 %

Insgesamt hat Ron 52,74 € Zinsen erhalten.

Sein Kapital hat sich um 4,06 % erhöht.

$Z_1 = K \cdot p\%$
$= 1300 \cdot 0{,}005$
$= 6{,}5$
$Z_2 = 1306{,}5 \cdot 0{,}008$
$\approx 10{,}45$
$Z_3 = 1316{,}95 \cdot 0{,}012$
$\approx 15{,}80$
$Z_4 = 1332{,}75 \cdot 0{,}015$
$\approx 19{,}99$

$W = G \cdot p\%$
$52{,}74 = 1300 \cdot p\%$ | : 1300
$p\% \approx 0{,}0406$
$p\% \approx 4{,}06\%$

3 Frau Krause legt 5000 € für vier Jahre an. Sie muss sich zwischen zwei Sparformen entscheiden. Um eine bessere Übersicht zu erhalten, stellt sie die Wertentwicklung in Tabellen dar. Fülle sie aus.

a) Zinssatz: 2,5 %; die Zinsen werden mit verzinst.

Jahr	Kapital Anfang des Jahres in €	Zinsen in €	Kapital Ende des Jahres in €
1	5000,00	125,00	5125,00
2	5125,00	128,13	5253,13
3	5253,13	131,33	5384,46
4	5384,46	134,61	5519,07

Insgesamt würden 519,07 € Zinsen erzielt, das sind 10,38 % des Kapitals.

b) Zinssatz: 2,55 %; Zinsen werden jährlich ausgezahlt.

Jahr	Kapital Anfang des Jahres in €	Zinsen in €	Kapital Ende des Jahres in €
1	5000,00	127,50	5127,50
2	5000,00	127,50	5127,50
3	5000,00	127,50	5127,50
4	5000,00	127,50	5127,50

Insgesamt würden 510,00 € Zinsen erzielt, das sind 10,2 % des Kapitals.

Frau Kuhn sollte sich für Sparform A entscheiden.

1 Das Ergebnis einer Umfrage „Frühstückst du morgens?" wurde im Säulendiagramm dargestellt.

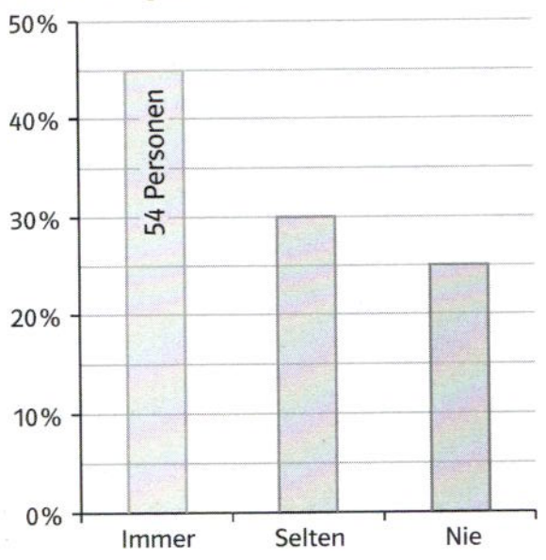

a) 54 Personen entsprechen 45 %.

Gesucht: ☒ G ☐ W ☐ p%

Insgesamt wurden 120 Personen befragt.

a) $W = G \cdot p\%$
$54 = G \cdot 45\%$
$54 = G \cdot 0{,}45$ | : 0,45
$G = 120$

b) Wie viele der Befragten frühstücken nie?

Gesucht: ☐ G ☒ W ☐ p%

30 Befragte frühstücken nie.

b) $W = G \cdot p\%$
$= 120 \cdot 25\%$
$= 120 \cdot 0{,}25$
$= 30$

c) 48 der Befragten waren weiblich.

Gesucht: ☐ G ☐ W ☒ p%

Das waren 40 %.

c) $W = G \cdot p\%$
$48 = 120 \cdot p\%$ | : 120
$p\% = 0{,}4$
$p\% = 40\%$

2 Berechne die fehlenden Werte.

a) 500 € vermehrt um 5 %

500 € —(· 1,05)→ 525 €

750 € vermehrt um 20 %

750 € —(· 1,2)→ 900 €

b) 1250 € vermindert um 8 %

1250 € —(· 0,92)→ 1150 €

3000 € vermindert um 2,5 %

3000 € —(· 0,975)→ 2925 €

c) 927 € entsprechen 103 %

900 € ←(: 1,03)— 927 €

4998 € entsprechen 119 %

4200 € ←(: 1,19)— 4998 €

3 Berechne den fehlenden Wert.

a) K = 700 €; p % = 3 %; Z = 21 €

b) K = 300 €; p % = 2,5 %; Z = 7,50 €

c) K = 600 €; p % = 1,5 %; Z = 9 €

a) $Z = K \cdot p\%$
$Z = 700 \cdot 0{,}03$
$Z = 21$

b) $Z = K \cdot p\%$
$7{,}5 = 300 \cdot p\%$ | : 300
$0{,}025 = p\%$
$p\% = 2{,}5\%$

c) $Z = K \cdot p\%$
$9 = K \cdot 0{,}015$ | : 0,015
$600 = K$

4 400 € werden zu 2,25 % verzinst.

Jahreszinsen: 9 €

Zinsen für 12 Tage: 0,30 €

Zinsen für 11 Monate: 8,25 €

$Z = K \cdot p\%$
$= 400 \cdot 2{,}25\%$
$= 400 \cdot 0{,}0225$
$= 9$

$9 \cdot \frac{12}{360} = 0{,}3$

$9 \cdot \frac{11}{12} = 8{,}25$

5 Frau Kiefer legt 3000 € zu 1,2 % an. In drei Jahren möchte sie das Geld ihrer Enkelin Lea zum 18. Geburtstag für ein Auto schenken. Wie viel Geld erhält Lea?

Jahr	Kapital Anfang des Jahres in €	Zinsen in €	Kapital Ende des Jahres in €
1	3000	36	3036
2	3036	36,43	3072,43
3	3072,43	36,87	3109,30

6 Saskia zahlt jährlich zu Beginn des Jahres 600 € auf ein Ratensparkonto ein, das mit 0,9 % verzinst wird. Berechne ihr Kapital nach 3 Jahren.

Jahr	Kapital Anfang des Jahres in €	Zinsen in €	Kapital Ende des Jahres in €
1	600	5,40	605,40
2	1205,40	10,85	1216,25
3	1816,25	16,35	1832,60

7 Berechne die fehlende Größe. Die Lösungszahlen befinden sich auf den Kärtchen.

a) Ein Fernsehgerät wird um 70 € reduziert. Das sind 11,2 %. Preis vorher: 625 €; Preis nachher: 555 €. Zu Weihnachten wird der Fernseher nochmal um 30 % reduziert. Er wird nun für 388,50 € verkauft. Insgesamt wird er um 37,84 % billiger verkauft.

b) Nach einem Rabatt von 40 % kostet ein Mobiltelefon noch 369 €.

Preis vorher: 615 €.

c) Ein Auto kostet netto 18 000 €. Hinzu kommt die Mehrwertsteuer von 19 %. Verkaufspreis: 21 420 €. Bei Barzahlung gewährt der Händler 3 % Skonto. Neuer Preis: 20 777,40 €.

d) 900 € werden zu einem Zinssatz von 1,25 % angelegt. Für einen Zeitraum von 80 Tagen erhält man 2,50 € Zinsen. Für 5 Monate betragen die Zinsen 4,69 €.

Kärtchen: 388,5 | 625 | 2,50 | 20 777,40 | 555 | 615 | 5,18 | 4,69 | 21 420 | 37,84

a) $W = G \cdot p\%$
$70 = G \cdot 0{,}112$
$70 : 0{,}112 = 625$
$625 - 70 = 555$
$555 \cdot 0{,}7 = 388{,}50$
$625 - 388{,}50 = 236{,}50$
$W = G \cdot p\%$
$236{,}5 = 625 \cdot p\%$ | : 625
$p\% = 0{,}3784 = 37{,}84\%$

b) 369 entsprechen 60 %
$369 = G \cdot 0{,}6$ | : 0,6
$615 = G$

c) $18\,000 \cdot 1{,}19 = 21\,420$
$21\,420 \cdot 0{,}97 = 20\,777{,}40$

d) $900 \cdot 0{,}0125 = 11{,}25$
$11{,}25 \cdot \frac{80}{360} = 2{,}5$
$11{,}25 \cdot \frac{5}{12} \approx 4{,}69$

8 Herr Münz hat 2 Angebote eingeholt, um 5000 € für 3 Jahre anzulegen.
Für welches Angebot sollte er sich entscheiden?
Fülle die Lücken.

Angebot A
gleichbleibender Zinssatz von 1,2 % für 3 Jahre

Angebot B
1. Jahr: Zinssatz 0,8 %
2. Jahr: Zinssatz 1,3 %
3. Jahr: Zinssatz 1,6 %

A	Kapital Anfang des Jahres in €	Zinsen in €	Kapital Ende des Jahres in €
1	5000,00	60,00	5060,00
2	5060,00	60,72	5120,72
3	5120,72	61,45	5182,17

B	Kapital Anfang des Jahres in €	Zinsen in €	Kapital Ende des Jahres in €
1	5000,00	40,00	5040,00
2	5040,00	65,52	5105,52
3	5105,52	81,69	5187,21

Bei Angebot A erhält Herr Münz insgesamt 182,17 € Zinsen, bei Angebot B sind es 187,21 € Zinsen.

Er sollte sich also für ☐ Angebot A ☒ Angebot B entscheiden. Bei diesem Angebot wächst sein Kapital insgesamt um $187{,}21 : 5000 \approx 0{,}0374 = 3{,}74$ %.

9 Herr Kurz möchte sein Dach neu eindecken lassen. Firma Hölzer bietet 24 000 € zuzüglich Mehrwertsteuer an. Herr Kurz kann noch 5 % Rabatt aushandeln. Würdest du Herrn Hölzers Angebot rechts annehmen?
Kreuze an und **begründe**. ☐ Ja ☒ Nein

Preis in zwei Schritten:
$24\,000 \cdot 1{,}19 = 28\,560$; $28\,560 \cdot 0{,}95 = 27\,132$
Preisvorschlag Hr. Hölzer: $24\,000 \cdot 1{,}14 = 27\,360$
Nach Hr. Hölzers Vorschlag müsste Herr Kurz 228 € mehr bezahlen.

5 Prozente und Zinsen | **Basistraining - Selbsteinschätzen & Weiterlernen**

Schätze ein, wie gut du die Basisaufgaben auf Seite 50 bearbeitet hast.
Eine Anleitung für das Arbeiten mit dieser Tabelle findest du auf Seite 2 im Aufgabenteil.

Auswerten, Selbsteinschätzen und Weiterlernen

	Ich kann ...	gut	etwas	nicht gut	Nachlesen und üben
1	Grundaufgaben der Prozentrechnung lösen.	☐	☐	☐	**Nachlesen** Schülerbuch: S. 126 Merke und Beispiele **Üben** Arbeitsheft: S. 45 Nr. 1, 2, 3 links Schülerbuch: S. 127 Alles klar?; S. 148 Nr. 1
2	vermehrte und verminderte Grundwerte berechnen.	☐	☐	☐	**Nachlesen** Schülerbuch: S. 129 Merke und Beispiele **Üben** Arbeitsheft: S. 46 Nr. 1, 2, 3, 4 links Schülerbuch: S. 130 Alles klar?; S. 148 Nr. 2, 4 links
3	Zinsen, Zinssatz und Kapital berechnen.	☐	☐	☐	**Nachlesen** Schülerbuch: S. 132 Merke und Beispiele **Üben** Arbeitsheft: S. 47 Nr. 1, 2, 3, 4 links Schülerbuch: S. 133 Alles klar?; S. 148 Nr. 3
4	Monatszinsen und Tageszinsen berechnen.	☐	☐	☐	**Nachlesen** Schülerbuch: S. 135 Merke und Beispiel a **Üben** Arbeitsheft: S. 48 Nr. 1, 2, 3 links Schülerbuch: S. 136 Alles klar?
5	das Kapital für mehrere Jahre berechnen.	☐	☐	☐	**Nachlesen** Schülerbuch: S. 138 Merke und Beispiel a **Üben** Arbeitsheft: S. 49 Nr. 1 Schülerbuch: S. 139 Alles klar? A
6	das Kapital beim Ratensparen berechnen.	☐	☐	☐	**Nachlesen** Schülerbuch: S. 138 Merke und Beispiel b **Üben** Arbeitsheft: S. 49 Nr. 2, 3 links Schülerbuch: S. 139 Alles klar? B

1 Kreuze die Körper an, die Prismen sind. Notiere zu den Prismen den Namen der Grundfläche und den Namen des Prismas. Färbe die Grundfläche des Prismas rot.

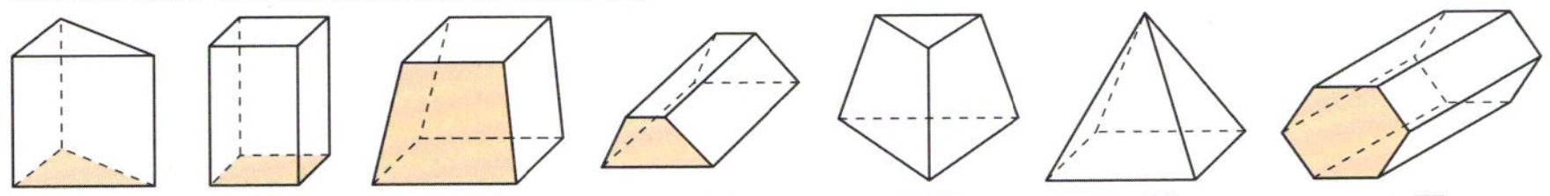

A ☒ B ☒ C ☒ D ☒ E ☐ F ☐ G ☒

Das Prisma steht auf der Grundfläche: A, B

Das Prisma steht auf einem Mantelrechteck (B) C, D, G

Name der Grundfläche: A: Dreieck B: Quadrat (B: Rechteck) C: Trapez D: Trapez G: Sechseck

Name des Prismas: A: Dreieckprisma B: Quader C und D: Trapezprisma G: Sechseckprisma

Hinweis zu B: Der Quader steht im Bild auf einer quadratischen Fläche. Alternativ kann man aber auch sagen, dass ein Rechteck die Grundfläche ist.

2 Steht das Prisma auf der Grundfläche oder liegt es auf einem Mantelrechteck? Notiere auf der Schreiblinie.

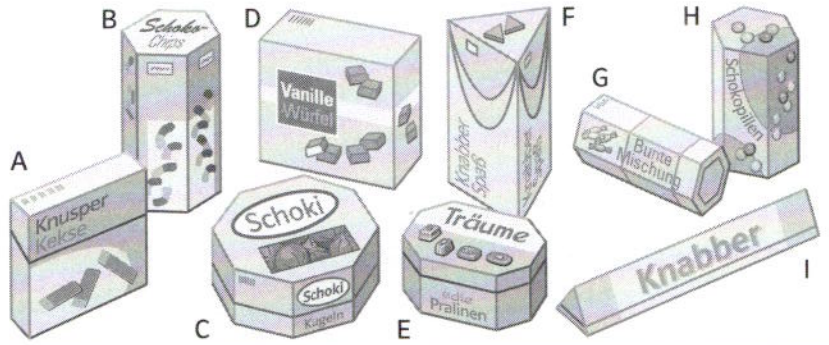

Das Prisma steht auf einem Mantelrechteck: A, D, G, I

Das Prisma steht auf der Grundfläche: A, B, C, D, E, F, H

3 Welches Prisma ist gemeint?

a) Jede Fläche des Prismas ist ein Rechteck.

Das gesuchte Prisma ist ein Quader.

b) Alle Flächen des Prismas sind deckungsgleich.

Das gesuchte Prisma ist ein Würfel.

c) Das Prisma hat 12 Ecken.

Ein Sechseckprisma besitzt 12 Ecken.

4 Zwei Schüler streiten sich: „Der Quader liegt auf der Grundfläche." „Nein, der Quader liegt auf der Mantelfläche."
Wer hat recht? **Begründe.**

Bei einem Quader kann man jede Seitenfläche als Grundfläche auffassen. Ebenso kann man aber jede der Seitenflächen als eine Seite des Mantelrechtecks sehen. Dies liegt daran, dass die Grundflächen Rechtecke sind. Also haben beide recht.

3 Kreuze die richtigen Aussagen an.

☒ Besitzt die Grundfläche eines Prismas sieben Ecken, so besitzt das Prisma insgesamt doppelt so viele Ecken.

☐ Jeder Quader besitzt vier gleich große Rechtecke als Mantelrechtecke.

☒ Bei jedem Prisma gibt es mindestens zwei gleich große Flächen.

4 Welche Prismen erkennst du? **Beschreibe** die Lage der Teilprismen.

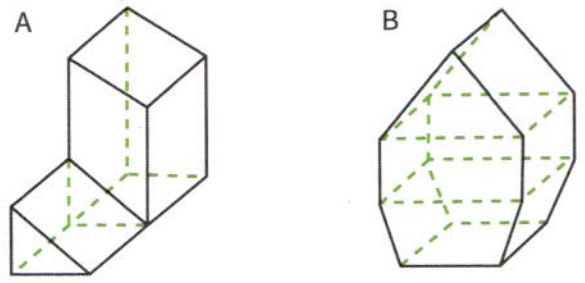

A: Es handelt sich um ein Dreieck- und ein Trapezprisma. Beide liegen auf einem Mantelrechteck.

B: Man sieht ein Trapezprisma, einen Quader und ein Dreieckprisma, bei denen die Grundflächen nach vorne zeigen.

1 Vervollständige das Bandnetz des Dreieckprismas.

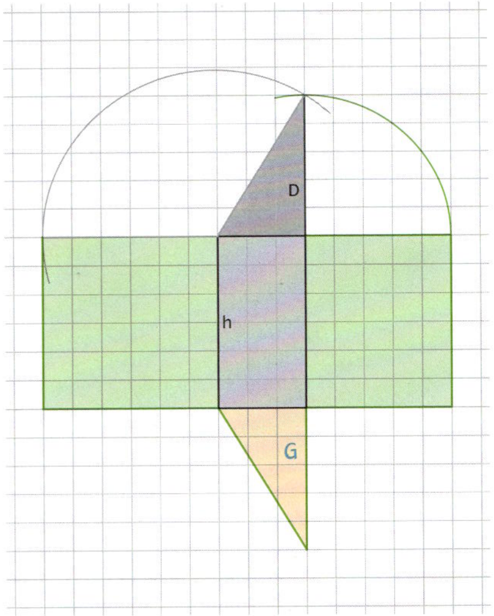

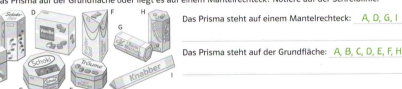

2 Vervollständige das Sternnetz des Parallelogrammprismas.

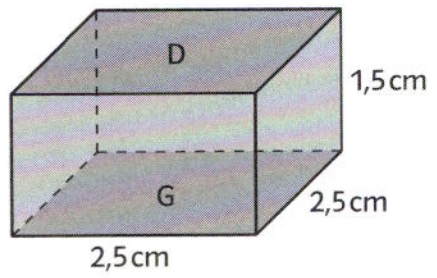

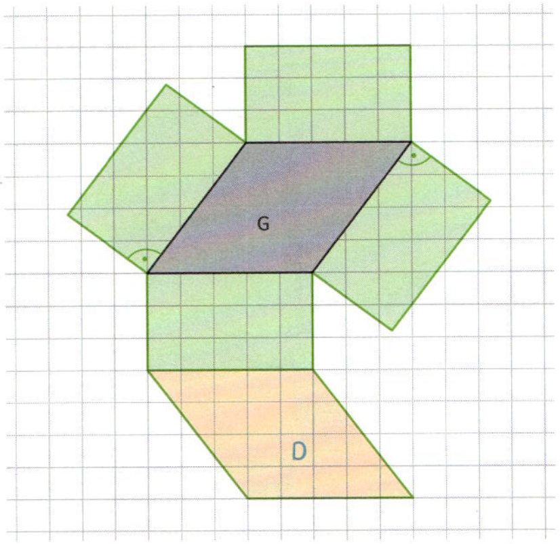

3 Vervollständige das Bandnetz des Sechseckprismas.

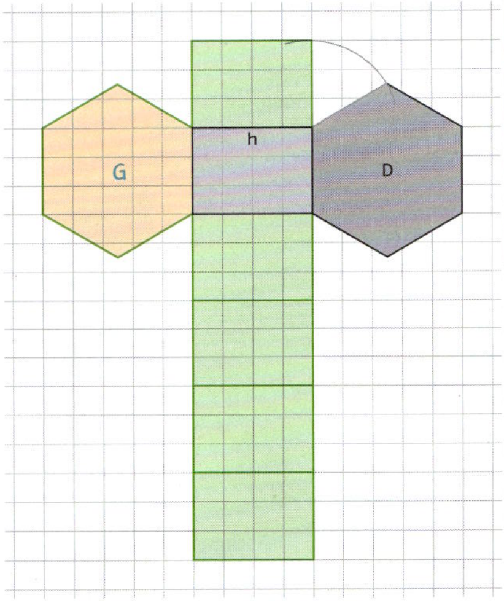

3 Das Trapez ist die Grundfläche eines Prismas mit der Körperhöhe 2 cm. Zeichne das Sternnetz.

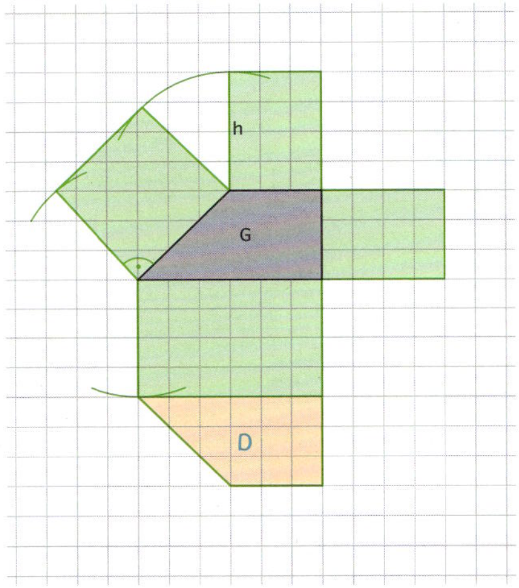

○1 a) Notiere die Namen der Prismen.

A Parallelogrammprisma

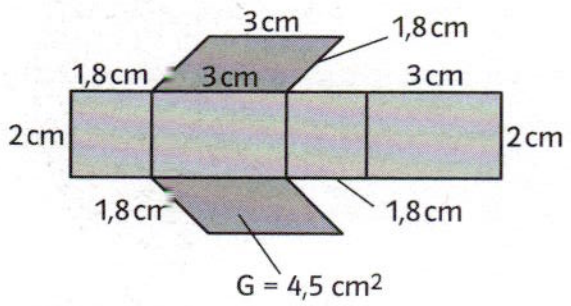

B Trapezprisma

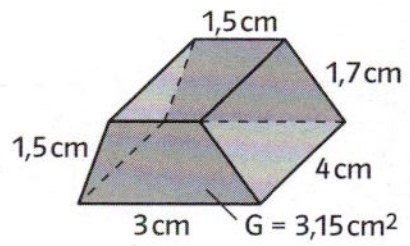

C Dreieckprisma

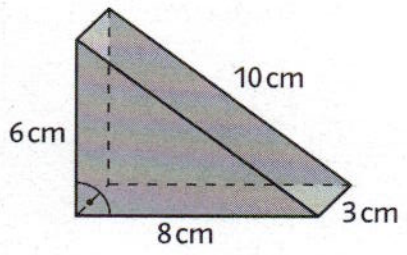

b) Berechne schrittweise den Oberflächeninhalt O des Prismas.

A:
u = a + b + c + d
u = 1,8 + 3 + 1,8 + 3
u = 9,6 cm
M = u · h
M = 9,6 · 2
M = 19,2 cm²
O = 2 · G + M
O = 2 · 4,5 + 19,2
O = 28,2 cm²

B:
u = a + b + c + d
u = 1,5 + 3 + 1,7 + 1,5
u = 7,7 cm
M = u · h
M = 7,7 · 4
M = 30,8 cm²
O = 2 · G + M
O = 2 · 3,15 + 30,8
O = 37,1 cm²

C:
$G = \frac{1}{2} \cdot a \cdot h_a$
$G = \frac{1}{2} \cdot 6 \cdot 8$
G = 24 cm²
u = a + b + c
u = 6 + 8 + 10
u = 24 cm
M = u · h
M = 24 · 3
M = 72 cm²
O = 2 · G + M
O = 2 · 24 + 72
O = 120 cm²

○2 Berechne schrittweise den Oberflächeninhalt O des Prismas.

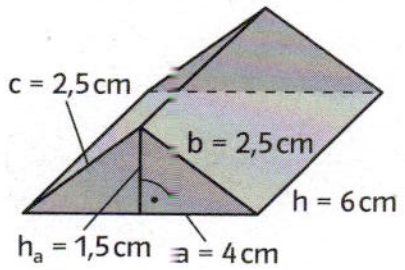

$G = \frac{1}{2} \cdot a \cdot h_a$
$G = \frac{1}{2} \cdot 4 \cdot 1{,}5$
G = 3 cm²
u = a + b + c
u = 4 + 2,5 + 2,5
u = 9 cm
M = u · h
M = 9 · 6
M = 54 cm²
O = 2 · G + M
O = 2 · 3 + 54
O = 60 cm²

◒2 Berechne den Oberflächeninhalt O des Prismas.

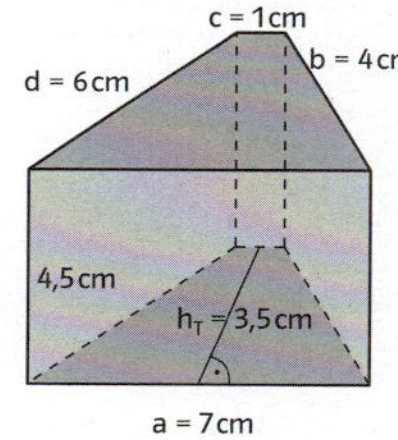

$G = \frac{1}{2} \cdot (a + c) \cdot h_T$
$G = \frac{1}{2} \cdot (7 + 1) \cdot 3{,}5$
G = 14 cm²
u = a + b + c + d
u = 7 + 4 + 1 + 6
u = 18 cm
M = u · h
M = 18 · 4,5
M = 81 cm²
O = 2 · G + M
O = 2 · 14 + 81
O = 109 cm²

◒3 Die Grundfläche eines Prismas ist ein Parallelogramm mit a = c = 3 cm; b = d = 1,8 cm und der Grundfläche G = 18 cm². Höhe des Prismas: h = 10 cm. Berechne den Oberflächeninhalt O.

u = 2 · a + 2 · b
u = 2 · 3 + 2 · 1,8
u = 9,6 cm
M = u · h
M = 9,6 · 10
M = 96 cm²
O = 2 · G + M
O = 2 · 18 + 96
O = 36 + 96
O = 132 cm²

●3 Berechne die Oberfläche der Kuchenform.

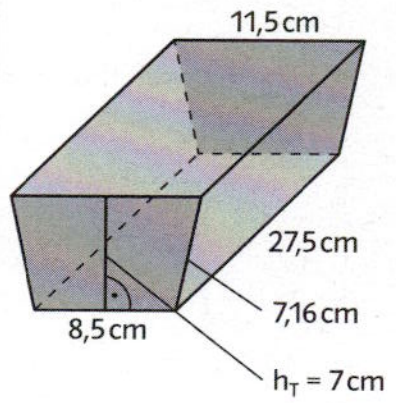

$G = \frac{1}{2} \cdot (a + c) \cdot h_T$
$G = \frac{1}{2} \cdot (11{,}5 + 8{,}5) \cdot 7$
G = 70 cm²
M = (a + 2 · b + c) · h
M = (11,5 + 2 · 7,16 + 8,5) · 27,5
M = 943,8 cm²
O = M + 2 · G
O = 943,8 + 2 · 70
O = 1083,8 cm²

○1 Ergänze die Figur zum Schrägbild eines Prismas, das auf einem Mantelrechteck liegt. Die Deckfläche ist bereits gezeichnet.

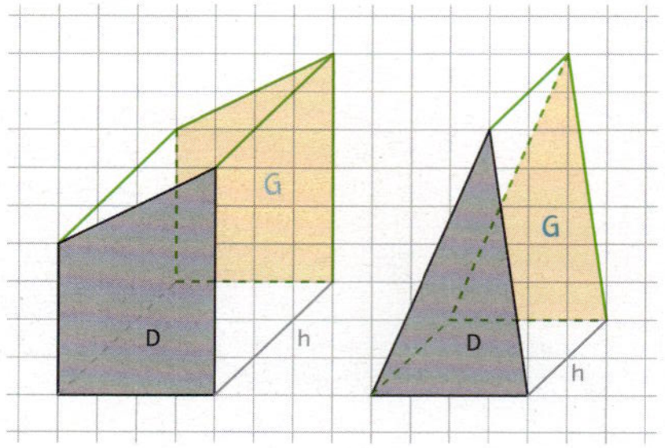

○2 Ergänze die Figur zum Schrägbild eines Prismas, das auf der Grundfläche steht. Die Grundfläche ist bereits im Schrägbild abgebildet.

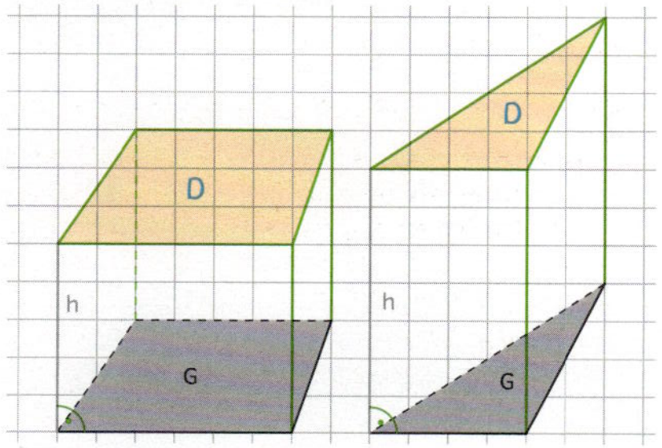

○3 Zeichne das Prisma im Schrägbild auf einem Mantelrechteck liegend. Die Körperhöhe beträgt h = 6 cm.

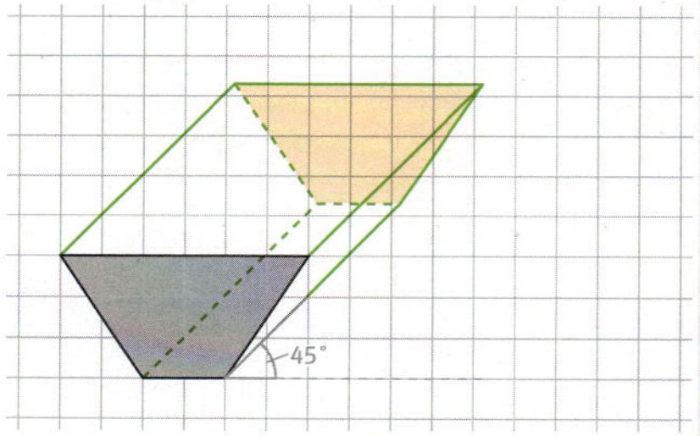

◒3 Zeichne das Prisma im Schrägbild auf der Grundfläche stehend. Die Körperhöhe beträgt 3 cm. Entnimm die benötigten Maße aus der Skizze.

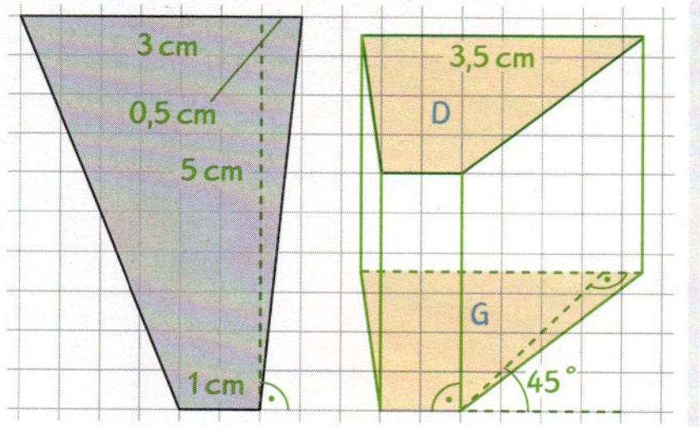

◒4 Beim Zeichnen der Schrägbilder des Prismas mit der Körperhöhe 2 cm sind **Fehler** gemacht worden. Ordne den passenden Fehlertext zu und zeichne das Schrägbild C des Prismas korrekt.

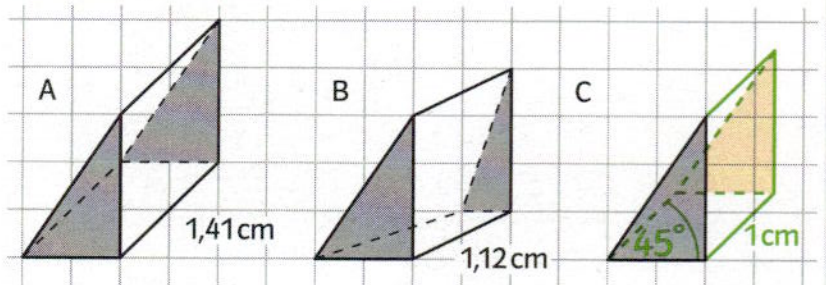

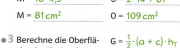

A, B	Zur Zeichenebene senkrechte Kanten sind nicht auf die Hälfte verkürzt worden.
B	Grund- und Deckfläche sind nicht deckungsgleich gezeichnet worden.
B	Zur Zeichenebene senkrechte Kanten sind nicht mit 45° nach rechts oben gezeichnet worden.

●4 Zeichne das Prisma im Schrägbild auf der Grundfläche stehend. In der technischen Zeichnung sind die Maße in mm angegeben.

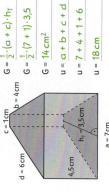

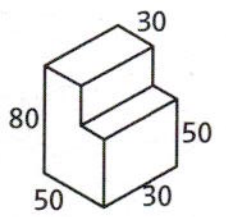

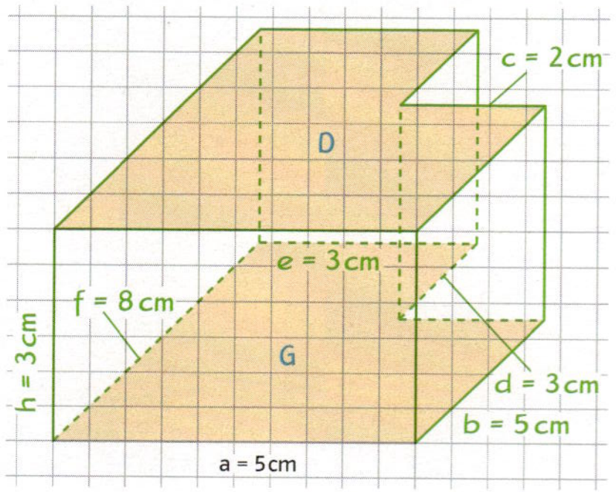

1 Berechne das Volumen des Prismas.

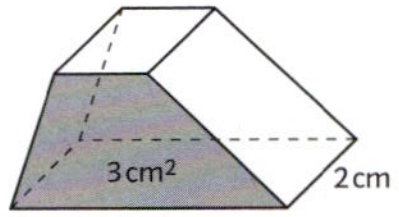

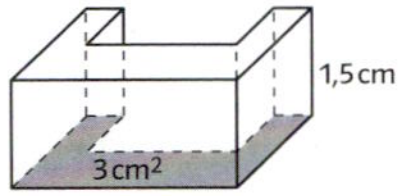

V = G · h	V = G · h
V = 3 · 2	V = 3 · 1,5
V = 6 cm³	V = 4,5 cm³

2 Berechne den Grundflächeninhalt G und das Volumen des Prismas.

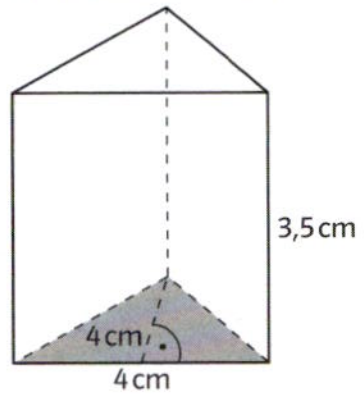

$G = \frac{1}{2} \cdot a \cdot h_a$
$G = \frac{1}{2} \cdot 4 \cdot 4$
$G = 8\,cm^2$
$V = G \cdot h$
$V = 8 \cdot 3{,}5$
$V = 28\,cm^3$

3 Berechne den Grundflächeninhalt G und das Volumen des Prismas.

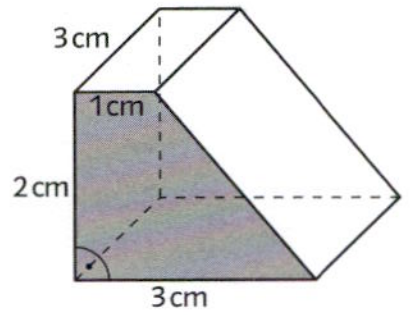

$G = \frac{1}{2} \cdot (a + c) \cdot h_{Trapez}$
$G = \frac{1}{2} \cdot (3 + 1) \cdot 2$
$G = 4\,cm^2$
$V = G \cdot h = 4 \cdot 3 = 12$
$V = 12\,cm^3$

4 Von den drei Größen G, h und V sind nur zwei gegeben. Berechne die fehlende Größe.

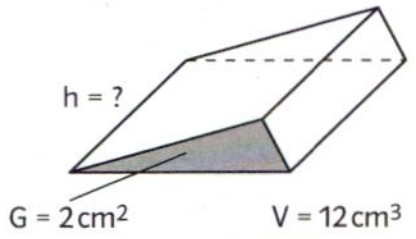

a) $V = G \cdot h$
$12 = 2 \cdot h \quad | : 2$
$h = 6\,cm$

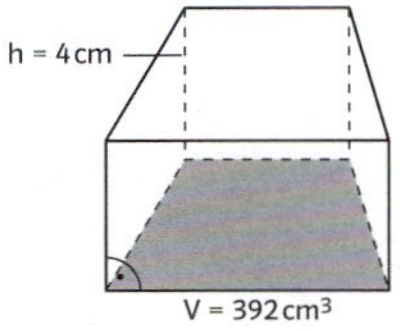

b) $V = G \cdot h$
$392 = G \cdot 4 \quad | : 4$
$G = 98\,cm^2$

5 Der Goldschmied soll den Wert des Schmuckanhängers berechnen. 750er Gold (18 k) wiegt 15,45 g pro cm³. Der Ankaufswert liegt an diesem Tag bei 26,53 € pro Gramm [T1].

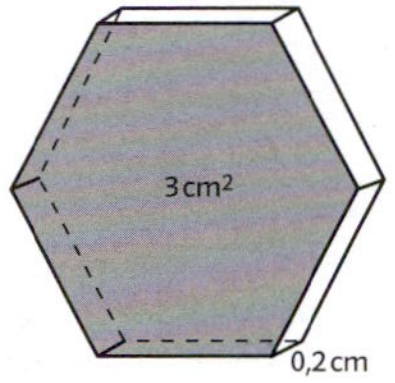

$V = G \cdot h$
$V = 3 \cdot 0{,}2$
$V = 0{,}6\,cm^3$
Gewicht:
$0{,}6 \cdot 15{,}45 = 9{,}27$
Gewicht = 9,27 g
Preis:
$9{,}27 \cdot 26{,}53 = 245{,}93$
Preis = 245,93 €

3 Berechne die fehlenden Größen des Prismas.

	a)	b)	c)
G	12 cm²	17 cm²	22 cm²
h	3,5 cm	7 cm	12 cm
V	42 cm³	119 cm³	264 cm³

a) $V = G \cdot h$
$V = 12 \cdot 3{,}5$
$V = 42\,cm^3$

b) $V = G \cdot h$
$119 = 17 \cdot h \quad | : 17$
$h = 119 : 17$
$h = 7\,cm$

c) $V = G \cdot h$
$264 = G \cdot 12 \quad | : 12$
$G = 264 : 12$
$G = 22\,cm^2$

4 Wie viel Liter Blumenerde fasst der 50 cm hohe Blumenkübel? Entnimm die Maße aus der Zeichnung. Rechne mit gerundeten Werten [T2].

$G = 6 \cdot \frac{1}{2} \cdot a \cdot h_a$
$G = 6 \cdot \frac{1}{2} \cdot 30 \cdot 26$
$G = 2340\,cm^2$

$V = G \cdot h$
$V = 2340 \cdot 50$
$V = 117\,000\,cm^3$
$V = 117\,dm^3$

Der Blumenkübel fasst 117 Liter Bumenerde.

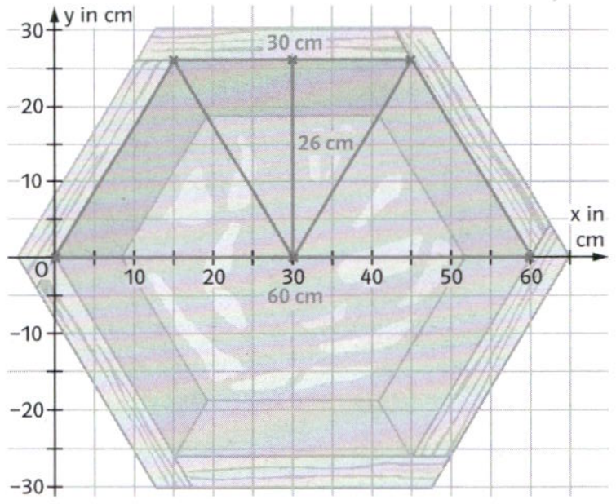

[T1] Berechne das Volumen, das Gewicht und zuletzt den Preis. [T2] 1 l = 1 dm³ = 1000 cm³

1 a) Berechne den Oberflächeninhalt des Zylinders.

Grundfläche G:	**Umfang von G**
$G = \pi \cdot r^2$	$u = 2 \cdot \pi \cdot r$
$G = \pi \cdot 1^2$	$u = 2 \cdot \pi \cdot 1$
G = 3,14 cm²	u = 6,28 cm
Mantelfläche:	**Oberfläche:**
$M = u \cdot h$	$O = 2 \cdot G + M$
$M = 6{,}28 \cdot 3$	$O = 2 \cdot 3{,}14 + 18{,}84$
M = 18,84 cm²	O = 25,12 cm²

b) Zeichne das Netz des Zylinders.

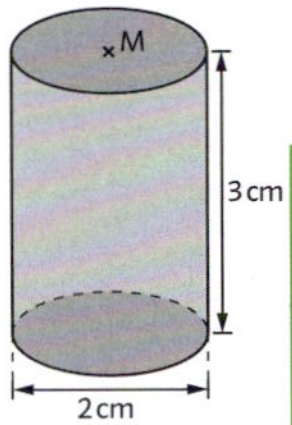

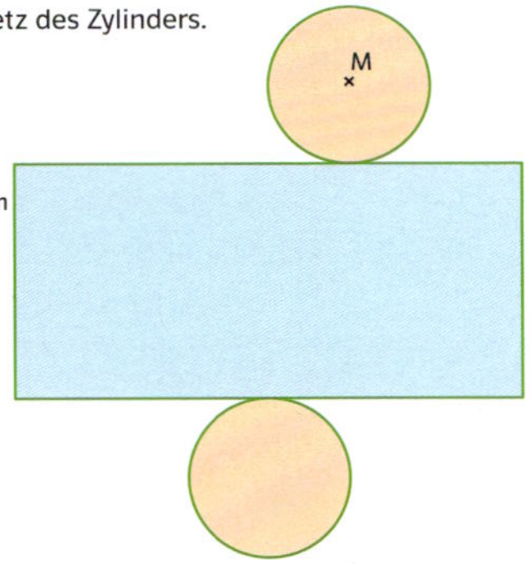

2 Berechne den Oberflächeninhalt.

a) r = 4 cm; M = 150,8 cm²

$G = \pi \cdot r^2$	$O = 2 \cdot G + M$
$G = \pi \cdot 4^2$	$O = 2 \cdot 50{,}27 + 150{,}8$
$G = 50{,}27\,cm^2$	$O = 251{,}34\,cm^2$

b) r = 5 cm; h = 8 cm

$G = \pi \cdot r^2$	$u = 2 \cdot \pi \cdot r$
$G = \pi \cdot 5^2$	$u = 2 \cdot \pi \cdot 5$
$G = 78{,}54\,cm^2$	$u = 31{,}42\,cm$
$M = u \cdot h$	$O = 2 \cdot G + M$
$M = 31{,}42 \cdot 8$	$O = 2 \cdot 78{,}54 + 251{,}36$
$M = 251{,}36\,cm^2$	$O = 408{,}44\,cm^2$

3 Rundballen werden 3-fach mit Folie umwickelt. Wie viel m² Folie werden für einen Ballen benötigt?

r = 1,50 : 2	$u = 2 \cdot \pi \cdot 0{,}75$
r = 0,75 m	u = 4,71 m
$M = 4{,}71 \cdot 1{,}20$	$3M = 3 \cdot 5{,}65$
M = 5,65 m²	3M = 16,95

Es werden etwa 17 m² Folie je Ballen benötigt.

2 Berechne die fehlenden Werte in der Tabelle.

r	h	G	M	O
3 cm	9 cm	28,27 cm²	169,6 cm²	226,1 cm²

$G = \pi \cdot 3^2$	$O = 2 \cdot 28{,}27 + 169{,}6$
$G = 28{,}27\,cm^2$	$O = 226{,}14\,cm^2$
$u = 2 \cdot \pi \cdot 3$	$M = u \cdot h$
$u = 18{,}85\,cm$	$169{,}6 = 18{,}85 \cdot h \quad | : 18{,}85$
	$h = 9\,cm$

3 Eine zylinderförmige Ananasdose hat die Maße h = 10 cm und d = 8,5 cm.

a) Für die Dose wurden 380,5 cm² Blech benötigt.

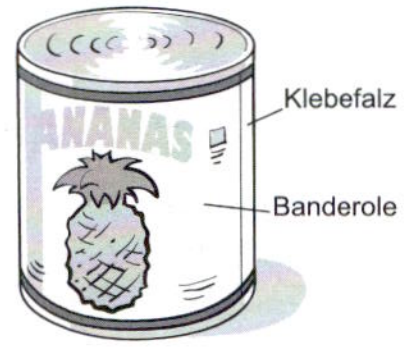

$G = \pi \cdot 4{,}25^2$	$u = 2 \cdot \pi \cdot 4{,}25$
$G = 56{,}75\,cm^2$	$u = 26{,}70\,cm$
$M = 26{,}7 \cdot 10$	$O = 2 \cdot 56{,}75 + 267$
$M = 267\,cm^2$	$O = 380{,}5\,cm^2$

b) Die Dose ist mit einer Banderole aus Papier umklebt. Die Klebefalz ist 1 cm breit. Der Abstand der Banderole von der Grund- bzw. Deckfläche beträgt 2 mm. Der Flächeninhalt beträgt 265,9 cm².

Breite der Banderole: 26,7 cm + 1 cm = 27,7 cm
Höhe der Banderole:
10 cm − 2 · 0,2 cm = 9,6 cm
Flächeninhalt: A = 27,7 · 9,6 = 265,92

1 Berechne die fehlenden Werte des Zylinders.

	r	d	h	V
a)	3 cm	6 cm	7 cm	197,92 cm³
b)	4,2 cm	8,4 cm	12 cm	665,01 cm³
c)	4,3 cm	8,6 cm	15 cm	871,32 cm³

$V = \pi r^2 h$
$V = \pi \cdot 3^2 \cdot 7$
$V = 197{,}92\ cm^3$

$V = \pi r^2 h$
$V = \pi \cdot 4{,}2^2 \cdot 12$
$V = 665{,}01\ cm^3$

$r = d : 2 = 8{,}6 : 4{,}3$
$V = \pi r^2 h$

$V = \pi \cdot 4{,}3^2 \cdot 15$
$V = 871{,}32\ cm^3$

2 Das Kaninchen eines Zauberers braucht mindestens 3500 cm³ Platz. Könnte es sich im Zylinder des Magiers (d = 18 cm und h = 13 cm) verstecken?

$r = d : 2$ $V = \pi r^2 h$ $V = \pi \cdot 9^2 \cdot 13$
$r = 9\ cm$ $V = 3308{,}1\ cm^3$

Nein, das Kaninchen könnte sich nicht im Zylinder verstecken.

3 Berechne die Höhe des Zylinders. h = 8 cm
V = 904,78 cm³

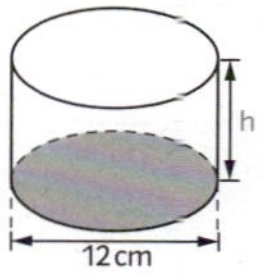

$V = \pi r^2 h$
$904{,}78 = \pi \cdot 6^2 \cdot h \quad | : \pi$
$288 = 36 \cdot h \quad | : 36$
$h = 8$

4 Ein Gartenschlauch ist 50 m lang und hat einen Innendurchmesser von 2,5 cm. Es passen etwa 25 Liter Wasser in den Schlauch. [T1]

$r = 1{,}25\ cm = 0{,}125\ dm$; $h = 50\ m = 500\ dm$
$V = \pi r^2 h$
$V = \pi \cdot 0{,}125^2 \cdot 500$
$V = 24{,}54\ dm^3 \approx 25\ l$

2 Ein Gefäß hat einen Innendurchmesser von 10 cm und eine Innenhöhe von 15 cm. Beschrifte das Gefäß auf beiden Seiten. Runde auf Zehntel. [T1]

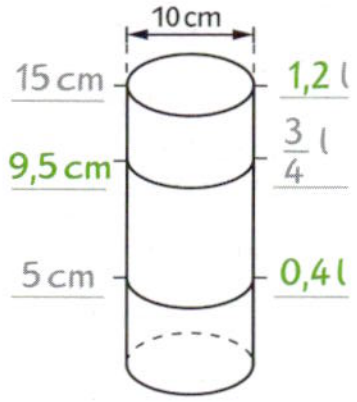

$V = \pi r^2 h$
$V = \pi \cdot 5^2 \cdot 15$
$V = 1178{,}1\ cm^3$
$= 1{,}2\ l$
$V = \pi r^2 h$
$\frac{3}{4}\ l = 0{,}75\ l = 750\ cm^3$
$750 = \pi \cdot 5^2 \cdot h \quad | : \pi$
$238{,}73 = 25 \cdot h \quad | : 25$
$h = 9{,}5$
$V = \pi \cdot 5^2 \cdot 5$
$V = 392{,}7\ cm^3 = 0{,}4\ l$

3 Zum Abstützen einer Autobahnbrücke sollen 10 Betonsäulen gefertigt werden. Jede soll eine Höhe von 3,50 m und einen Durchmesser von 1,50 m haben. Beton hat eine Dichte von 2400 kg je m³. Der Lieferant verlangt 65 € je m³ Beton. [T2]

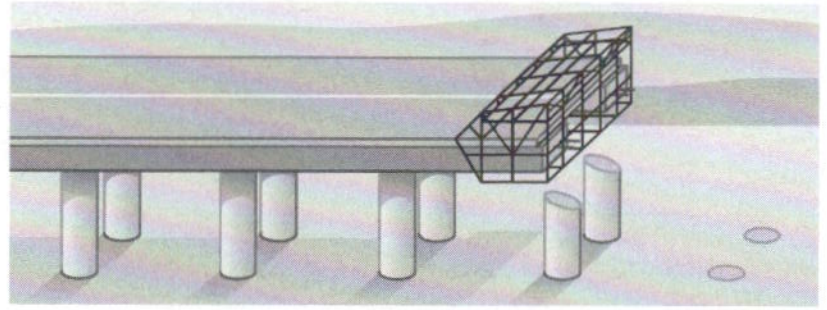

a) Es müssen rund 62 m³ Beton bestellt werden.
b) Die Lieferung wiegt 148 800 kg = 148,8 t.
c) Der Beton kostet 4030 €.

a) $10V = 10 \cdot \pi \cdot 0{,}75^2 \cdot 3{,}5$
$10V = 61{,}85\ m^3$

b) $62 \cdot 2400\ kg = 148\,800\ kg = 148{,}8\ t$

c) $62 \cdot 65 = 4030$ €

[T1] 1000 cm³ = 1 dm³ = 1 l
[T2] Masse (Gewicht) = Volumen · Dichte

1 Der Körper besteht aus einem Würfel und einem Halbzylinder. Berechne seinen Oberflächeninhalt.

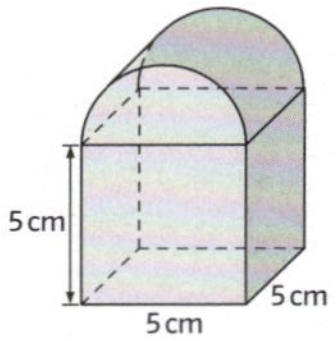

$O = 5 \cdot A_{Quadrat} + O_{Halbzylinder}$
$O = 5 \cdot a^2 + \frac{1}{2}(2\pi r^2 + 2\pi r h)$
$O = 5 \cdot 5^2 + \frac{1}{2}(2\pi \cdot 2{,}5^2 + 2\pi \cdot 2{,}5 \cdot 5)$
$O = 125 + 58{,}90$
$O = 183{,}90\ cm^2$

2 Der Körper besteht aus einem Quader, aus dem ein Dreieckprisma herausgearbeitet wurde. Berechne sein Volumen.

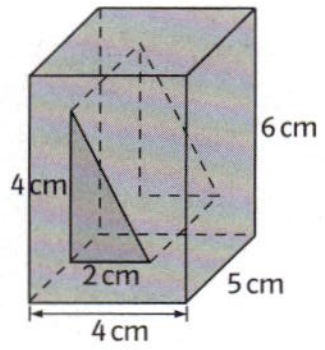

$V = V_{Quader} - V_{Dreieckprisma}$
$V = a \cdot b \cdot c - \frac{1}{2} a \cdot h_a \cdot h$
$V = 4 \cdot 5 \cdot 6 - \frac{1}{2} \cdot 2 \cdot 4 \cdot 5$
$V = 120 - 20$
$V = 100\ cm^3$

3 Berechne das Volumen des Körpers.

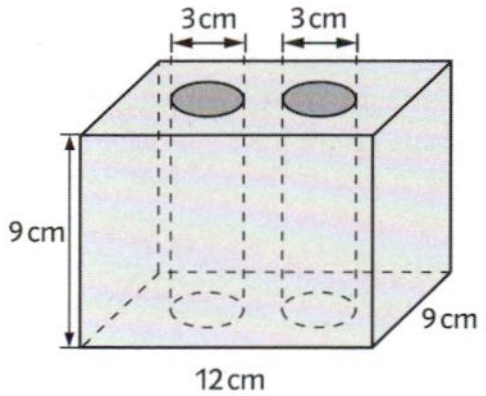

$V = V_{Quader} - 2 \cdot V_{Zylinder}$
$V = a \cdot b \cdot c - 2 \cdot \pi \cdot r^2 \cdot h$
$V = 12 \cdot 9 \cdot 9 - 2 \cdot \pi \cdot 1{,}5^2 \cdot 9$
$V = 972 - 127{,}2$
V = 844,8 cm³

4 a) Berechne das Volumen schrittweise.
b) Berechne die Größe der zu streichenden Fläche, ohne Berücksichtigung der Fenster und Türen.

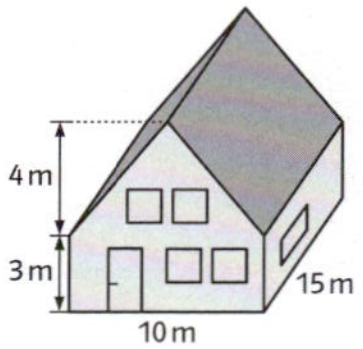

a) $V = V_{Quader} + V_{Dreieckprisma}$
$V = a \cdot b \cdot c + \frac{1}{2} a \cdot h_a \cdot h$
$V = 10 \cdot 3 \cdot 15 + \frac{1}{2} \cdot 10 \cdot 4 \cdot 15$
$V = 750\ m^3$

b) $O_{zu\ streichende\ Fläche}$
$= 2 \cdot a \cdot b + 2 \cdot b \cdot c + 2 \cdot \frac{1}{2} a \cdot h_a$
$O = 2 \cdot 10 \cdot 3 + 2 \cdot 15 \cdot 3 + 2 \cdot \frac{1}{2} \cdot 10 \cdot 4$
$O = 60 + 90 + 40$ $O = 190\ m^2$

3 Berechne das Volumen und den Oberflächeninhalt des Körpers. (Maße in mm)

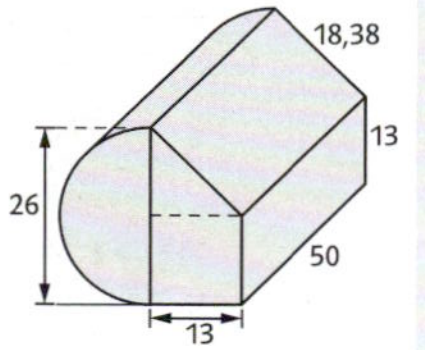

$V = V_{Halbzylinder} + V_{Trapezprisma}$

$V = \frac{1}{2}\pi r^2 h + \frac{1}{2}(a + c) \cdot h_T \cdot h$
$V = \frac{1}{2}\pi \cdot 13^2 \cdot 50 + \frac{1}{2}(13 + 26) \cdot 13 \cdot 50$
$V = 13\,273 + 12\,675$ $V = 25\,948\ mm^3$
$O = 2 \cdot (G_{Halbzylinder} + G_{Trapezprisma}) + M_{gesamt}$
$O = 2 \cdot \left(\frac{1}{2}\pi r^2 + \frac{1}{2}(a + c) \cdot h_T\right) + u_{gesamt} \cdot h$
$O = 2 \cdot \left(\frac{1}{2} \cdot \pi \cdot 13^2 + \frac{1}{2}(13 + 26) \cdot 13\right)$
$+ \left(\frac{1}{2} \cdot 2\pi \cdot 13 + 13 + 13 + 18{,}38\right) \cdot 50$
$= 1038 + 4261$
$O = 5299\ mm^2$

4 Ein Kabel von 12 mm Durchmesser und 2000 m Länge erhält eine Gummi-Ummantelung von 1 mm Wandstärke. Gummi hat eine Dichte von 0,9 g/cm³. Zeichne eine Skizze des Querschnitts und berechne das Gewicht der Ummantelung in kg.

$r = 1{,}2\ cm : 2 = 0{,}6\ cm$; $4 = 2000\ m = 200\,000\ cm$
$V = V_{Zylinder1} - V_{Zylinder2}$
$V = \pi \cdot 0{,}7^2 \cdot 200\,000$
$- \pi \cdot 0{,}6^2 \cdot 200\,000$
$V = 81\,681\ cm^3$
$81\,681 \cdot 0{,}9 = 73\,513$
$73\,513\ g \approx 73{,}5\ kg$

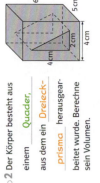

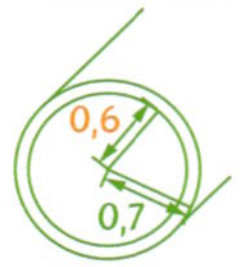

1 Färbe die Grundfläche des Körpers orange und die Höhe des Körpers grün. Benenne den Körper.

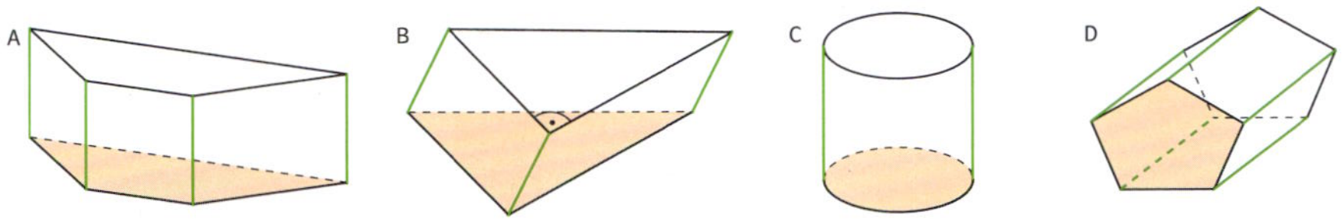

A: Trapez prisma — B: Dreieckprisma — C: Zylinder — D: Fünfeckprisma

2 Vervollständige das Bandnetz der Figur.

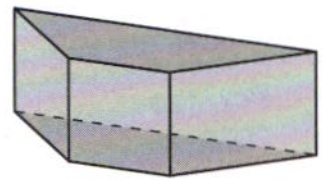

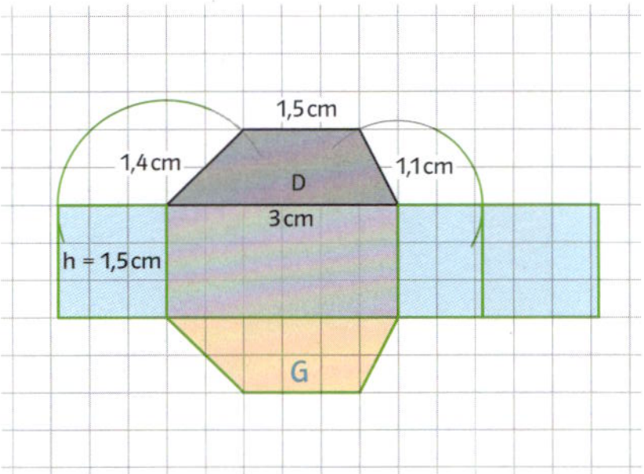

3 Vervollständige das Netz der Figur.

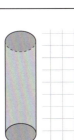

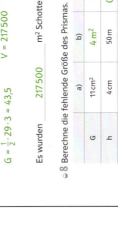

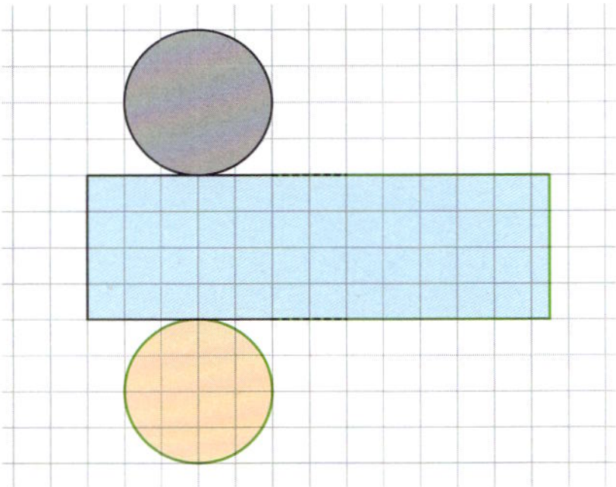

4 Berechne schrittweise den Oberflächeninhalt O und das Volumen des Körpers.

a)

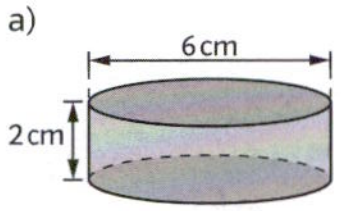

$G = \pi \cdot r^2 = \pi \cdot 3^2$ $u = 2 \cdot \pi \cdot r$, $u = 2 \cdot \pi \cdot 3$ $M = u \cdot h$, $M = 18{,}85 \cdot 2$ $O = 2 \cdot G + M$, $O = 2 \cdot 28{,}27 + 37{,}7$ $V = G \cdot h$, $V = 28{,}27 \cdot 2$

G = 28,27 cm² u = 18,85 cm M = 37,7 cm² O = 94,24 cm² V = 56,54 cm³

b)

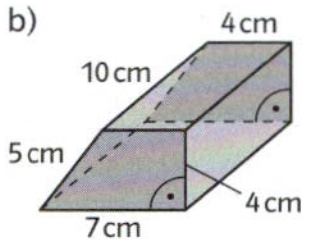

$G = \frac{1}{2}(a + c) \cdot h_T$, $G = \frac{1}{2} \cdot (7 + 4) \cdot 4$ $u = a + b + c + d$, $u = 7 + 4 + 4 + 5$ $M = u \cdot h$, $M = 20 \cdot 10$ $O = 2 \cdot G + M$, $O = 2 \cdot 22 + 200$ $V = G \cdot h$, $V = 22 \cdot 10$

G = 22 cm² u = 20 cm M = 200 cm² O = 244 cm² V = 220 cm³

5 Berechne das Volumen und den Oberflächeninhalt des Körpers.

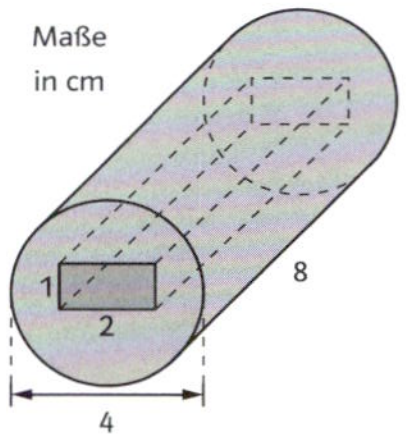

Aus einem Zylinder wurde ein Quader herausgearbeitet.

$V = \pi \cdot 2^2 \cdot 8 - 1 \cdot 2 \cdot 8$ V = 84,53 cm³

$O = O_{Zylinder} - 2 \cdot A_{Rechteck} + M_{Quader}$

$O = 2 \cdot \pi \cdot 2^2 + 2 \cdot \pi \cdot 2 \cdot 8 - 2 \cdot 1 \cdot 2 + (2 \cdot 1 + 2 \cdot 2) \cdot 8$

$O = 125{,}66 - 4 + 48 = 169{,}66$

O = 169,66 cm²

6 Der abgebildete Bahndamm kann als Prisma aufgefasst werden. Seine Grundfläche ist ein symmetrisches Trapez.

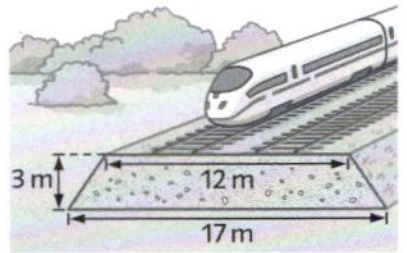

Er ist 5km lang. 5km = 5000 m. Wie viel Kubikmeter Schotter wurden für den Bau benötigt?

$G = \frac{1}{2} \cdot (a + c) \cdot h_T$ $G = 43{,}5\ m^2$

$G = \frac{1}{2} \cdot (17 + 12) \cdot 3$ $V = G \cdot h$, $V = 43{,}5 \cdot 5000$, $V = 217\,500$

$G = \frac{1}{2} \cdot 29 \cdot 3 = 43{,}5$

Es wurden 217 500 m² Schotter benötigt.

8 Berechne die fehlende Größe des Prismas.

	a)	b)	c)
G	11 cm²	4 m²	500 dm²
h	4 cm	50 m	0,05 dm
V	44 cm³	200 m³	25 dm³

a) $V = G \cdot h$, $V = 11 \cdot 4$, $V = 44\ cm^3$

b) $V = G \cdot h$, $200 = G \cdot 50 \quad |:50$, $200 : 50 = G$, $G = 4\ m^2$

c) $V = G \cdot h$, $25 = 500 \cdot h \quad |:500$, $25 : 500 = h$, $h = 0{,}05\ dm$

9 Berechne den Oberflächeninhalt und das Volumen des zusammengesetzten Körpers.

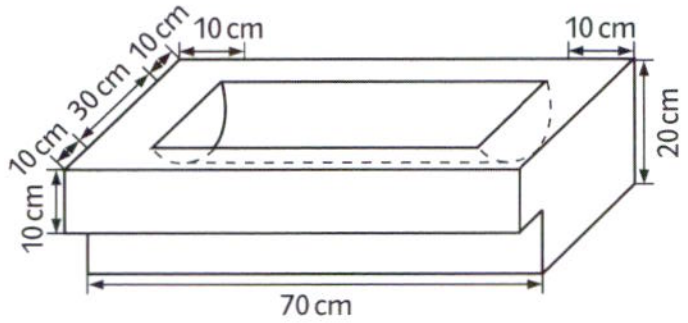

$O = O_{Sechseckprisma} - A_{Rechteck} + \frac{1}{2} O_{Zylinder}$

$O = 2 \cdot (40 \cdot 10 + 50 \cdot 10)$

$+ (10 + 10 + 10 + 40 + 20 + 50) \cdot 70$

$- 30 \cdot 50 + \frac{1}{2}(2 \cdot \pi \cdot 15^2 + 2 \cdot \pi \cdot 15 \cdot 50)$

$= 11\,600 - 1500 + 3063{,}05 = 13\,163{,}05$

$O = 13\,163{,}05\ cm^2 = 131{,}63\ dm^2$

$V = V_{Prisma} - V_{Halbzlidner}$

$V = (40 \cdot 10 + 50 \cdot 10) \cdot 70 - \frac{1}{2} \cdot \pi \cdot 15^2 \cdot 50$

$= 63\,000 - 17\,671{,}46 = 45\,328{,}54$

$V = 45\,328{,}54\ cm^3 = 45{,}33\ dm^3$

O = 131,63 dm²; V = 45,33 dm³

7 In einem 50 m langen und 16 m breitem Schwimmbecken sinkt die Wassertiefe gleichmäßig von 2 m auf 0,8 m. Die Grundfläche des Prismas ist ein rechtwinkliges Trapez [T1].

Beschrifte die Skizze mit den Maßangaben und berechne, wie viel Kubikmeter Wasser in das randvoll gefüllte Becken passt.

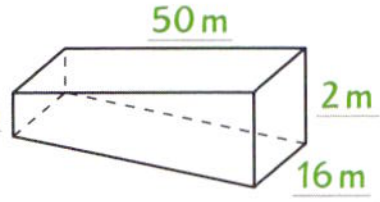

$G = \frac{1}{2} \cdot (a + c) \cdot h_T$ $G = 70\ m^2$

$G = \frac{1}{2} \cdot (0{,}8 + 2) \cdot 50$ $V = G \cdot h$, $V = 70 \cdot 16$, $V = 1120$

$G = \frac{1}{2} \cdot 2{,}8 \cdot 50$

In das Becken passen 1120 m³ Wasser.

10 Eine Mantelfläche fehlt. Zeichne sie in vier möglichen Lagen in verschiedenen Farben ein.

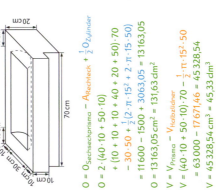

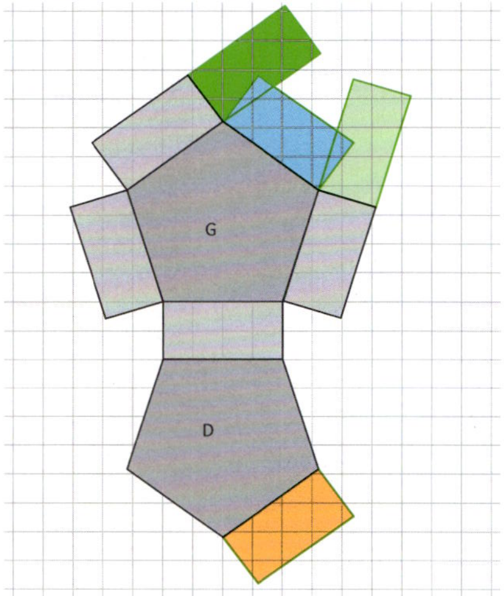

[T1] Das Prisma liegt auf einem Mantelrechteck.

Schätze ein, wie gut du die Basisaufgaben auf Seite 60 bearbeitet hast.
Eine Anleitung für das Arbeiten mit dieser Tabelle findest du auf Seite 2 im Aufgabenteil.

Auswerten, Selbsteinschätzen und Weiterlernen

Ich kann ...		gut	etwas	nicht gut	Nachlesen und üben	
1	Prismen und Zylinder benennen und ihre Grundfläche sowie ihre Höhe erkennen.	☐	☐	☐	**Nachlesen** Schülerbuch: S. 152 Merke und Beispiele; S. 164 Merke und Beispiele **Üben** Arbeitsheft: S. 52 Nr. 1, 2; S. 54 Nr. 1a Schülerbuch: S. 153 Alles klar?; S. 165 Alles klar?; S. 180 Nr. 1	☺
2	das Netz eines Prismas zeichnen.	☐	☐	☐	**Nachlesen** Schülerbuch: S. 154 Merke und Beispiele **Üben** Arbeitsheft: S. 53 Nr. 1, 2, 3 Schülerbuch: S. 155 Alles klar?	☺
3	das Netz eines Zylinders zeichnen.	☐	☐	☐	**Nachlesen** Schülerbuch: S. 166 Merke und Beispiel **Üben** Arbeitsheft: S. 57 Nr. 1b Schülerbuch: S. 167 Alles klar? A	☺
4	den Oberflächeninhalt und das Volumen eines Prismas und eines Zylinders berechnen.	☐	☐	☐	**Nachlesen** Schülerbuch: S. 156, S. 166 Merke und Beispiel **Üben** Arbeitsheft: S. 54 Nr. 1b, 2 links; S. 57 Nr. 1 a, 2 links Schülerbuch: S. 157 Alles klar?; S. 167 Alles klar? B; S. 180 Nr. 2, 3	☺
5	das Volumen und den Oberflächeninhalt eines zusammengesetzten Körpers berechnen.	☐	☐	☐	**Nachlesen** Schülerbuch: S. 170 Merke und Beispiele **Üben** Arbeitsheft: S. 59 Nr. 1, 2, 3 links Schülerbuch: S. 171 Alles klar?	☺

○1 Die Klasse 8a hat eine Umfrage zum Thema: „Wie weit wohnst du von der Schule entfernt?" durchgeführt.

Luisa: 1 km Lars: 3 km Ina: 3 km	Sarah: 3 km Henrik: 3 km Annika: 5 km	Tim: 5 km Sofie: 7 km Nina: 7 km	Moritz: 7 km Emre: 7 km Sunita: 7 km	Masuda: 9 km Pascal: 9 km Felix: 14 km

a) Fülle die Lücken auf den Kärtchen aus, verbinde mit dem entsprechenden Begriff und der Erklärung.

- Den längsten Weg hat Felix mit 14 km.
- Durchschnittlich wohnt eine Schülerin oder ein Schüler etwa 6 km von der Schule entfernt.
- Den kürzesten Weg hat Luisa mit 1 km.
- Der Zentralwert beträgt 7 km.
- Der Unterschied des längsten und kürzesten Wegs beträgt 13 km.

arithmetisches Mittel | Minimum | Median | Spannweite | Maximum

der Durchschnitt aller Werte | der größte Wert | der kleinste Wert | der Wert in der Mitte der Rangliste | die Differenz von Minimum und Maximum

b) Erstelle zu den Umfrageergebnissen eine Häufigkeitstabelle und ein Streifendiagramm.

arithmetisches Mittel:
$(1 + 4 \cdot 3 + 2 \cdot 5 + 5 \cdot 7 + 2 \cdot 9 + 14) : 15 = 6$

Entfernung in km	1	3	5	7	9	14
Anzahl	1	4	2	5	2	1

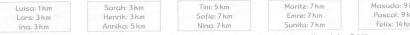

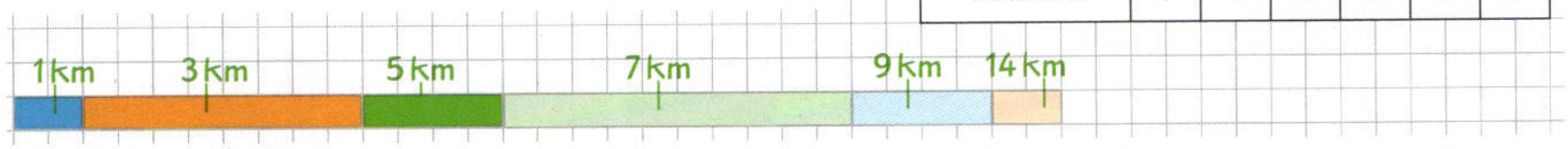

◐2 Jens hat in einer Häufigkeitstabelle festgehalten, wie viele Tore in den insgesamt 18 Spielen der Fußball-Bundesliga während der letzten beiden Spieltage gefallen sind.
a) Stelle die absoluten Häufigkeiten in einem Säulendiagramm dar.

Tore	0	1	2	3	4	5
abs. Häufigkeit	1	3	4	7	2	1

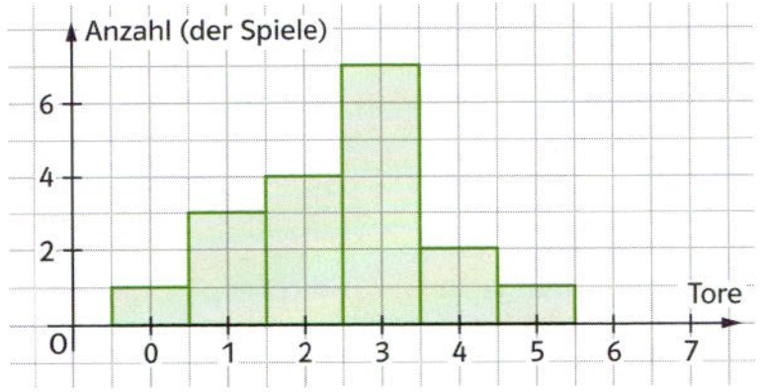

b) Bestimme die Kennwerte der Daten. [T1]

Rangliste: 0; 1; 1; 1; 2; 2; 2; 2; 3; 3; 3; 3; 3; 3; 3; 4; 4; 5

arithmetisches Mittel:
$(3 \cdot 1 + 4 \cdot 2 + 7 \cdot 3 + 2 \cdot 4 + 5) : 18 = 2{,}5$

Minimum: 0 ; Maximum: 5 ; Median: 3

Spannweite: 5 − 0 = 5

●2 In einer Tüte Gummibärchen finden sich immer mehrere Farben. Piet hat eine Liste angefertigt:

Farbe	Rot	Gelb	Grün	Orange	Weiß
Piets Stichprobe	14	10	11	4	3
relative Häufigkeit	$\frac{14}{42} = \frac{1}{3}$	0,238	0,262	0,095	0,071
erwartete Anzahl	14	7	7	7	7

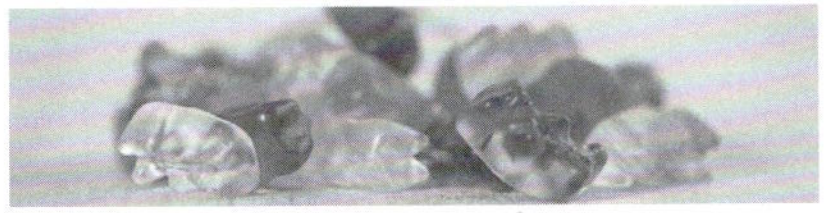

a) Berechne die relativen Häufigkeiten für Piets Stichprobe (gerundet auf drei Nachkommastellen).
b) Laut Herstellerfirma werden die Farben sofort gemischt. Dabei sind alle Farben gleich oft vorhanden. Nur die Menge der roten Gummibärchen ist doppelt so groß. Notiere in der Tabelle, welche Anzahl du in der Tüte von Piet erwarten würdest, wenn die Herstellerangaben stimmen. Vergleiche Piets Stichprobe mit der zu erwartenden Anzahl.

Die gelben und grünen Gummibärchen sind zu häufig vertreten, von den orangefarbenen und den weißen sind zu wenig da.

[T1] Notiere die Rangliste: 0; 1; 1; 1; 2; 2; 2; 2; …

○1 Ein Abteilungsleiter eines Betriebs muss gegenüber der Geschäftsleitung die Gewinnhalbierung in der Luftballonsparte anhand eines Bilddiagramms erläutern.

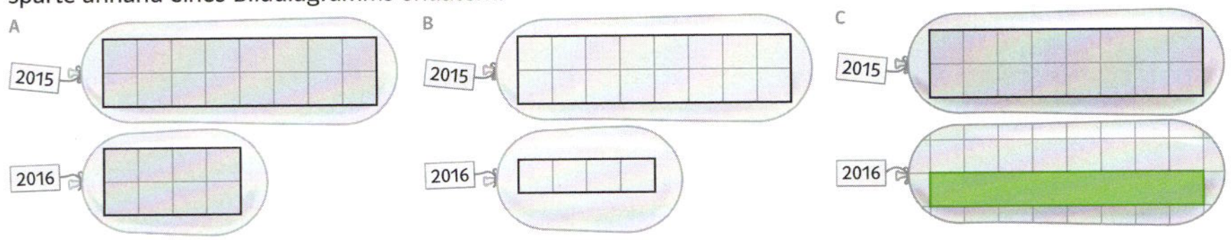

a) Mit welchem Diagramm sollte der Abteilungsleiter auf keinen Fall der Geschäftsleitung gegenübertreten?

Begründe. Mit Diagramm ☐ A ☒ B, weil die Diagrammfläche von 2016 nicht die Hälfte von 2015 darstellt, sondern nur ein Viertel.

b) Vervollständige Diagramm C auf eine weitere Art, sodass es den Sachverhalt richtig darstellt.

○2 Der Leiter der Theater-AG möchte die Schulleiterin aufgrund der steigenden Zuschauerzahlen dazu bewegen, für das nächste Schuljahr die Stadthalle zu buchen, da dort die Technik wesentlich besser ist.

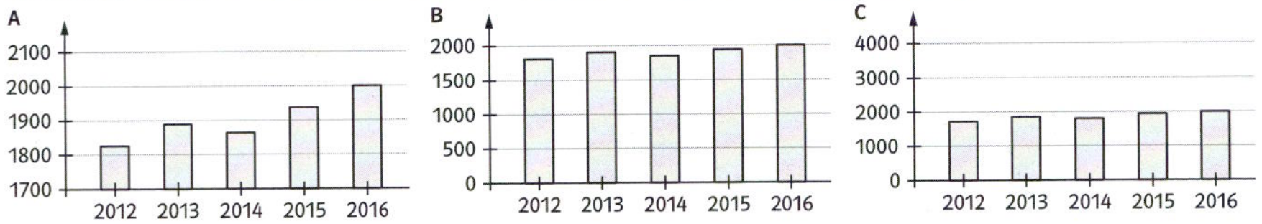

a) Ordne den geschilderten Eindrücken das entsprechende Diagramm zu.

- B | Die Zuschauerzahlen sind fast konstant und auf langanhaltend hohem Niveau.
- C | Die Zuschauerzahlen sind konstant, es ist aber noch Platz für weitere Zuschauer.
- A | Die Zuschauerzahlen sind in den letzten Jahren stark gestiegen.

b) **Begründe**, warum der Leiter der Theater-AG sein Ziel am besten mit dem Diagramm A verfolgen kann.

Dieses Diagramm erweckt den Eindruck von rasant steigenden Zuschauerzahlen, die einen Wechsel des Spielortes rechtfertigen.

c) Wie wird diese Wirkung erzeugt? Durch den Beginn der Skalierung der Hochachse bei 1700.

◐3 Die Tabelle zeigt das monatliche Taschengeld, welches die drei Freunde zur Verfügung haben.

Name	Tim	Kai	Ole
Euro	20	21	24

Zeichne ein Balkendiagramm, welches die Forderung von Oles Vater auf Taschengeldkürzung unterstützt.

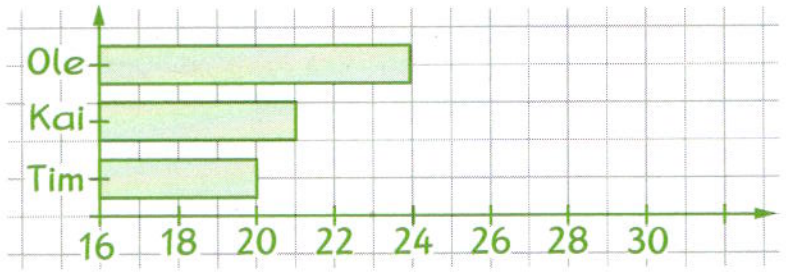

●3 Ein Spielehersteller möchte die Absatzprobleme von klassischen Brettspielen darstellen. Der Absatz ging in den letzten 10 Jahren auf ein Viertel zurück. Zeichne das entsprechende Piktogramm für 2006.

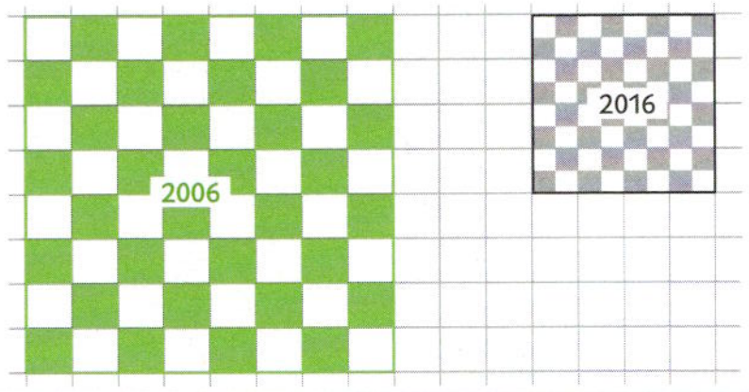

○1 Es sind 31 Daten gegeben. Bestimme die Rangplätze der folgenden Kennwerte.

Minimum: 1 ; Maximum: 31 ; oberes Quartil: 24 ; Median: 16 ; unteres Quartil: 8

$\left(31 \cdot \frac{3}{4} = 23{,}25\right)$ $\left(31 \cdot \frac{2}{4} = 15{,}5\right)$ $\left(31 \cdot \frac{1}{4} = 7{,}75\right)$

○2 Petra hat im letzten Jahr die Anzahl ihrer SMS pro Monat notiert.

Monat	Jan.	Febr.	März	April	Mai	Juni	Juli	August	Sept.	Oktober	Nov.	Dez.
Anzahl	43	24	125	112	48	251	175	128	85	65	89	35
Rang	3	1	9	8	4	12	11	10	6	5	7	2

a) Fülle die Rangzeile der Tabelle entsprechend der zu vergebenden Ränge aus.

b) Die Angabe der SMS-Anzahlen belegen in der Rangliste die Plätze 1 bis 12. Zur Bestimmung des Rangplatzes des unteren Quartils multipliziert man 12 mit $\frac{1}{4}$ und erhält 3. Deshalb muss man den Mittelwert aus den SMS-Anzahlen des Rangplatzes 3 und 4 bilden: (43 + 48) : 2 = 45,5.

c) Bei der Bestimmung des Medians multipliziert man 12 mit $\frac{2}{4}$ $\left(= \frac{1}{2}\right)$ und erhält 6.
Nun müssen die Werte der Rangplätze 6 und 7 gemittelt werden: (85 + 89) : 2 = 87.

d) Den Rangplatz des oberen Quartils erhält man, indem man 12 mit $\frac{3}{4}$ multipliziert, man erhält 9. Daher berechnet sich q_3 wie folgt: (125 + 128) : 2 = 126,5. Der Quartilabstand beträgt 126,5 − 45,5 = 81.

○3 Die Kärtchen geben die Zeit in Minuten an, die die Schülerinnen und Schüler der 8c für den Weg zum Kino benötigt haben:

14	13	14	12	7	9	18	4	21	26
15	24	31	36	12	5	19	25	23	30

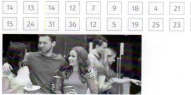

a) Erstelle die Rangliste. 4; 5; 7; 9; 12; 12; 13; 14; 14; 15; 18; 19; 21; 23; 24; 25; 26; 30; 31; 36

b) Bestimme folgende Kennwerte:

Minimum: 4 ; Maximum: 36 ; Spannweite: 32

q_1 = 12 ; q_3 = 24,5 ; q = 12,5

Median: 16,5 ; arithmetisches Mittel: 17,9

q_u: $20 \cdot \frac{1}{4} = 5$; (12 + 12) : 2 = 12

q_o: $20 \cdot \frac{3}{4} = 15$; (24 + 25) : 2 = 24,5

z_w: $20 \cdot \frac{1}{2} = 10$; (15 + 18) : 2 = 16,5

M_w: (4 + 5 + 7 + 9 + ...): 20 = 17,9

◒3 Kirsten hat die Kennwerte von drei Ranglisten aufgeschrieben. Dabei ist ihr in jeder Spalte genau ein **Fehler** unterlaufen. Finde und korrigiere ihn.

	a)	b)	c)
Median	8	2,8	21
oberes Quartil	~~9~~ 10	3,3	32
Maximum	12	4,6	36
Minimum	1	1,7	4
unteres Quartil	5	~~4,7~~ 1,9	~~15~~ 10 oder
Quartilabstand	5	1,4	~~22~~ 17
Spannweite	11	2,9	32

◒4 Markiere „wahr“ oder „falsch“. Für das Lösungswort setze die Buchstaben richtig zusammen:

Q U A R T I L

	wahr	falsch
Das arithmetische Mittel ist der Wert in der Mitte der Rangliste.	S	(L)
Die Werte des unteren und oberen Quartils liegen gleich weit vom Median entfernt.	V	(I)
Die Quartile sind nicht immer real vorkommende Werte einer Liste.	(T)	E
Die Spannweite ist fast immer größer als der Quartilabstand.	(R)	N
Der Median ist immer größer oder gleich dem arithmetischen Mittel.	O	(A)
Zwischen q_1 und q_3 liegen mindestens 50 % aller Daten.	(U)	B
Ein kleiner Quartilabstand bedeutet, dass auch die Spannweite klein ist.	P	(Q)

○1 a) Verbinde die Kärtchen mit der richtigen Stelle im Boxplot.

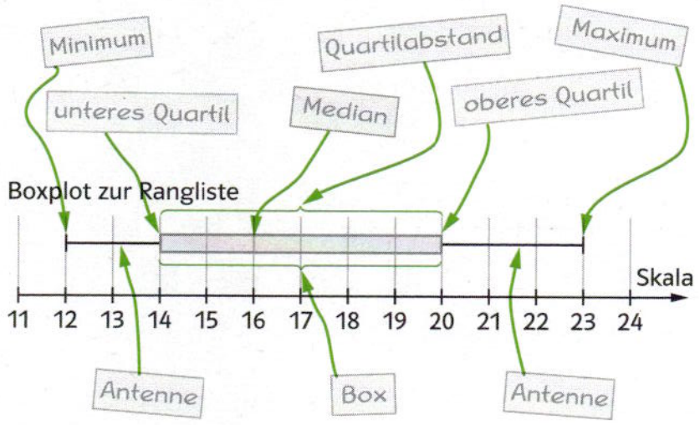

b) Fülle die Lücken. Mithilfe von Boxplots veranschaulicht man die Verteilung von Daten grafisch. Man unterscheidet vier Bereiche. In jedem liegt jeweils etwa ein Viertel der Daten. Zwischen dem Minimum und dem unteren Quartil liegt die linke Antenne.

Die rechte Antenne liegt zwischen dem oberen Quartil und dem Maximum. Die Box liegt zwischen dem unteren und oberen Quartil und wird noch einmal durch den Median unterteilt.

c) Gib die Kennwerte an: **Minimum:** 12 **Maximum:** 23 **Median:** 16
oberes Quartil: 20 **unteres Quartil:** 14 Quartilabstand: 20 − 14 = 6 Spannweite: 23 − 12 = 11

○2 a) Kennzeichne in den Ranglisten Minimum und Maximum blau, die Quartile grün und den Median orange.

A: (0); 0; 1; 1; (2); 2; 2; 3; 3; (3); 3; 3; 4; 4; (5); 5; 5; 5; 7; (9)
B: (0); 1; 2; (3); 3; 4; (5; 5); 5; 6; (6); 7; 10; (12)
C: (0); 0; 1; 1; 2; (3); 3; 3; 3; 4; (4; 5); 5; 5; 6; 6; (6); 7; 7; 9; 10; (12)
D: (0); 0; 1; (2); 2; 2; (3); 3; 4; (4); 5; 7; (9)

b) Ordne den Boxplots die entsprechende Datenreihe zu.

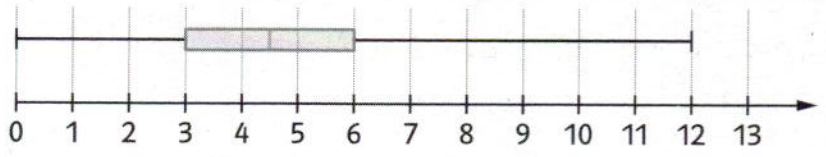

Datenreihe: C, erkennbar am Median

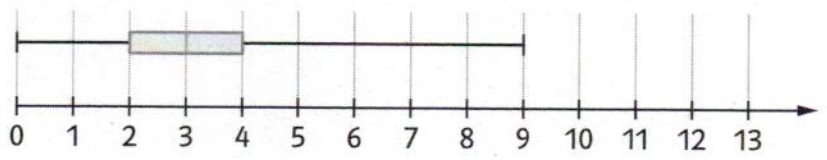

Datenreihe: D, erkennbar am oberen Quartil

○3 Die Tabelle zeigt das Ergebnis einer Umfrage über das monatliche Taschengeld in einer achten Klasse.

Taschengeld (in €)	10	12	13	14	16	18	20	22	24	40
Anzahl der Schüler/innen	1	2	1	2	4	7	3	2	1	1

a) Erstelle eine Rangliste: 10; 12; 12; 13; 14; 14; 16; 16; 16; 16; 18; 18; 18; 18; 18; 18; 18; 20; 20; 20; 22; 22; 24; 40

b) Bestimme die Kennwerte. Minimum: 10 Maximum: 40 unteres Quartil: 15
Quartilabstand: 5 Median: 18 Spannweite: 30 oberes Quartil: 20

c) Zeichne den Boxplot.

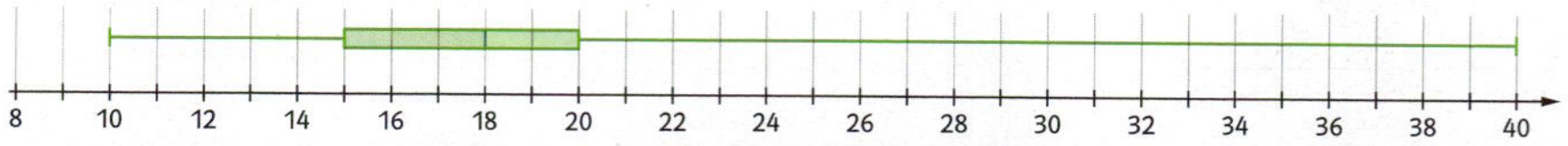

d) Nach Bekanntwerden der Umfrage kürzen die Eltern der Schülerin, die bislang 40 € bekam, das Taschengeld auf 25 €. Gib die beiden Kennwerte aus Teilaufgabe b) an, die sich durch die Kürzung verändert haben.

Maximum ist 25 Spannweite ist 15

4 Lies aus dem Boxplot die Kennwerte ab.

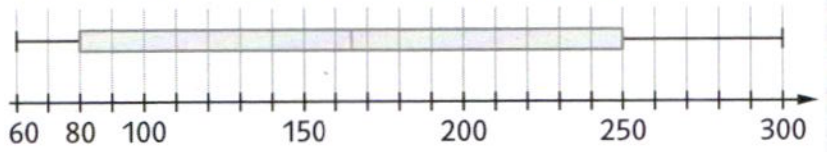

Minimum: 60 unteres Quartil: 80

Median: 165 oberes Quartil: 250

Maximum: 300 Spannweite: 240

5 In einer 8. Klasse wurde die Anzahl der Stunden ermittelt, die die Schülerinnen und Schüler in einer Woche im Internet verbracht haben. Bestimme die Kennwerte der Daten.
32; 22; 23; 21; 0; 40; 1; 28; 0; 12; 8; 2; 10; 15; 3

a) Rangliste: 0; 0; 1; 2; 3; 8; 10; 12; 15; 21; 22; 23; 28; 32; 40

b) Minimum: 0 unteres Quartil: 2

Median: 12 oberes Quartil: 23

Maximum: 40 Quartilabstand: 21

c) Zeichne den zugehörigen Boxplot.

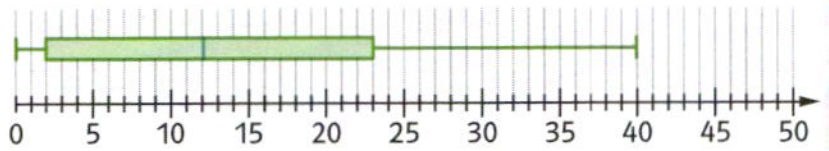

6 Die Auswertung der Punktverteilung eines Testes in der Klasse 8d liefert folgenden Boxplot:

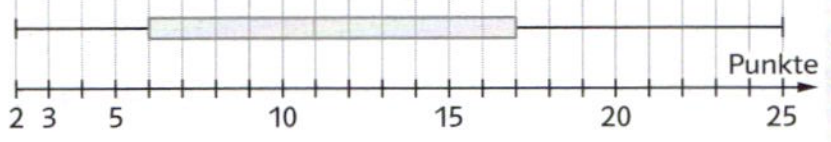

a) Lies den Median (11), das Minimum (2), das Maximum (25), das untere Quartil (6) und das obere Quartil (17) ab.

b) Kreuze die richtigen Aussagen an. Mindestens
- ☐ ein Schüler hat 0 Punkte.
- ☐ ein Schüler hat 11 Punkte.
- ☒ 25 % aller Schüler haben 6 oder weniger Punkte.
- ☐ 75 % aller Schüler haben weniger als 17 Punkte.
- ☒ die Hälfte aller Schüler hat 11 oder mehr Punkte.
- ☐ die Hälfte aller Schüler hat weniger als 11 Punkte.
- ☒ die Hälfte aller Schüler hat zwischen 6 und 17 Punkten.

4 a) Ergänze die Tabelle.

	A	B	C	D
Median	31	17	19	9
oberes Quartil	35	20	20	13
Maximum	42	32	40	20
Minimum	12	5	0	1
unteres Quartil	21	16	16	3
Quartilabstand	14	4	4	10
Spannweite	30	27	40	19

b) Zeichne die vier Boxplots.

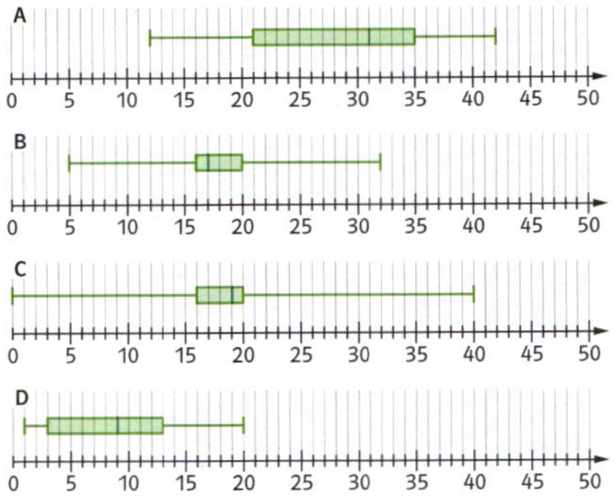

5 In unterschiedlichen Regionen Europas wurden die monatlichen Durchschnittstemperaturen im Jahr 2016 ermittelt. Nimm Stellung zu folgenden Aussagen:

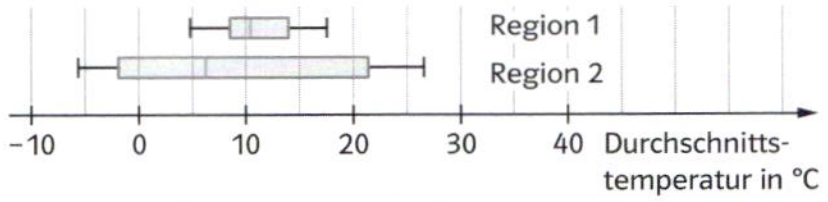

a) Die größten Temperaturunterschiede finden sich in Region 1. Dies ist falsch. Die Spannweite beträgt nur 13 °C. In Region 2 beträgt sie jedoch mehr als 30 °C.

b) In Region 1 sind mehrere Monate gleich warm. Diese Information lässt sich aus dem Boxplot nicht entnehmen.

1 Bei einem Sportfest erzielt Hasan beim Kugelstoßen die aufgelisteten Werte.

Wurf	1	2	3	4	5
Wurfweite in m	7,65	6,50	7,50	6,90	7,70

a) Erstelle die Rangliste.

6,50 m; 6,90 m; 7,50 m; 7,65 m; 7,70 m

b) Bestimme die Kennwerte: Minimum: 6,50 m, Maximum: 7,70 m, Spannweite: 1,20 m, Median: 7,50 m, Mittelwert: 7,25 m.

2 Die Diagramme A und B stellen die Anzahl der jährlich verliehenen Ehrenurkunden im Zuge der Bundesjugendspiele an der Georges-de-Mestral-Schule zwischen den Jahren 2013 und 2017 dar.

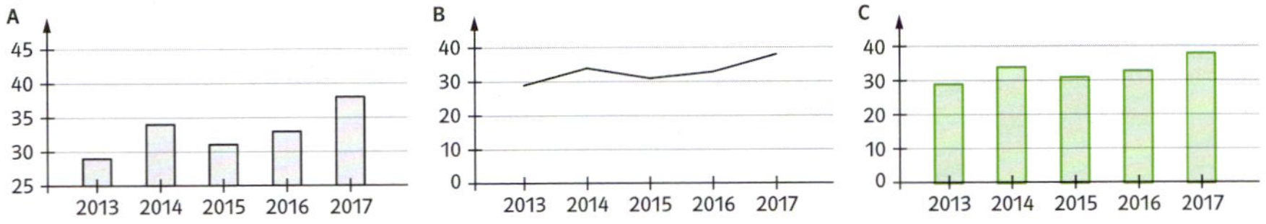

a) **Beschreibe**, warum Diagramm A und B den Sachverhalt nicht angemessen darstellen. Die Skalierung der Hochachse beginnt bei Diagramm A nicht bei null. Bei Diagramm B wurden die Datenpunkte fälschlicherweise miteinander verbunden.

b) Erstelle ein Diagramm C, welches diesen Sachverhalt angemessen darstellt.

3 Pia hat sich notiert, wie viele Kilometer sie im Monat mit dem Rad unterwegs war.

Monat	1	2	3	4	5	6	7	8	9	10	11	12
Kilometer	60	100	80	180	220	260	280	240	300	120	80	80

a) Erstelle eine Rangliste: 60; 80; 80; 80; 100; 120; 180; 220; 240; 260; 280; 300

b) Bestimme die Kennwerte.

Minimum	q_1	Spannweite	Median	arithmetisches Mittel	Quartilabstand	q_3	Maximum
60	80	240	150	$166,\overline{6}$	170	250	300

$(60 + 3 \cdot 80 + 100 + 120 + 180 + 220 + 240 + 260 + 280 + 300) : 12 = 166,\overline{6}$

c) Zeichne zu den Daten einen Boxplot.

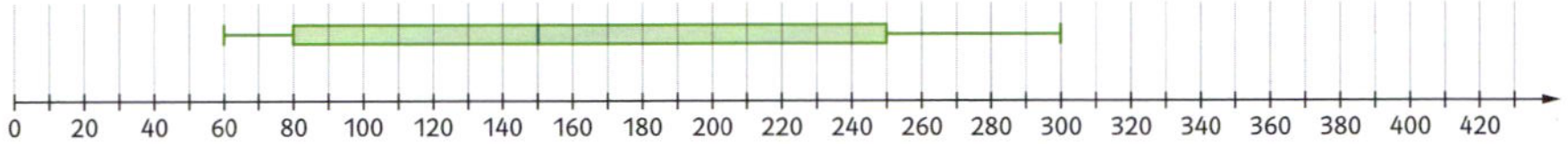

4 Lies aus dem Boxplot die Kennwerte ab.

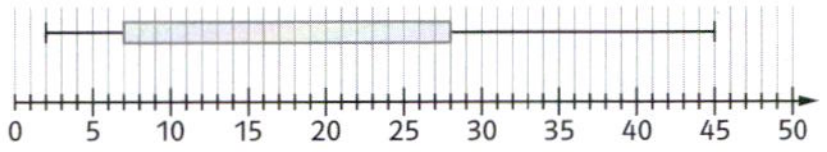

Minimum: 2 Maximum: 45

unteres Quartil: 7 oberes Quartil: 28

Median: 16

5 Die Werte geben die Quartalsumsätze des Gasbetreibers Funkli in Millionen Euro wieder.

1. Q: 42 Mio. €	3. Q: 23 Mio. €
2. Q: 31 Mio. €	4. Q: 34 Mio. €

Zeichne zum angegebenen Sachverhalt ein angemessenes und ein nicht angemessenes Säulendiagramm.

angemessenes Säulendiagramm

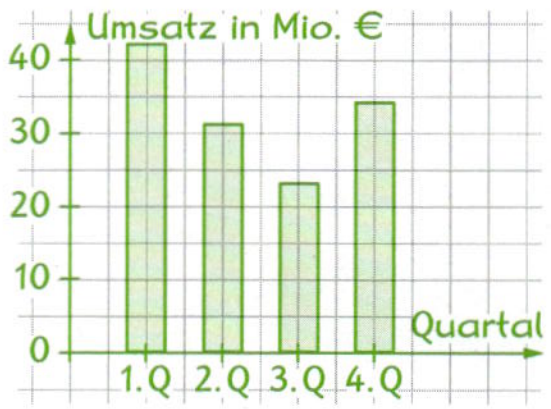

nicht angemessenes Säulendiagramm

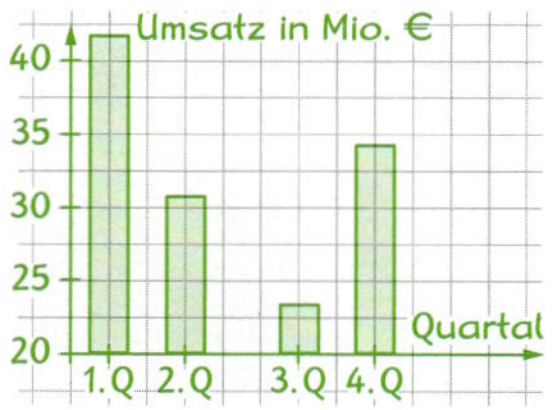

6 Im Zuge der Zeugniserstellung hat der Klassenlehrer der 8a die Fehltage in eine Rangliste eingetragen.

Mädchen	0	1	1	1	2	2	3	3	4	5	8	9	12	13	17
Jungen	2	2	3	3	4	5	5	6	7	9	12	16			

a) Ermittle die Kennwerte aus den Ranglisten (für Mädchen und Jungen getrennt, danach für die gesamte Klasse).

	Median	oberes Quartil	Maximum	Minimum	unteres Quartil	Quartilabstand	Spannweite	arithmetisches Mittel
Mädchen	3	9	17	0	1	8	17	5,40
Jungen	5	8	16	2	3	5	14	$6,1\overline{6}$
Klasse	4	9	17	0	2	7	17	5,74

b) Zeichne die Boxplots links für Mädchen, in der Mitte für die Jungen und für die gesamte Klasse rechts ein.

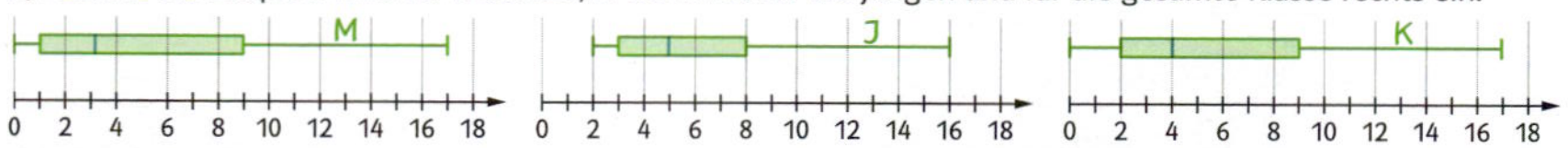

c) Kreuze zutreffende Aussagen an.

☒ Mindestens 25 % aller Schülerinnen und Schüler haben mindestens neun Fehltage.

☐ Die durchschnittliche Anzahl der Fehltage liegt bei den Mädchen höher als bei den Jungen.

☒ Mindestens 50 % aller Mädchen haben höchstens drei Fehltage.

☐ Mindestens ein Viertel aller Befragten hat mehr als neun Fehltage.

7

a) Wie viel hat der Vater für sein Hobby ausgegeben? 128 €

$4 \cdot 50\,€ = 200\,€$
$200\,€ - 35\,€ - 27\,€ - 10\,€ = 128\,€$

b) Wie lautet der Median? $(27 + 35) : 2 = 31$ Euro

c) Welchen Wert würdest du betrachten, um die Aussage des Vaters zu entkräften? **Begründe.**

Bei der großen Spannweite sollte man lieber das Maximum betrachten, das arithmetische Mittel und der Median sind hier nicht sonderlich aussagekräftig.

Schätze ein, wie gut du die Basisaufgaben auf Seite 67 bearbeitet hast.
Eine Anleitung für das Arbeiten mit dieser Tabelle findest du auf Seite 2 im Aufgabenteil.

Auswerten, Selbsteinschätzen und Weiterlernen

Ich kann ...	gut	etwas	nicht gut	Nachlesen und üben
1 für eine Datenerhebung eine Rangliste erstellen und die Kennwerte bestimmen.				**Nachlesen** Schülerbuch: S. 186 Merke und Beispiele **Üben** Arbeitsheft: S. 62 Nr. 1 Schülerbuch: S. 187 Alles klar?; S. 204 Nr. 1 a
2 beurteilen, ob Schaubilder einen Sachverhalt angemessen darstellen.				**Nachlesen** Schülerbuch: S. 189 Merke und Beispiel **Üben** Arbeitsheft: S. 63 Nr. 1 und 2 Schülerbuch: S. 190 Alles klar?; S. 204 Nr. 2
3 für eine Datenreihe Median und Quartile berechnen.				**Nachlesen** Schülerbuch: S. 192 Merke und Beispiele **Üben** Arbeitsheft: S. 64 Nr. 1 und 2 Schülerbuch: S. 193 Alles klar?; S. 204 Nr. 1 b, c
4 bei gegebenen Kennwerten einen Boxplot zeichnen.				**Nachlesen** Schülerbuch: S. 196 Merke und Beispiel a **Üben** Arbeitsheft: S. 65 Nr. 3 Schülerbuch: S. 197 Alles klar? B
5 aus einem Boxplot Kennwerte ablesen.				**Nachlesen** Schülerbuch: S. 196, 197 Merke und Beispiel b **Üben** Arbeitsheft: S. 65 Nr. 1 Schülerbuch: S. 197 Alles klar? A; S. 204 Nr. 3 links

Beilage zum Arbeitsheft

Schnittpunkt^8, Mathematik – Differenzierende Ausgabe, Rheinland- Pfalz und Saarland

ISBN: 978-3-12-744285-4

Zeichnungen/Illustrationen: Zeichnungen/Illustrationen: Druckmedienzentrum Gotha GmbH, Gotha; imprint GmbH, Zusmarshausen; Rudolf Hungreder, Leinfelden-Echterdingen; Helmut Holtermann, Dannenberg
Satz: imprint, Zusmarshausen

6 a) Bestimme die Funktionsgleichung:

g: y = ______ h: y = ______ i: y = ______

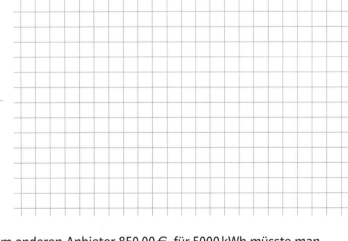

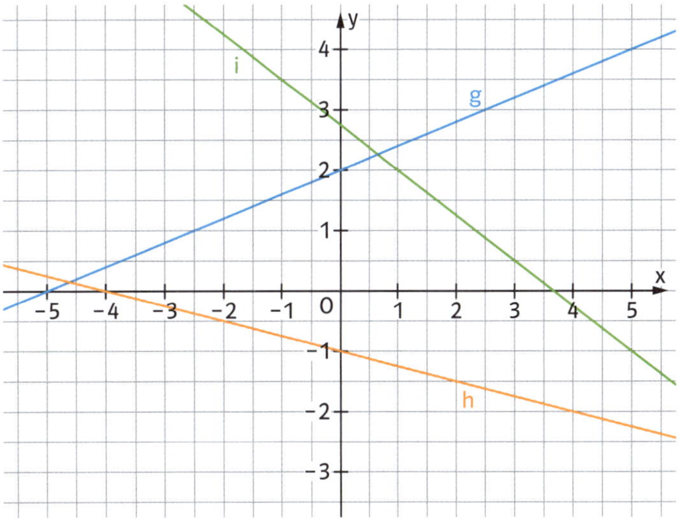

b) Die Wertetabelle beschreibt eine lineare Funktion. Zeichne ihren Graphen.

x	1	2	4	5
y	−1,25	−0,5	1	1,75

Gleichung: j: y = ______

c) Zeichne die Graphen der Geraden k: $y = -\frac{2}{3}x + 1$ und l: $y = \frac{5}{3}x - 3$

7 Wie heißt die Funktionsgleichung, die zur Wertetabelle gehört?

a)

x	−1	0	1	2
y = ______	6	4	2	0

a)

x	−2	−1	2	4
y = ______	2	2,5	4	5

8 Die allgemeine Funktionsgleichung für lineare Funktionen lautet: $y = mx + c$. Notiere die Funktionsgleichung für alle lineare Funktionen, die … [T1]

durch den Punkt (0|−2) gehen:
y = ______

die Steigung −4 haben
y = ______

durch den Punkt (0|7) gehen:
y = ______

die Steigung $\frac{3}{5}$ haben:
y = ______

durch den Ursprung verlaufen:
y = ______

9 Die Stadtwerke bieten einen Öko-Strom-Tarif an. Er setzt sich zusammen aus einer monatlichen Grundgebühr von 9,00 € und einem Arbeitspreis von 29 ct pro Kilowattstunde.

a) Die Funktionsgleichung für die Ermittlung der jährlichen Gesamtkosten lautet: y = ______

b) Bei einem Jahresverbrauch von 4500 kWh (durchschnittlicher Vier-Personen-Haushalt) betragen die Kosten ______ €.

c) Familie Hupp erhält eine Jahresendabrechnung über 1210,00 €. Sie hat ______ kWh verbraucht.

d) Ein Jahresverbrauch von 3000 kWh kosten bei einem anderen Anbieter 850,00 €; für 5000 kWh müsste man 1250,00 € bezahlen. [T2]

Der Arbeitspreis beträgt bei diesem Anbieter ______ pro kWh, die Grundgebühr ______ €.

e) Familie Hupp kann ______ € sparen, wenn sie den Anbieter wechselt.

[T2] Die Angaben liefern zwei Wertepaare der linearen Funktion. Daraus lassen sich m und c berechnen.

[T1] Durch die Bedingungen sind jeweils entweder m oder c gegeben.

○ **1** Berechne den Umfang und den Flächeninhalt der beiden Figuren. Miss die benötigten Längen.

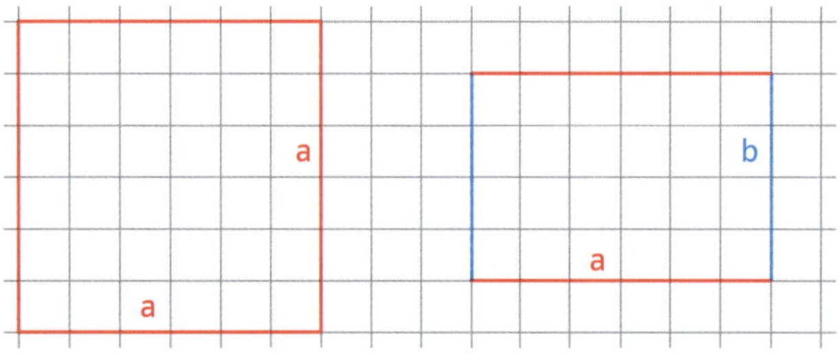

u = ___ · a = ___ · ___

u = ___ cm

A = a · ___ = ___ · ___

A = ___ cm²

u = ___

u = ___

u = ___ cm

A = ___

A = ___ cm²

○ **2** Berechne die gesuchten Größen.

a) Quadrat:
u = 24 cm
a = ___ cm; A = ___ cm²

b) Rechteck:
b = 9 m; A = 144 m²
a = ___ m; u = ___ m

c) Quadrat: A = 81 cm²; gesucht: a = ___ cm

___

○ **3** Lies die Koordinaten der Punkte ab.

A(___ | ___); B(___ | ___); D(___ | ___).

Ergänze den Punkt C(___ | ___) so, dass ein Rechteck ABCD entsteht. Berechne den Flächeninhalt und den Umfang.

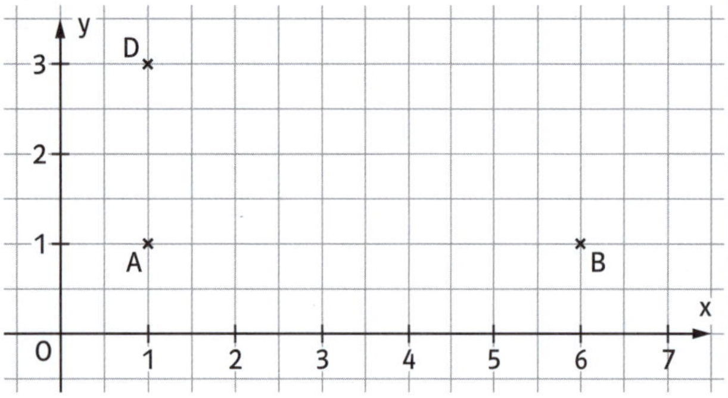

A = ___ ; u = ___

A = ___ ; u = ___

◒ **4** a) Berechne die Fläche, die das aufgehängte Bild an der Wand verdeckt. Maße in cm.
b) Berechne den Umfang und den Flächeninhalt des Bildes ohne den Rahmen.

◒ **3** a) Ergänze zu einem Rechteck ABCD mit dem Umfang u = 15 cm. [T1]

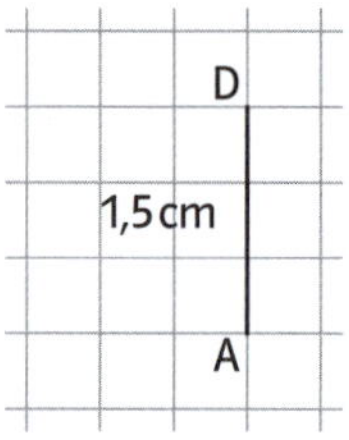

b) Der Flächeninhalt des Rechtecks berechnet sich mit A = ___ ; A = ___ cm².

● **4** Ralf will den neuen Holzboden seines Zimmers mit einem Lack versiegeln. Der Lack wird in 1-Liter-Dosen zum Preis von 6,20 € verkauft. Laut Dosenaufschrift reicht ein Liter Lack für 4 m² Boden.

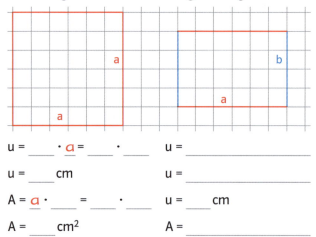

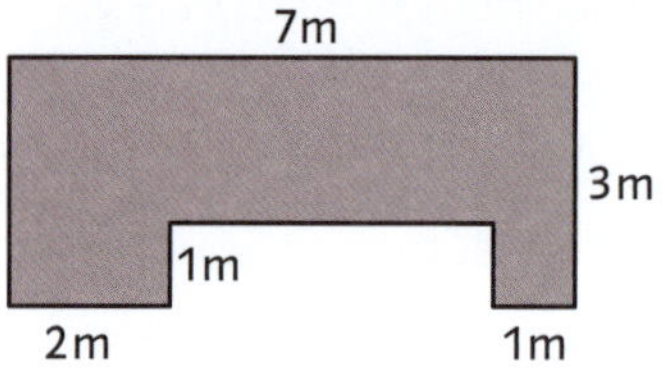

a) Der Lack kostet ___ €.

b) Es bleibt ___ l Lack übrig, das sind ___ ml.

[T1] Berechne zunächst die andere Seitenlänge des Rechtecks.

○ **1** Berechne den Flächeninhalt und den Umfang des Dreiecks. Miss die benötigten Längen.

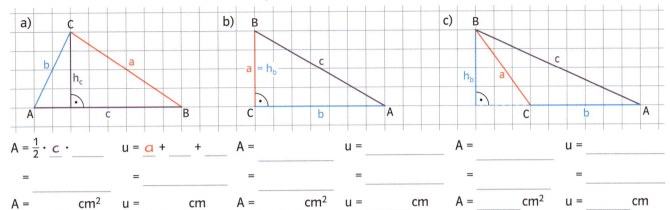

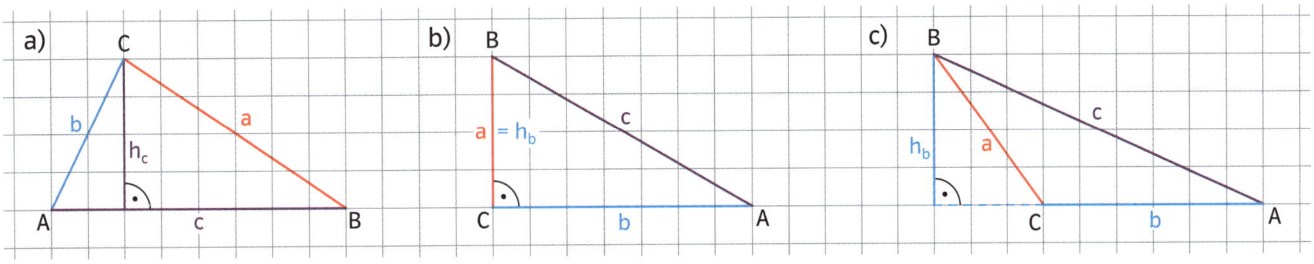

a) $A = \frac{1}{2} \cdot c \cdot$ ____ ; $u = a +$ ____ $+$ ____
= ____ ; = ____
A = ____ cm² ; u = ____ cm

b) A = ____ ; u = ____
= ____ ; = ____
A = ____ cm² ; u = ____ cm

c) A = ____ ; u = ____
= ____ ; = ____
A = ____ cm² ; u = ____ cm

○ **2** Ein Dreieck hat den Flächeninhalt $A = 24\,cm^2$. **Prüfe**, welche Karten zu einem solchen Dreieck gehören, indem du alle Flächeninhalte zu den Karten berechnest. Es sind die Karten ____ .

K $a = 4\,cm;\ h_a = 6\,cm$	**L** $b = 16\,cm;\ h_b = 3\,cm$
M $a = 2\,cm;\ h_a = 12\,cm$	**N** $c = 6\,cm;\ h_c = 8\,cm$

◒ **3** Berechne die Länge der Seite b.
Es gilt: $h_c = 2{,}1\,cm$; $h_b = 2\,cm$

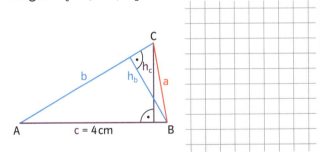

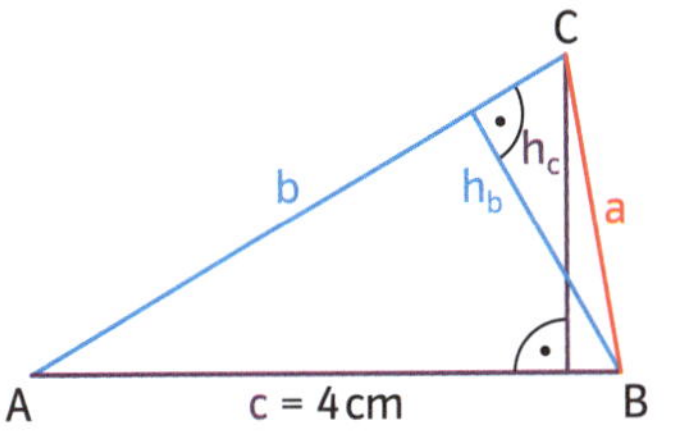

◒ **4** Dominik hat einen Drachen aus zwei gleich großen dreieckigen Stoffteilen gebaut.

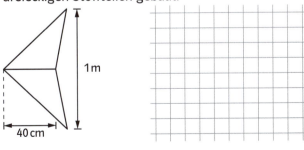

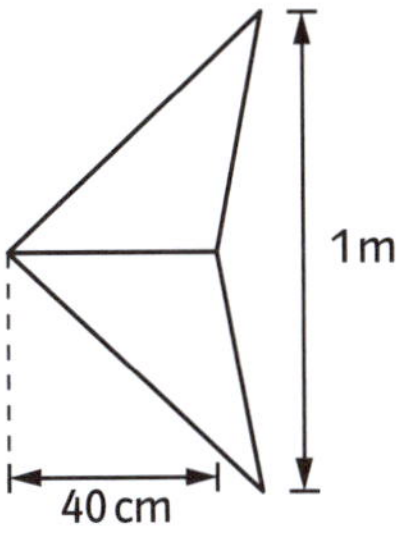

Der Drachen hat einen Flächeninhalt von ____ cm².

◒ **2** Zeichne das Dreieck ABC mit A(0 | 2); B(0 | 0) und C(7 | 1). Entnimm benötigte Maße der Zeichnung.

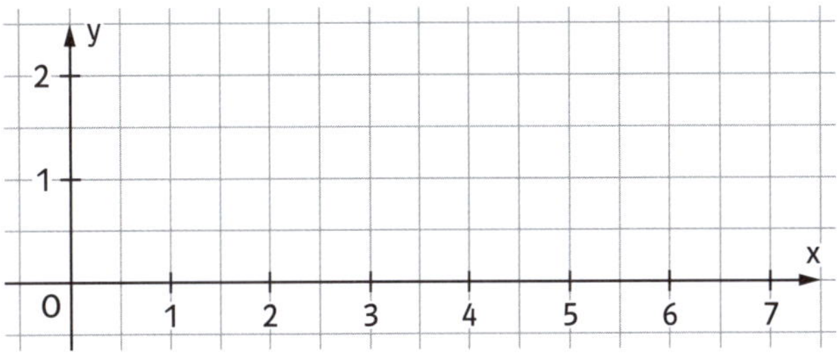

u = ____ ; A = ____
= ____ ; = ____
u = ____ ; A = ____

◒ **3** Konstruiere das Dreieck mit $a = 3\,cm$, $b = 5\,cm$ und $c = 7\,cm$. Berechne seinen Flächeninhalt. Entnimm der Zeichnung die nötigen Maße.

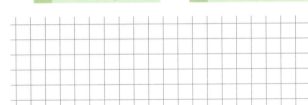

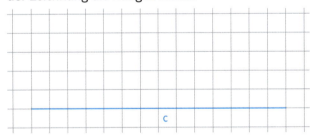

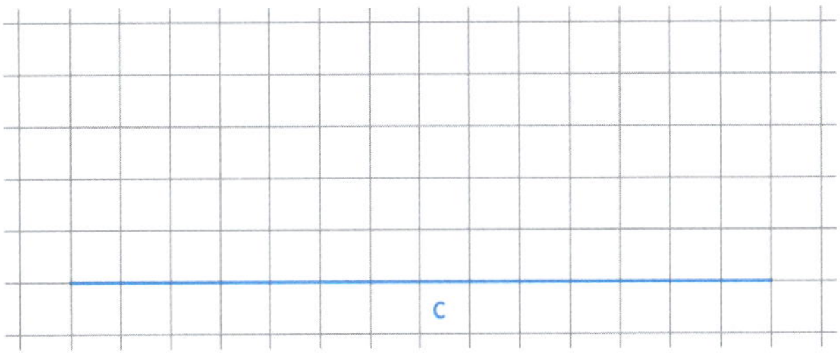

A = ____ ; A = ____ cm²

● **4** Das Dreieck ABC mit $a = 7\,cm$ und $c = 6\,cm$, hat den Umfang $u = 16\,cm$ und den Flächeninhalt $A = 9\,cm^2$. Berechne die Länge der Höhe h_b. [T1]

[T1] Berechne zuerst b aus dem Umfang und den Seitenlängen a und c.

○ 1 Berechne den Umfang und den Flächeninhalt des Parallelogramms. Miss die benötigten Längen.

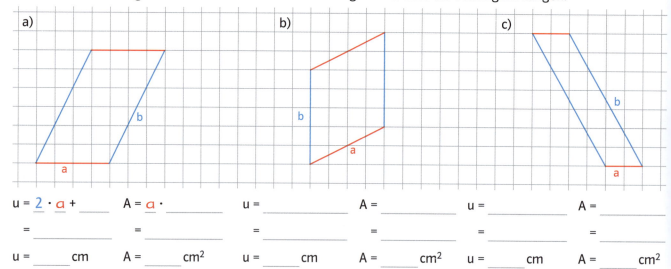

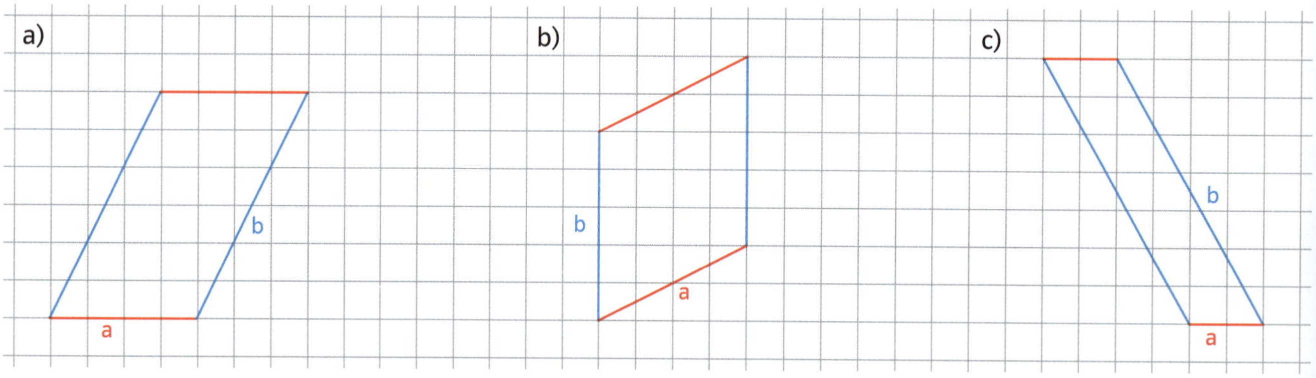

a) $u = 2 \cdot a +$ ______ $A = a \cdot$ ______
$=$ ______ $=$ ______
$u =$ ______ cm $A =$ ______ cm^2

b) $u =$ ______ $A =$ ______
$=$ ______ $=$ ______
$u =$ ______ cm $A =$ ______ cm^2

c) $u =$ ______ $A =$ ______
$=$ ______ $=$ ______
$u =$ ______ cm $A =$ ______ cm^2

○ 2 Die Punkte A(0 | 0), B(4 | 0), C(6 | 2) und D(2 | 2) sind Eckpunkte eines Parallelogramms. Zeichne das Parallelogramm. Berechne seinen Umfang und Flächeninhalt. Miss die benötigten Längen.

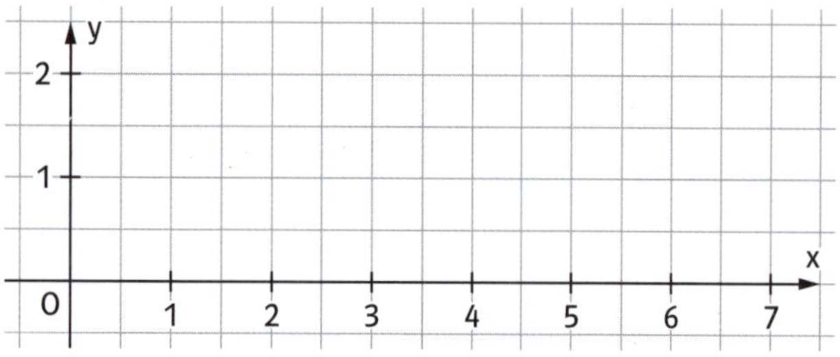

$u =$ ______ $A =$ ______
$=$ ______ $=$ ______
$u =$ ______ cm $A =$ ______ cm^2

◒ 3 Für den Bau einer Straße hat Landwirt Groß einen Teil seines Grundstücks verkauft. Wie viel % seines Grundstücks sind das?

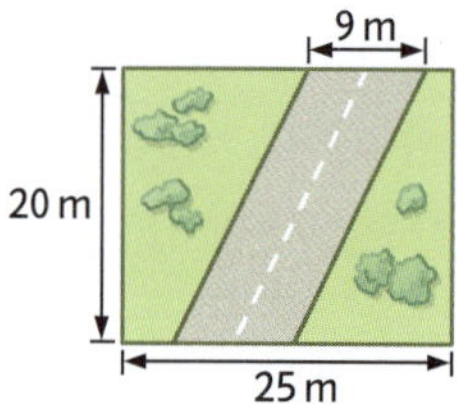

Das sind ______ % seines Grundstücks.

◒ 2 Ergänze die Koordinaten des Punktes C so, dass das Viereck ABCD ein Parallelogramm ist mit

A(−3 | −1); B(3 | 0); C(____ | ____); D(−3 | 1).

Zeichne und berechne den Flächeninhalt. Entnimm der Zeichnung die nötigen Maße.

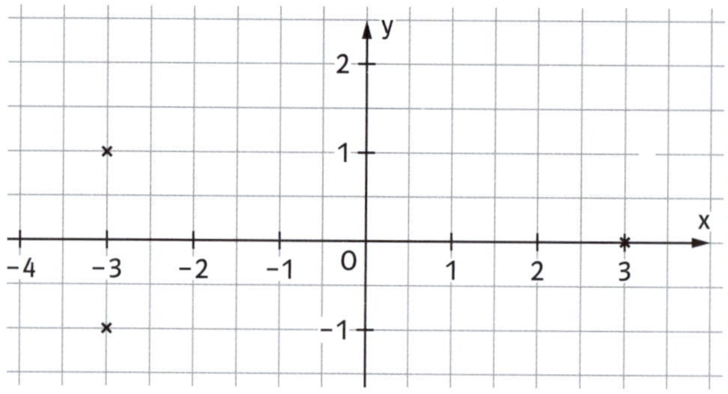

$A =$ ______ $=$ ______ $A =$ ______ cm^2

● 3 Beide Figuren haben denselben Flächeninhalt. Berechne die gesuchten Größen. [T1]

$u = 9{,}6$ cm; $a =$ ______ cm; $h =$ ______ cm

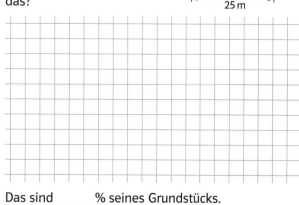

[T1] Berechne zuerst die Seitenlänge a der Raute, dann den Flächeninhalt der Raute und daraus die gesuchte Höhe h.

○ **1** Berechne den Flächeninhalt und den Umfang des Trapezes.

a)

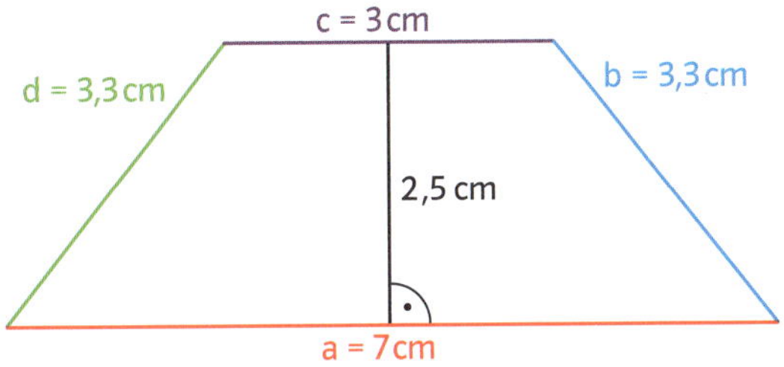

u = a + ___ + ___ + ___

= ___

u = ___ cm

$A = \frac{1}{2} \cdot (a + c) \cdot$ ___

$= \frac{1}{2} \cdot ($___ + ___$) \cdot$ ___

A = ___ cm^2

b)

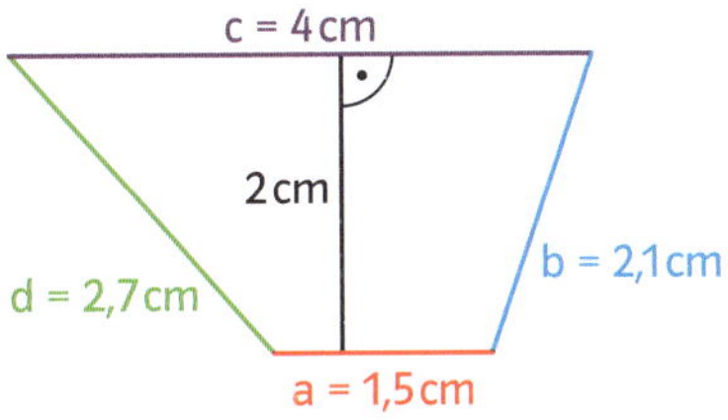

u = ___

= ___

u = ___ cm

A = ___

= ___

A = ___ cm^2

c)

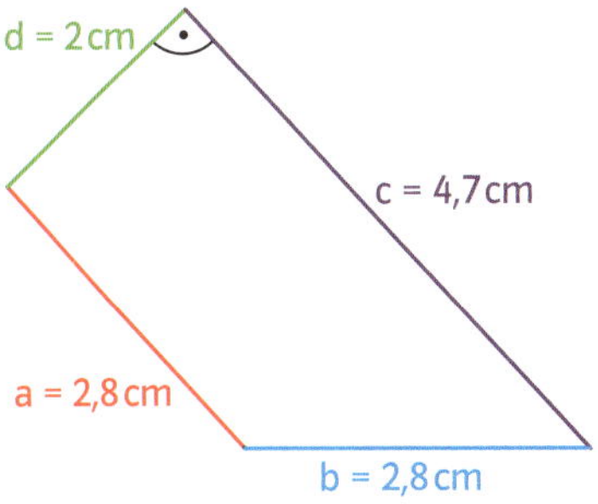

u = ___

= ___

u = ___ cm

A = ___

= ___

A = ___ cm^2

○ **2** Ein Trapez hat die Eckpunkte A(−2 | −2), B(4 | −2), C(3 | 1) und D(1 | 1). Zeichne. Berechne den Umfang und den Flächeninhalt. Miss die benötigten Längen.

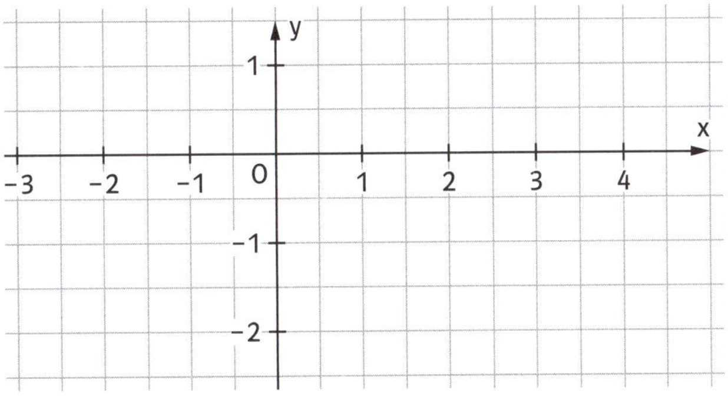

u = ___ A = ___

= ___ = ___

u = ___ cm A = ___ cm^2

◒ **3** Wer wohnt auf dem größeren Grundstück?

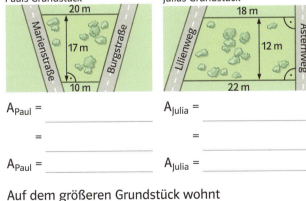

Pauls Grundstück

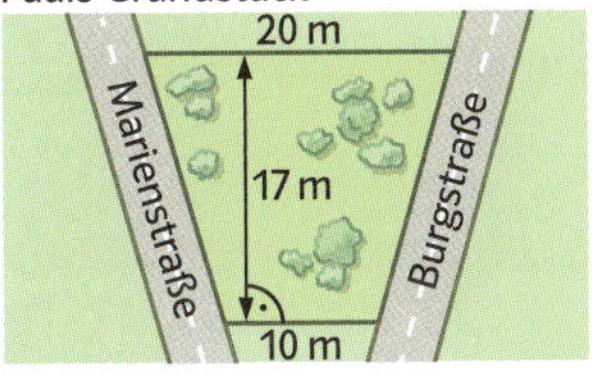

Julias Grundstück

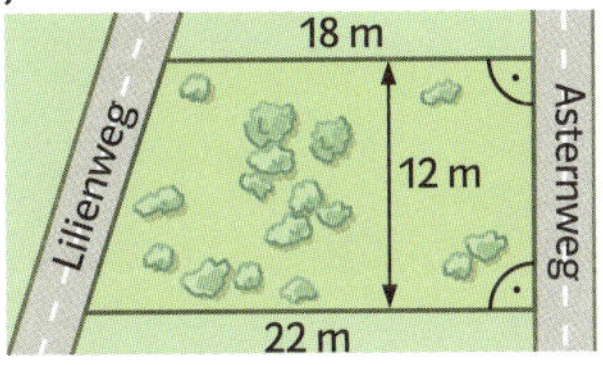

A_{Paul} = ___ A_{Julia} = ___

= ___ = ___

A_{Paul} = ___ A_{Julia} = ___

Auf dem größeren Grundstück wohnt ___.

◒ **2** Der abgeholzte Teil des Waldgrundstücks soll wieder aufgeforstet werden. Fülle die Lücken. [T1]

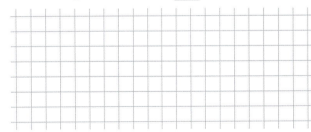

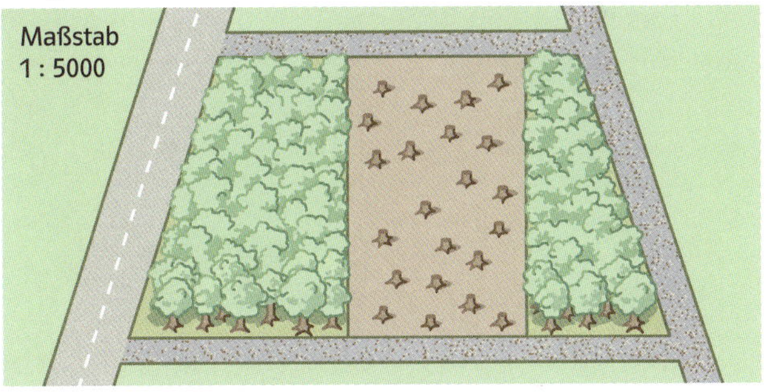

Der abgeholzte Teil des Waldes ist ___ ha groß [T2].

Das gesamte Waldgrundstück ist ___ ha groß.

Wieder aufgeforstet werden ___ % des Grundstücks.

● **3** a) Jedes Trapez mit a ∥ c und a = c ist ein ___.

b) Zeige mithilfe der Formel für den Flächeninhalt eines Trapezes, dass deine Aussage aus Teilaufgabe a) stimmt. [T3]

[T1] Der Maßstab 1 : 5000 bedeutet, dass 1 cm im Bild in Wirklichkeit 5000 cm sind. [T2] $100\,m^2 = 1\,a$; $100\,a = 1\,ha$

[T3] Setze a = c in die Flächeninhaltsformel des Trapezes ein und vereinfache.

○ **1** a) Wie weit würden diese Rädchen mit einer Umdrehung rollen? Runde auf Zehntel. Zeichne diese Strecken.

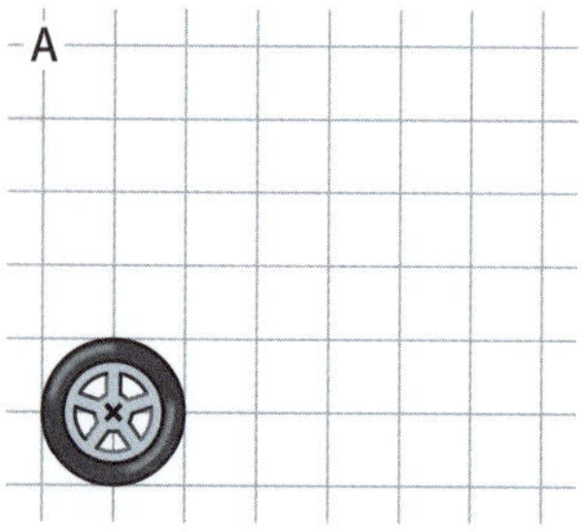

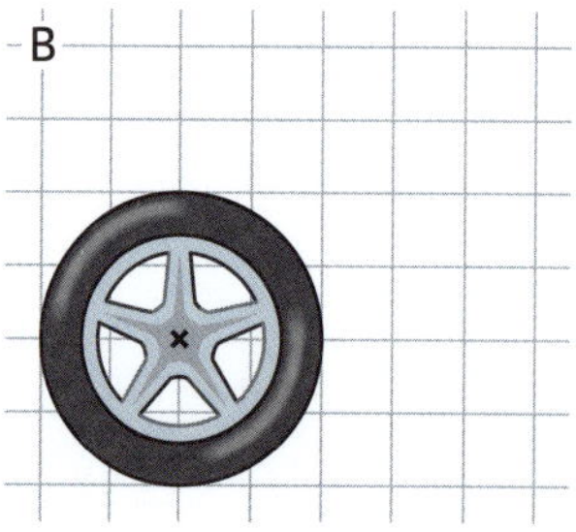

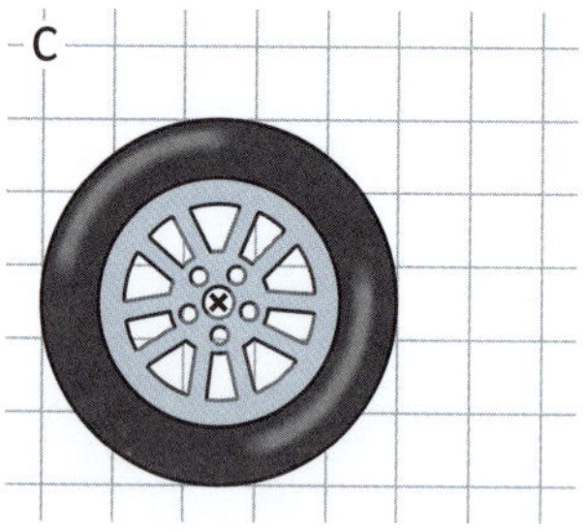

u = ______ u = ______ u = ______

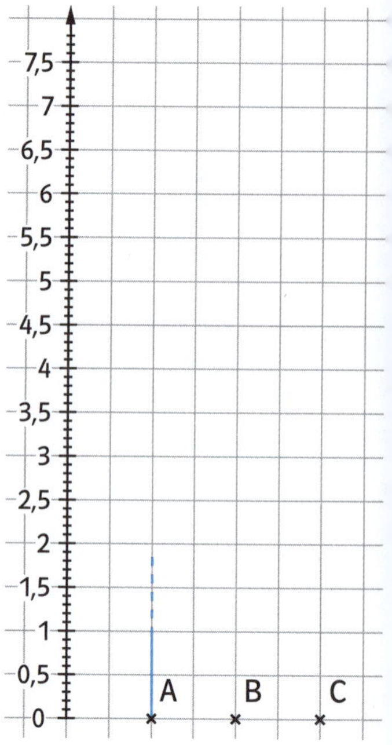

b) Kreuze an. Ein Rädchen mit dem achtfachen Durchmesser würde

☐ 4-mal so weit ☐ 8-mal so weit ☐ 16-mal so weit rollen.

○ **2** Berechne den Umfang des Hula-Hoop-Reifens mit d = 95 cm.

◒ **3** Der Teich wird mit 40 cm langen Randsteinen begrenzt. Wie viele Steine sind zu bestellen?

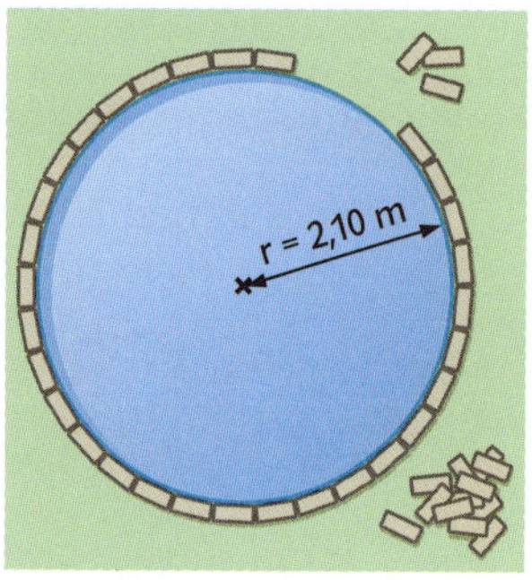

Es werden etwa ______ Steine benötigt.

◒ **4** Die Pizzeria „Toscana" wirbt mit einer Maxi-Pizza, die einen Umfang von 1 Meter haben soll. Yvi glaubt nicht, dass es eine so große Pizza gibt, und berechnet den Durchmesser der Pizza.

◒ **2** Berechne den Umfang der roten Kreise und vervollständige die Sätze.

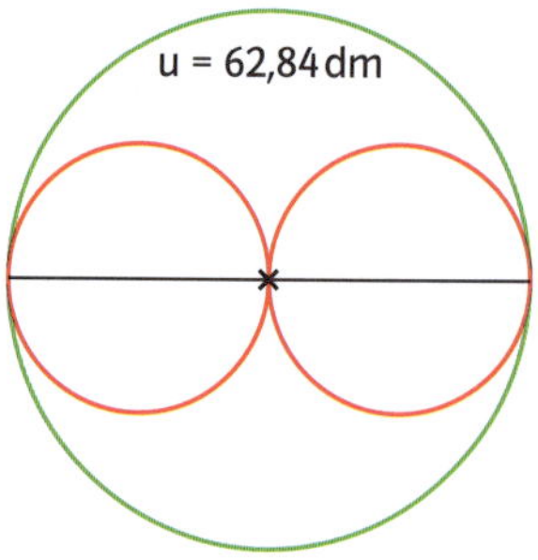

a) Der Umfang des grünen und der roten Kreise ist

______ groß.

b) Der Umfang des grünen Kreises ist ______

______, wie der Umfang eines roten Kreises.

● **3** Ein Düsenflugzeug fliegt mit einer Geschwindigkeit von 900 km/h. Wie lange würde ein Flug rund um die Erdkugel (r = 6370 km) in 10 km Höhe dauern? [T1]

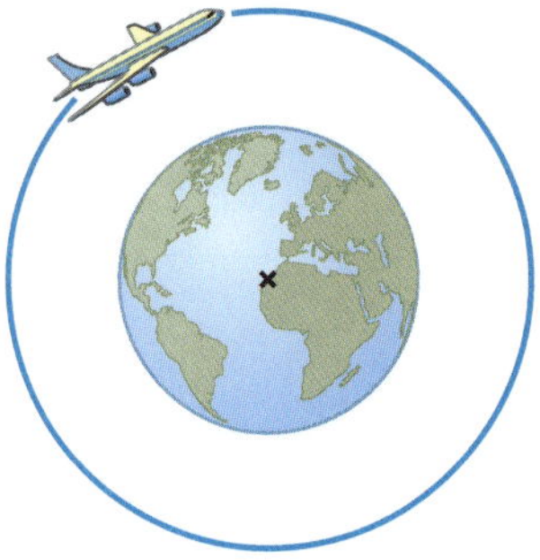

[T1] $s = v \cdot t$

○ **1** Berechne den Flächeninhalt des Kreises. Berechne mit: 1 Karo = 0,5 cm.

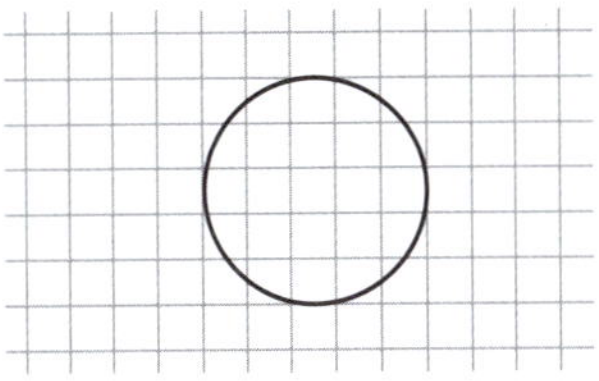

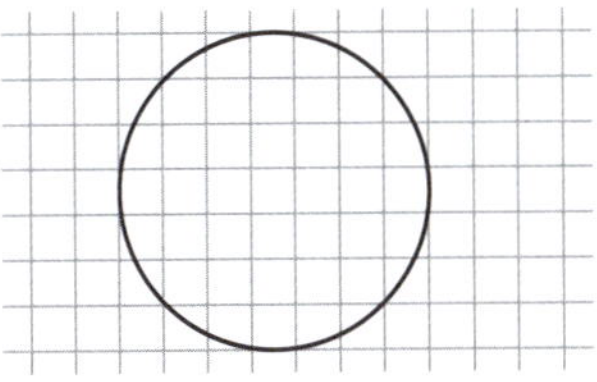

$A = \pi \cdot$ ____________

____

____

○ **2** a) Wie groß ist der Flächeninhalt einer originalen 10-ct-Münze? Schätze zunächst: ____________ cm^2.

b) Miss den Durchmesser der originalen 10-ct-Münze und berechne den Flächeninhalt.

d = ________ cm   A = ____________

r = ________ cm   A = ____________

Der Flächeninhalt beträgt ca. ____________ cm^2.

○ **3** Eine Glaserwerkstatt liefert das Glas für vier kreisrunde Fenster (d = 1,0 m) einer Turnhalle. Berechne den Preis, wenn 1 m^2 Glas 210 € kostet.

A = ____________

Preis: ____________

Antwort: ____________

◒ **4** Das Pulvermaar in der Eifel ist ein fast kreisförmiger See. Es ist vulkanischen Ursprungs und hat einen Durchmesser von etwa 700 m. Wie viel ha ist das Maar groß? [T1]

Das Maar ist ungefähr ____________ ha groß.

◒ **5** a) Jan möchte auf der Feuerstelle (u = 75 cm) in einer Pfanne Kastanien rösten.
Kreuze an, welche Pfanne dafür geeignet ist.

- ☐ ∅ 18 cm
- ☐ ∅ 20 cm
- ☐ ∅ 24 cm

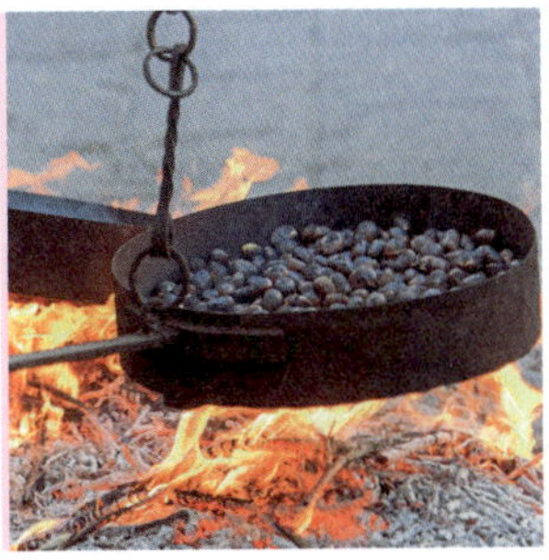

b) Der Flächeninhalt des Pfannenbodens beträgt

____________ A = ____________ cm^2

◒ **3** Der Geländeplan eines Parks ist auf einer runden Steinplatte (u = 4,71 m) verkleinert nachgebildet. Berechne den Flächeninhalt der Platte.

Die Steinplatte hat einen Flächeninhalt von etwa ____________ m^2.

● **4** Die Schülervertretung plant eine 50 cm breite Sitzbank um einen Eichenbaum im Schulhof. Der Baum ist zum Schutz von einem kreisrunden Stahlband (u = 4,40 m) umgeben. Berechne die Größe der Sitzfläche. [T2]

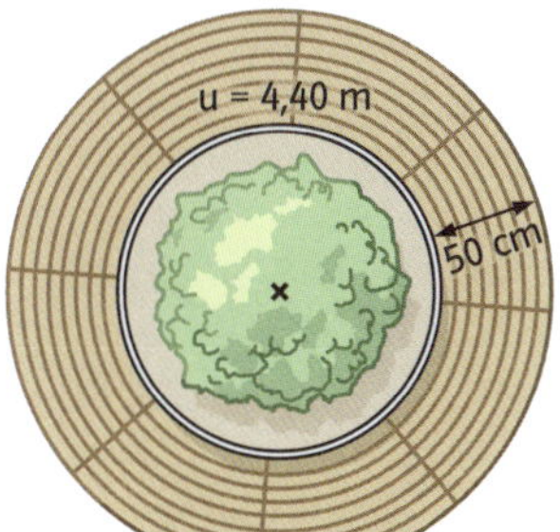

Die Sitzbank ist etwa ______ m^2 groß.

[T2] Berechne mithilfe des Umfangs den Durchmesser des runden Stahlbandes.

[T1] 1 ha = 10000 m^2

○ **1** Berechne den Flächeninhalt der gefärbten Figur.

a)

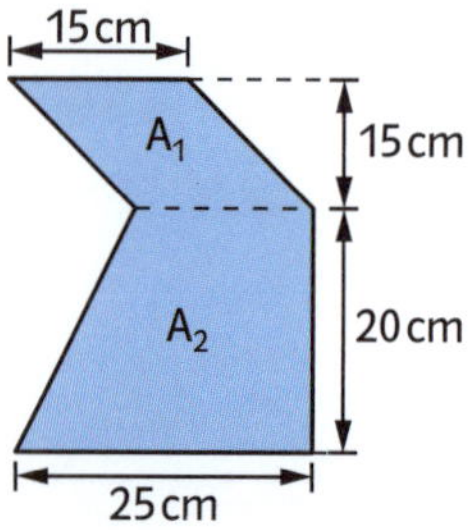

A = +

b)

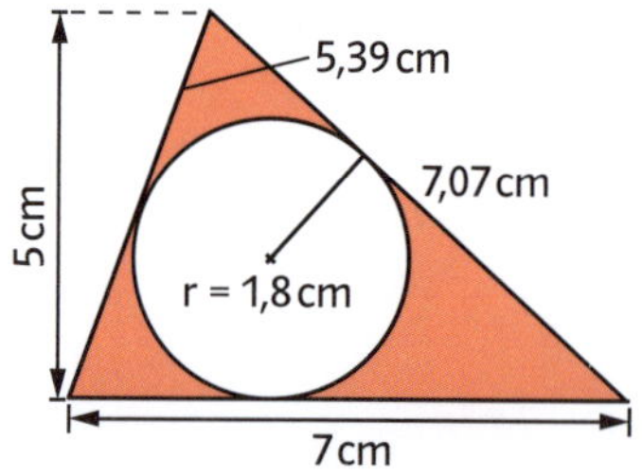

○ **2** Anna und Leo berechnen den Flächeninhalt der Trennwand unterschiedlich. Rechne beide Rechenwege zu Ende.

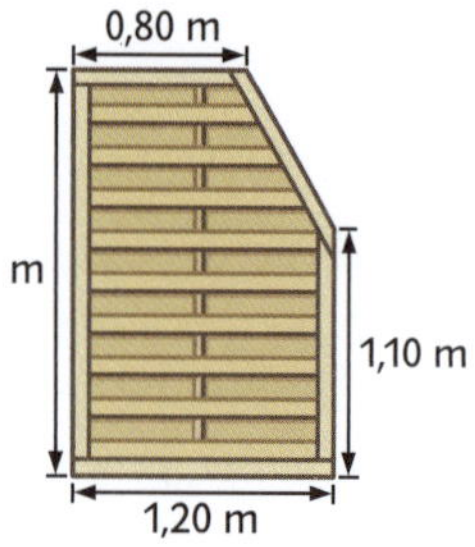

$A = A_1 + A_2$

$A = A_1 - A_2$

○ **3** Berechne den Flächeninhalt des Pfeils.

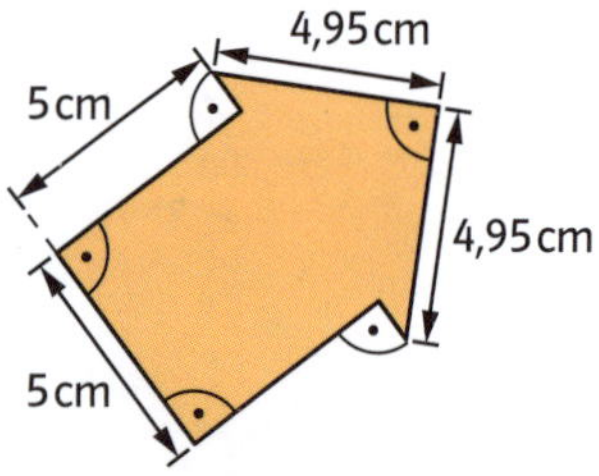

○ **4** Berechne den Flächeninhalt und den Umfang des achteckigen Tisches. Ergänze zuerst die Zerlegung in Teilflächen.

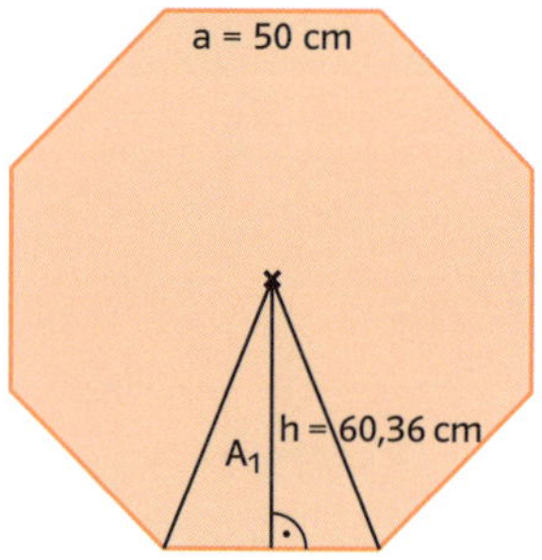

$A = \quad \cdot A_1$

Der Flächeninhalt beträgt ______ cm² = ______ m².

Der Umfang beträgt ______ cm = ______ m.

◒ **2** An einem Ortseingang befindet sich ein Willkommensschild aus Edelrost. Berechne den Flächeninhalt des Schildes. Der Flächeninhalt besteht aus ______ Teilflächen.

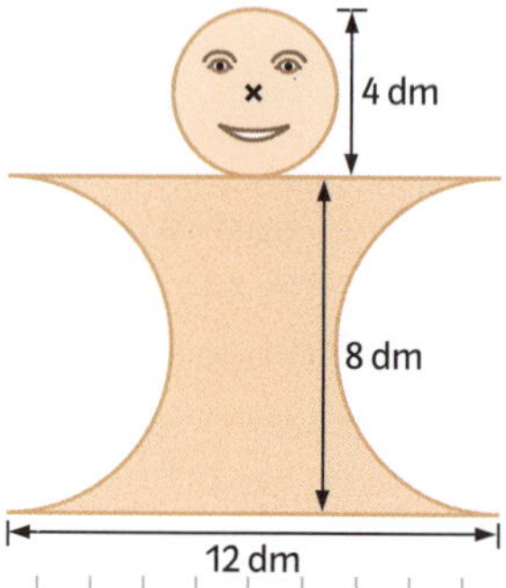

A =

Der Flächeninhalt beträgt ______ dm².

● **3** Die Giebelseite eines Hallenbades wird neu gestrichen. Berechne die Fläche des Logos.

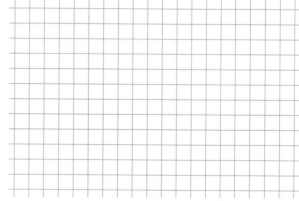

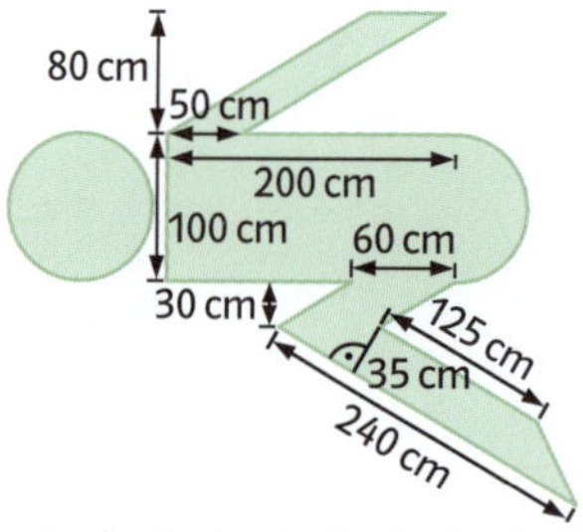

Der Flächeninhalt des Logos beträgt etwa ______ m².

○ **1** Zeichne die drei gegebenen Punkte in das Koordinatensystem. Verbinde sie zu einem Dreieck. Berechne den Flächeninhalt und den Umfang des Dreiecks. Entnimm der Zeichnung die nötigen Maße.

a) A(0 | 0), B(2 | 0), C(1 | 2)

$A = \frac{1}{2} \cdot$ c · ___

= ___

A = ___ cm²

u = ___

= ___

u = ___ cm

b) D(3 | 2), E(3 | 0), F(7 | 1)

$A = \frac{1}{2} \cdot$ f · ___

= ___

A = ___ cm²

u = ___

= ___

u = ___ cm

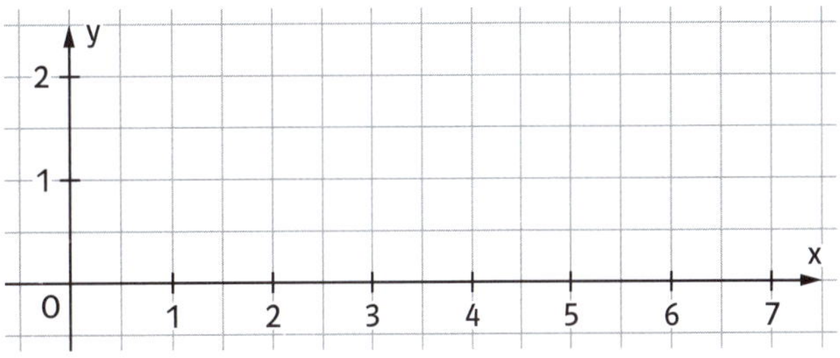

○ **2** Zeichne beide Höhen des Parallelogramms ein. Berechne den Flächeninhalt auf zwei verschiedene Arten. Bestimme auch den Umfang des Parallelogramms. Entnimm der Zeichnung die nötigen Maße.

A = a · ___

= ___

A = ___ cm²

A = b · ___

= ___

A = ___ cm²

u = ___

u = ___ cm

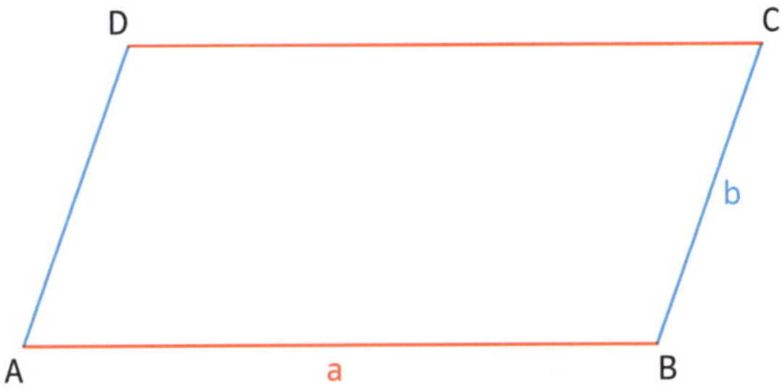

○ **3** Berechne den Flächeninhalt und den Umfang des Trapezes. Entnimm der Zeichnung die nötigen Maße.

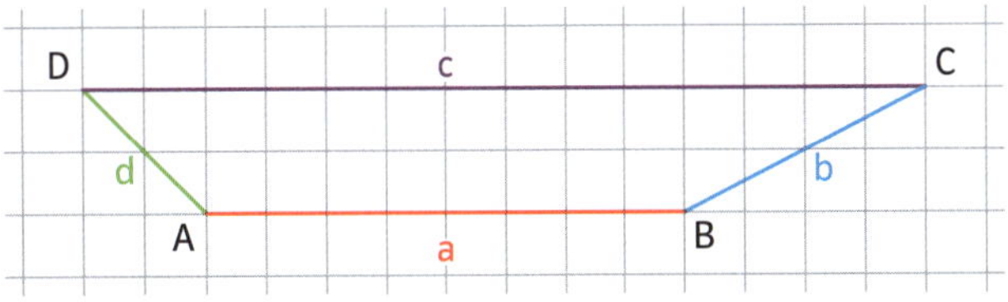

○ **4** Berechne den Umfang und den Flächeninhalt.

a)

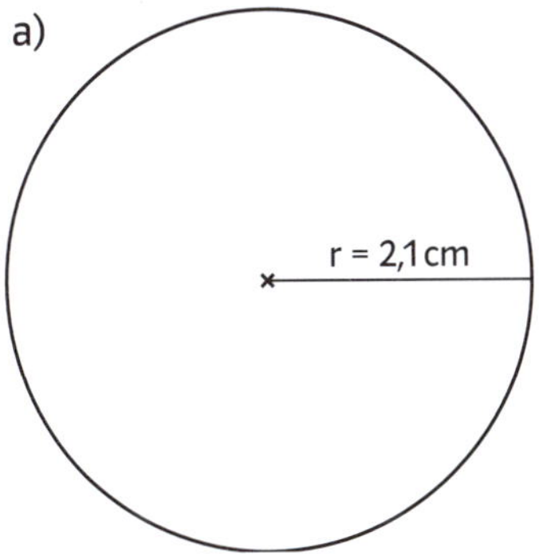

b)

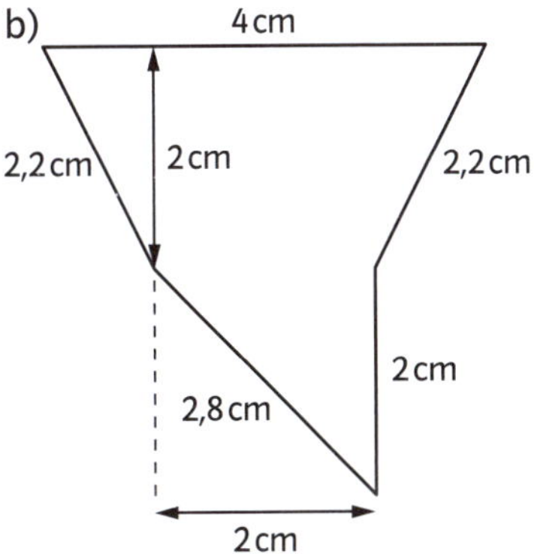

c)

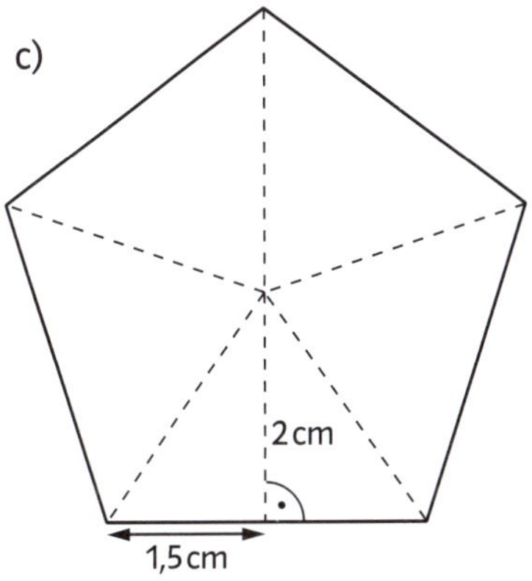

5 Die Eckpunkte eines Vielecks sind gegeben. Berechne den Flächeninhalt und den Umfang des Vielecks. Miss die benötigten Längen.
A(−3 | −1), B(−2 | −2), C(3 | −2), D(2 | 1), E(−2 | 1) und F(−3 | 2)

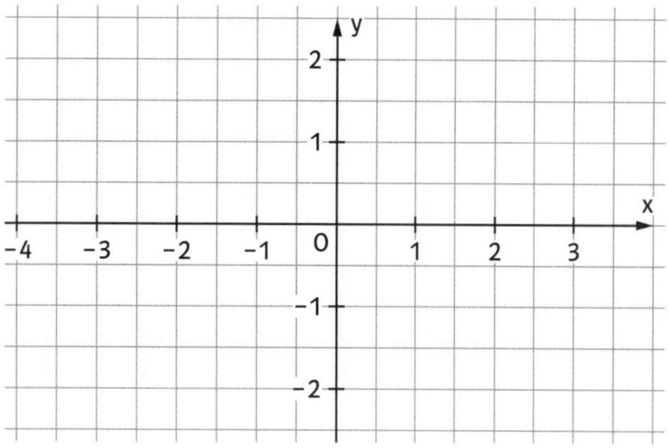

6 Der abgebildete Besprechungstisch (Maßstab 1 : 100) für ein Großraumbüro soll neu lackiert werden. Eine Dose Lack kostet 7,50 € und reicht für 2,5 m². Der Rand des Tisches wird anschließend mit einer Metallschiene verkleidet. Sie kostet 15 € pro Meter. Berechne die Gesamtkosten.

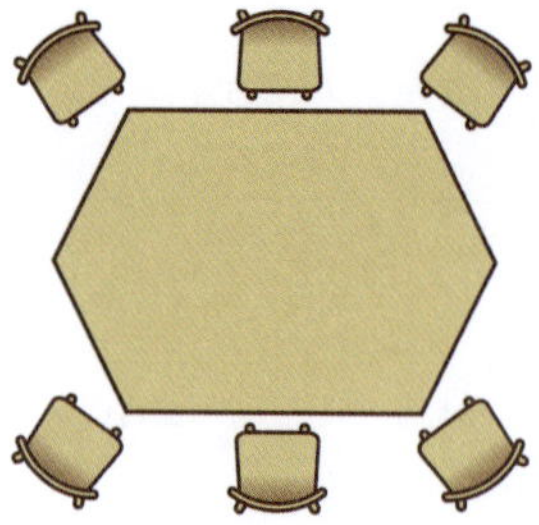

Die Gesamtkosten betragen ______ €.

7 Aus einer quadratischen Edelstahlplatte wird ein Muster gestanzt.

a) Berechne den Flächeninhalt der gefärbten Figur.

b) Berechne den Abfall in %.

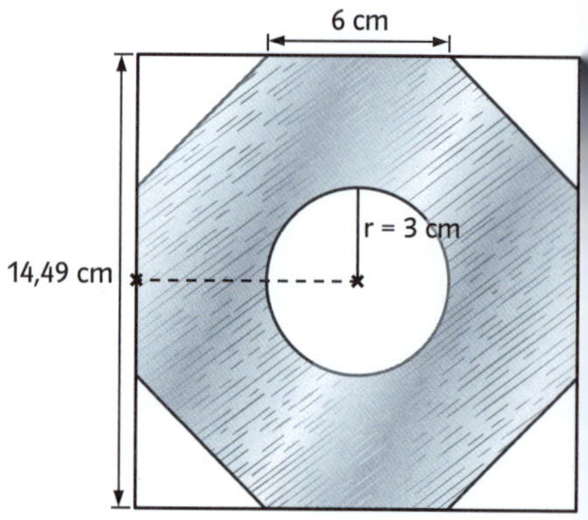

Der Flächeninhalt der gefärbten Figur beträgt ______ cm².

Der Abfall beträgt ______ %.

8 a) Berechne den Flächeninhalt des regelmäßigen 12-Ecks mit der Seitenlänge a = 5,42 cm.

b) Dem 12-Eck ist ein Kreis umbeschrieben mit u = 65,78 m. Berechne den Radius.

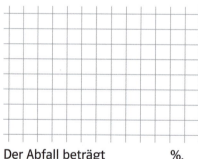

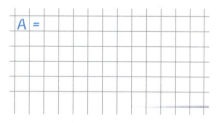

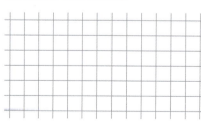

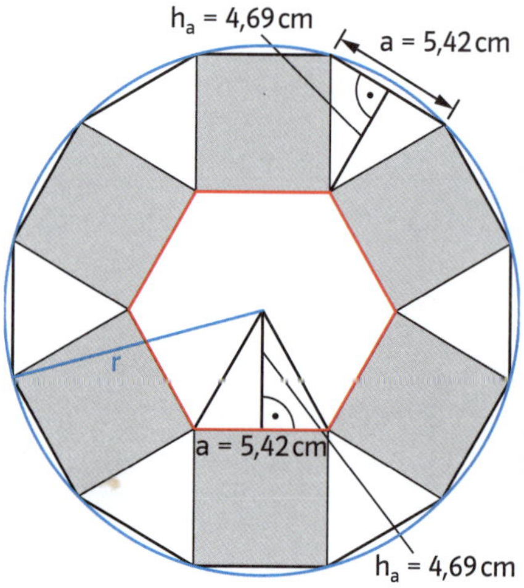

A =

Der Flächeninhalt des 12-Ecks beträgt ______ m².

Der Radius des umbeschriebenen Kreises beträgt ______ m.

○ **1** Berechne die fehlenden Werte möglichst im Kopf.

	a)	b)	c)	d)	e)	f)
G	300 €	50 g	32 t	60 km	500 €	60 m
W	30 €	35	8 t	18 km	90 €	45 m
p%	10 %	70 %	25 %	30 %	18 %	75 %

○ **2** Das Diagramm zeigt die Verteilung der 768 Mitglieder des Sportvereins SV Altstadt.

a) Berechne den Prozentsatz der anderen Abteilungen.

b) Die Tennisabteilung hat 192 Mitglieder.
Gesucht: ☐ G ☒ W ☐ p%

c) 72 der Mitglieder der Tennisabteilung sind jünger als 18 Jahre. Das sind 37,5 %.
Gesucht: ☐ G ☐ W ☒ p%

100 % = 768
1 % 7,68

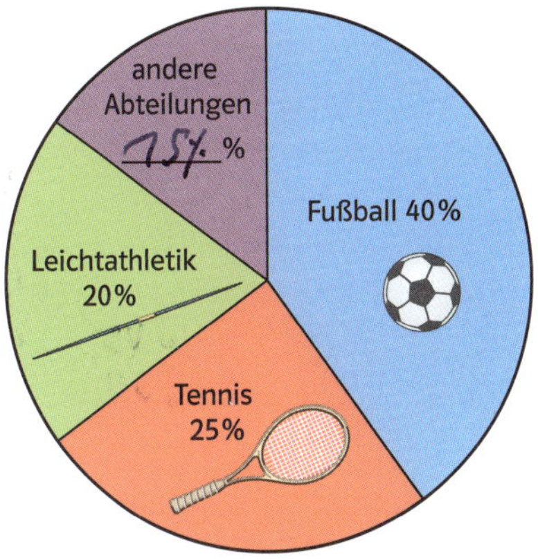

○ **3** Ein Faultier schläft täglich durchschnittlich 18 Stunden. Wie viel Prozent des Tages verschläft es?

Gesucht: ☐ G ☐ W ☐ p%

100 % = 24
1 % = 0,24
18 · 0,24

Ein Faultier verschläft ______ % des Tages.

◒ **4** Jan spart jeden Monat 12,5 % von seinen 320 € Azubi-Gehalt für den Autoführerschein. Wie viel Euro bleiben ihm übrig?

Gesucht: ☐ G ☐ W ☐ p%

Jan hat jeden Monat ______ € übrig.

◒ **3** 2015 konnten etwa 7,5 % der 79,8 Mio. Einwohner Deutschlands nicht lesen und schreiben.
Es gab 2015 etwa ______ Analphabeten in Deutschland.

● **4** Nach einem Sommerfest wurden alle Beteiligten gefragt, wie zufrieden sie waren. Ergänze die Tabelle und erstelle ein Kreisdiagramm. [T1]

	☺	😐	☹	gesamt
Anzahl	378	126	216	
Prozentsatz		17,5 %		
Winkel im Kreisdiagramm				

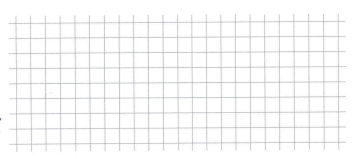

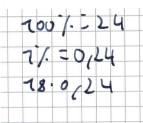

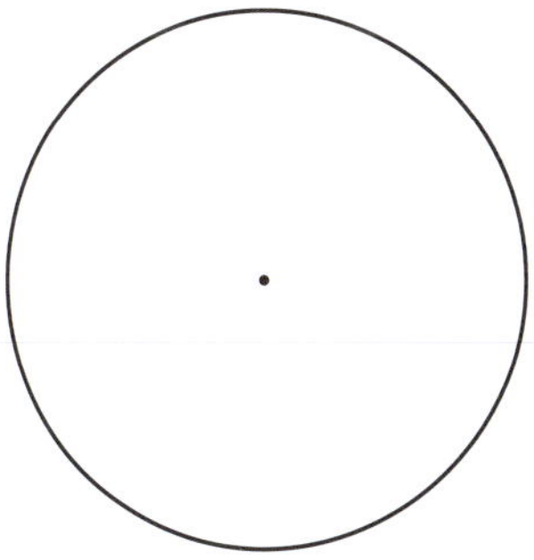

[T1] Berechne zuerst die Gesamtzahl der befragten Personen.

○ **1** Welche Angaben gehören zusammen? Verbinde mit dem entsprechenden Prozentfaktor.

+2%	vermindert um 2%	vermindert um 8%	vermehrt um 20%	vermehrt um 8%	−20%

·0,98	·0,92	·1,02	·1,08	·0,8	·1,2

○ **2** Berechne die fehlenden Werte.
Trage sie in die Tabelle ein.

alter Wert in €	500 €	800 €	60 €	2500 €
Veränderung in %	+10%	+35%	−20%	−8%
veränderter Prozentsatz	110%	135%	80%	92%
Prozentfaktor	·1,1	1,35	0,8	0,92
neuer Wert in €	~~565~~ 550	1080	48	2300

○ **3** Rechne am Pfeilbild.

a) 250 € vermehrt um 30%

250 € —(1,3)→ 325 €

b) 900 € vermindert um 25%

900 € —(0,75)→ 675 €

○ **4** Berechne die neuen Preise.

a)

Preis: 40 000 €
+19% MWSt.

40,000 · 1,19

neuer Preis: 47 600 €

b)

Preis: 18 000 €
−3% bei Barzahlung

18,000 · 0,97

neuer Preis: 17 460 €

◒ **5** a) Durch den Rabatt spart Mara 38,70 € beim Kauf von Sportschuhen.

30%

Die Schuhe kosteten vorher 129 € und nun nur noch 90,30 €.

b) Maras Bruder Torben hat in demselben Geschäft für eine Jeans 68,60 € bezahlt.

Die Jeans kostete vorher 99 €.

◒ **4** Mateus spart für ein Mountain-Bike. Er hat schon 60% zusammen. Die noch fehlenden 198 € hofft er, an seinem Geburtstag zu bekommen.

Das Mountain-Bike kostet 495 €.

Mateus hat schon 297 € gespart.

◒ **5** Anlässlich der Aktion „Sie bekommen die Mehrwertsteuer geschenkt", möchte Tom ein neues Mobiltelefon, das vorher 499 € gekostet hat, kaufen.
Was meinst du? **Begründe**.

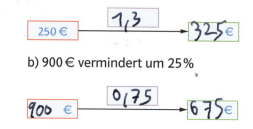

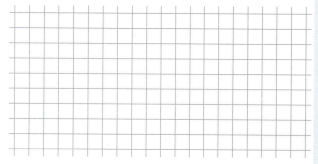

499 · 0,19 = 94,81
499 − 94,81 = 404,19
Also muss ich
404,19 € bezahlen.

Tom hat ☐ recht. ☑ nicht recht.

○ **1** Berechne die **Jahreszinsen** im Kopf.

a) Kapital: 3000 €; Zinssatz: 1 %
Zinsen: ______ €

b) Kapital: 1200 €; Zinssatz: 2 %
Zinsen: ______ €

c) Kapital: 500 €; Zinssatz: 3 %
Zinsen: ______ €

○ **2** Berechne den **Zinssatz**.

a) K = 800 €; Z = 12 €

Z = K · p %

b) K = 1250 €; Z = 31,25 €

c) K = 2870 €; Z = 51,66 €

○ **3** Berechne das **Kapital**.

Z = 187,50 €
p % = 3,75 %
K = ______ €

Z = 67,50 €
p % = 2,7 %
K = ______ €

○ **4** Tabea hat 2750 € auf ihrem Sparbuch. Die Bank bietet ihr einen Zinssatz von 1,8 %. Wie viel Zinsen erhält sie in einem Jahr?

Gesucht: ☐ K ☐ Z ☐ p %

Tabea erhält ______ € Jahreszinsen.

◒ **5** Fynn hat vor einem Jahr 350 € auf sein Sparbuch eingezahlt. Jetzt sind 354,20 € auf dem Konto.

Gesucht: ☐ K ☐ Z ☐ p %

Der Zinssatz betrug ______ %.

◒ **6** Herr Kiem leiht sich für ein Jahr 2800 € zu einem Zinssatz von 2,25 % von der Bank. Die Bank verlangt außerdem eine Bearbeitungsgebühr von 0,5 % des Kreditbetrages. Nach einem Jahr muss

Herr Kiem insgesamt ______ € zurückzahlen.

◒ **4** Lara möchte ein neues Handy zu 499 € kaufen. Auf ihrem Sparbuch hat sie noch 500 € die mit 2 % verzinst werden.

Elektronikmarkt:
Kaufe sofort.
Zahle erst in einem Jahr 520 €.

Kreuze an, was günstiger ist.

☐ Lara sollte das Handy gleich bezahlen.
☐ Lara sollte das Angebot des Fachmarktes nutzen.

● **5** Bei einem Zinssatz von 1,5% erhält Jule 27 € Jahreszinsen, die dem Konto gutgeschrieben werden.

Jule hat ______ € auf ihrem Konto.

Wenn sie kein Geld abbucht und der Zinssatz bleibt, hat sie nach einem weiteren Jahr ______ € auf ihrem Konto.

○ **1** Für ein Kapital von 36 000 € betragen die Jahreszinsen 540 €. Für die angegebenen Zeiträume fallen anteilig Zinsen an. Verbinde oder markiere zusammengehörende Kärtchen.

237 €	158 Tage	135 €	5 Tage	315 €
3 Monate	472,50 €	7 Monate	7,50 €	315 Tage

○ **2** Berechne zuerst die Jahreszinsen. Berechne dann die Zinsen für den angegebenen Zeitraum.

Kapital	Zinssatz	Jahreszinsen in €	Zeitraum	Zinsen für angegebenen Zeitraum in €
600 €	2 %	Z = K · p % =	1 Monat	
20 000 €	1,2 %		7 Monate	
900 €	16 %		1 Tag	
5000 €	0,8 %		252 Tage	

○ **3** Herr Klein überzieht sein Konto um 2650 €. Für Überziehungszinsen verlangt die Bank einen Zinssatz von 14 %.
Jahreszinsen: ________ €

Zinsen für 8 Monate: ________ Z = ________ €

Zinsen für 84 Tage: ________ Z = ________ €

◒ **4** Bei welchem Zinssatz erhält man für ein Kapital von 5000 € in 3 Monaten 20 € Zinsen?
Bei einem Zinssatz von ________ %.

◒ **5** Frau Groß hat ihr Konto überzogen. Ergänze das Datum für den neuen Kontostand.

Kontostand am 10.06.2017	– 8 400 €
Zinsen (12 % für Dispositionskredit)	– 56 €
Kontostand am ________________	– 8 456 €

$Z = K \cdot p\% \cdot \frac{t}{360}$

◒ **3** Frau Kern erhält für 10 Monate 1260 € Zinsen für ein Kapital, das mit 1,4 % verzinst wird. Berechne das angelegte Kapital mit der Formel $Z = K \cdot p\% \cdot \frac{m}{12}$.

Frau Kern hat ____________ € angelegt.

● **4** Herr Reins möchte einen Kredit über 10 000 € für 9 Monate. Er hat dafür 3 Angebote eingeholt [T1]:

A	B	C
Kredit über **10 000 €** für nur 6,75 %	Täglich nur **1,99 € Zinsen** für einen Kredit **bis 10 000 €**	Kredit über **10 000 €** für nur 0,6 % pro Monat

Für welche Bank sollte er sich entscheiden?
☐ Bank A ☐ Bank B ☐ Bank C

[T1] Berechne für jedes Angebot die Kosten, die zusätzlich zu den 10 000 € anfallen.

○ **1** Leonie legt 15 000 € für 3 Jahre zu einem Zinssatz von 1,4 % an. Berechne das Kapital nach 3 Jahren.

Jahr	Kapital Anfang des Jahres in €	Zinsen in € (Z = K · p %)	Kapital Ende des Jahres in €
1	15 000	15 000 · ______ = ______	
2			
3			

○ **2** Noah schließt einen Ratensparvertrag über 3 Jahre zu einem Zinssatz von 0,75 % ab. Die jährliche Rate von 800 € bezahlt er zu Beginn des Jahres. Berechne sein Kapital nach 3 Jahren.

Jahr	Kapital Anfang des Jahres in €	Zinsen in €	Kapital Ende des Jahres in €
1	800		
2			
3			

○ **3** Anfang des Jahres zahlt Herr Kiefer jeweils 1500 € in einen Ratensparvertrag ein. Die Bank gewährt ihm für 3 Jahre einen Zinssatz von 1,3 %. Ergänze.

Jahr	Kapital Anfang des Jahres in €	Zinsen in €	Kapital Ende des Jahres in €
1	1500		
2			
3			

◒ **4** Ron legt 1300 € in einem Zuwachssparvertrag an. Sein Kapital Ende des 4. Jahres beträgt

______.

Zuwachssparen
1. Jahr: 0,5 %
2. Jahr: 0,8 %
3. Jahr: 1,2 %
4. Jahr: 1,5 %

Insgesamt hat Ron ______ € Zinsen erhalten.

Sein Kapital hat sich um ______ % erhöht.

◒ **3** Frau Krause legt 5000 € für vier Jahre an. Sie muss sich zwischen zwei Sparformen entscheiden. Um eine bessere Übersicht zu erhalten, stellt sie die Wertentwicklung in Tabellen dar. Fülle sie aus.

a) Zinssatz: 2,5 %; die Zinsen werden mit verzinst.

Jahr	Kapital Anfang des Jahres in €	Zinsen in €	Kapital Ende des Jahres in €
1	5000,00	125,00	5125,00
2			

Insgesamt würden ______ € Zinsen erzielt, das sind ______ % des Kapitals.

b) Zinssatz: 2,55 %; Zinsen werden jährlich ausgezahlt.

Jahr	Kapital Anfang des Jahres in €	Zinsen in €	Kapital Ende des Jahres in €
1	5000,00		
2	5000,00		

Insgesamt würden ______ € Zinsen erzielt, das sind ______ % des Kapitals.

Frau Kuhn sollte sich für Sparform ___ entscheiden.

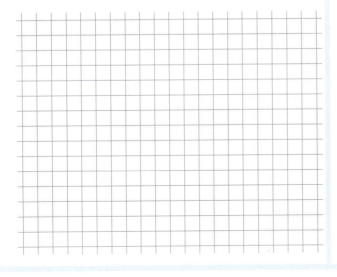

○ **1** Das Ergebnis einer Umfrage „Frühstückst du morgens?“ wurde im Säulendiagramm dargestellt.

a) 54 Personen entsprechen ____ %.

Gesucht: ☐ G ☐ W ☐ p%

Insgesamt wurden ____ Personen befragt.

b) Wie viele der Befragten frühstücken nie?

Gesucht: ☐ G ☐ W ☐ p%

____ Befragte frühstücken nie.

c) 48 der Befragten waren weiblich.

Gesucht: ☐ G ☐ W ☐ p%

Das waren ____ %.

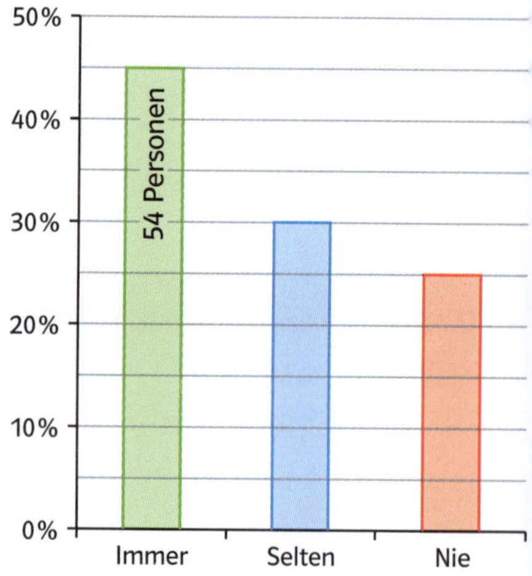

○ **2** Berechne die fehlenden Werte.

a) 500 € vermehrt um 5 %

500 € —(· 1,05)→ ____ €

750 € vermehrt um 20 %

____ € —(____)→ ____ €

b) 1250 € vermindert um 8 %

____ € —(____)→ ____ €

3000 € vermindert um 2,5 %

____ € —(____)→ ____ €

c) 927 € entsprechen 103 %

____ € ←(____)— 927 €

4998 € entsprechen 119 %

____ € ←(____)— ____ €

○ **3** Berechne den fehlenden Wert.

a) K = 700 €; p% = 3 %; Z = ____ €

b) K = 300 €; p% = ____ %; Z = 7,50 €

c) K = ____ €; p% = 1,5 %; Z = 9 €

○ **4** 400 € werden zu 2,25 % verzinst.

Jahreszinsen: ____ €

Zinsen für 12 Tage: ____ €

Zinsen für 11 Monate: ____ €

○ **5** Frau Kiefer legt 3000 € zu 1,2 % an. In drei Jahren möchte sie das Geld ihrer Enkelin Lea zum 18. Geburtstag für ein Auto schenken. Wie viel Geld erhält Lea?

Jahr	Kapital Anfang des Jahres in €	Zinsen in €	Kapital Ende des Jahres in €
1	3000		
2			
3			

○ **6** Saskia zahlt jährlich zu Beginn des Jahres 600 € auf ein Ratensparkonto ein, das mit 0,9 % verzinst wird. Berechne ihr Kapital nach 3 Jahren.

Jahr	Kapital Anfang des Jahres in €	Zinsen in €	Kapital Ende des Jahres in €
1			
2	1205,40		
3			

7 Berechne die fehlende Größe. Die Lösungszahlen befinden sich auf den Kärtchen.

a) Ein Fernsehgerät wird um 70 € reduziert. Das sind 11,2 %. Preis vorher: ________ €; Preis nachher: ________ €. Zu Weihnachten wird der Fernseher nochmal um 30 % reduziert. Er wird nun für ________ € verkauft. Insgesamt wird er um ________ % billiger verkauft.

b) Nach einem Rabatt von 40 % kostet ein Mobiltelefon noch 369 €. Preis vorher: ________ €.

c) Ein Auto kostet netto 18 000 €. Hinzu kommt die Mehrwertsteuer von 19 %. Verkaufspreis: ________ €. Bei Barzahlung gewährt der Händler 3 % Skonto. Neuer Preis: ________ €.

d) 900 € werden zu einem Zinssatz von 1,25 % angelegt. Für einen Zeitraum von 80 Tagen erhält man ________ € Zinsen. Für 5 Monate betragen die Zinsen ________ €.

388,5 | 625 | 2,50 | 20 777,40

555 | 615 | 5,18 | 4,69 | 21 420 | 37,84

8 Herr Münz hat 2 Angebote eingeholt, um 5000 € für 3 Jahre anzulegen.
Für welches Angebot sollte er sich entscheiden?
Fülle die Lücken.

Angebot A
gleichbleibender Zinssatz von 1,2 % für 3 Jahre

Angebot B
1. Jahr: Zinssatz 0,8 %
2. Jahr: Zinssatz 1,3 %
3. Jahr: Zinssatz 1,6 %

A	Kapital Anfang des Jahres in €	Zinsen in €	Kapital Ende des Jahres in €
1			
2			
3			

B	Kapital Anfang des Jahres in €	Zinsen in €	Kapital Ende des Jahres in €
1			
2			
3			

Bei Angebot A erhält Herr Münz insgesamt ________ € Zinsen, bei Angebot B sind es ________ € Zinsen.

Er sollte sich also für ☐ Angebot A ☐ Angebot B entscheiden. Bei diesem Angebot wächst sein Kapital insgesamt um ________ %.

9 Herr Kurz möchte sein Dach neu eindecken lassen. Firma Hölzer bietet 24 000 € zuzüglich Mehrwertsteuer an. Herr Kurz kann noch 5 % Rabatt aushandeln. Würdest du Herrn Hölzers Angebot rechts annehmen?
Kreuze an und **begründe**. ☐ Ja ☐ Nein

Dann schlagen wir einfach 19 % – 5 % = 14 % drauf und sind bei 27 360 €.

○ **1** Kreuze die Körper an, die Prismen sind. Notiere zu den Prismen den Namen der Grundfläche und den Namen des Prismas. Färbe die Grundfläche des Prismas rot.

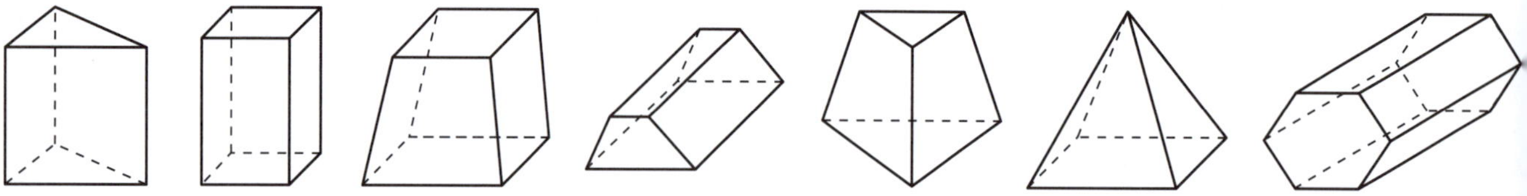

A ☒ B ☐ C ☐ D ☐ E ☐ F ☐ G ☐

Das Prisma steht auf der Grundfläche: A, ______ Das Prisma steht auf einem Mantelrechteck ______

Name der Grundfläche: A: Dreieck ______

Name des Prismas: A: Dreieckprisma ______

______

______

○ **2** Steht das Prisma auf der Grundfläche oder liegt es auf einem Mantelrechteck? Notiere auf der Schreiblinie.

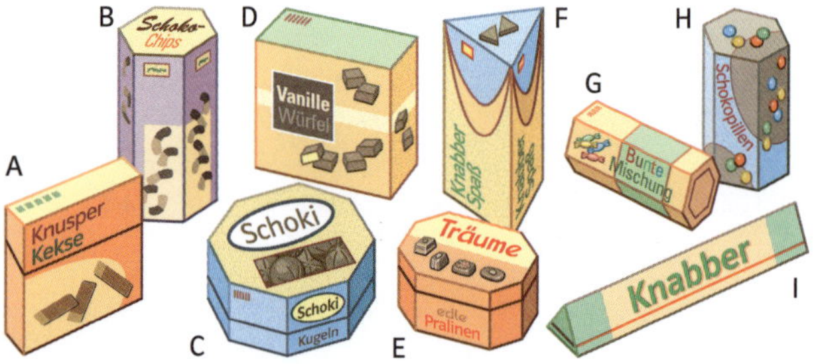

Das Prisma steht auf einem Mantelrechteck: ______

______

Das Prisma steht auf der Grundfläche: ______

______

◒ **3** Welches Prisma ist gemeint?

a) Jede Fläche des Prismas ist ein Rechteck.

Das gesuchte Prisma ist ______.

b) Alle Flächen des Prismas sind deckungsgleich.

Das gesuchte Prisma ist ______.

c) Das Prisma hat 12 Ecken.

______ besitzt 12 Ecken.

◒ **4** Zwei Schüler streiten sich: „Der Quader liegt auf der Grundfläche." „Nein, der Quader liegt auf der Mantelfläche."
Wer hat recht? **Begründe**.

______

______

______

______

______

______

◒ **3** Kreuze die richtigen Aussagen an.

☐ Besitzt die Grundfläche eines Prismas sieben Ecken, so besitzt das Prisma insgesamt doppelt so viele Ecken.

☐ Jeder Quader besitzt vier gleich große Rechtecke als Mantelrechtecke.

☐ Bei jedem Prisma gibt es mindestens zwei gleich große Flächen.

◒ **4** Welche Prismen erkennst du? **Beschreibe** die Lage der Teilprismen.

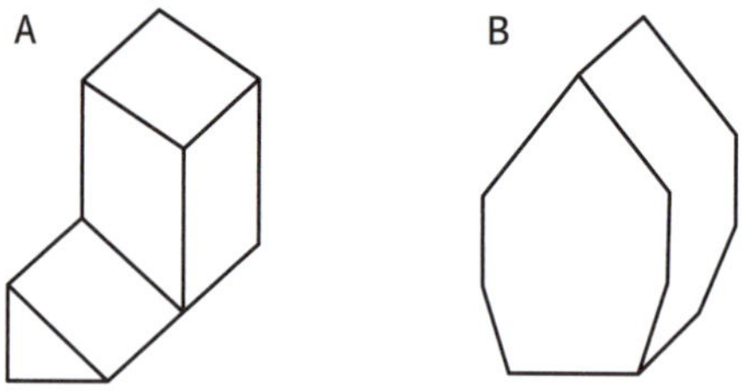

______

______

______

______

______

______

○ **1** Vervollständige das Bandnetz des Dreieckprismas.

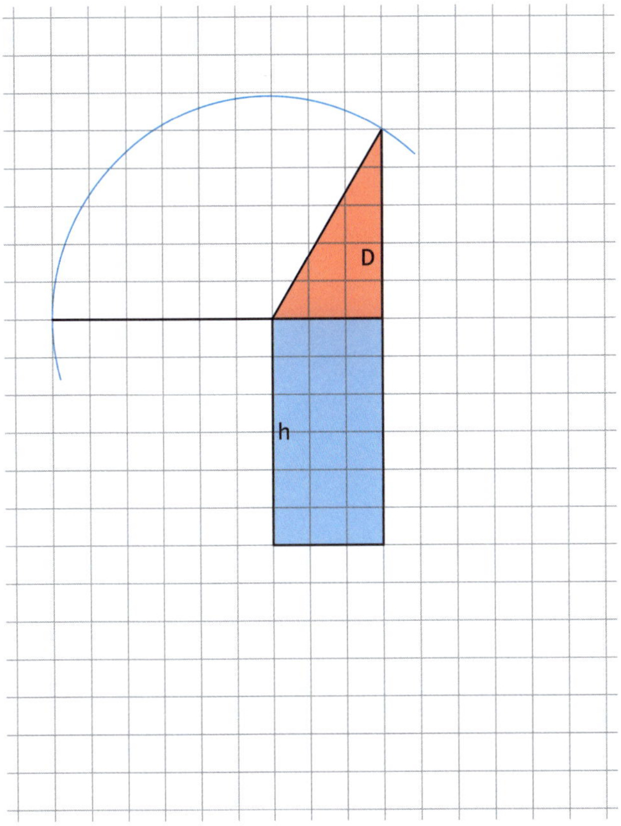

○ **2** Vervollständige das Sternnetz des Parallelogrammprismas.

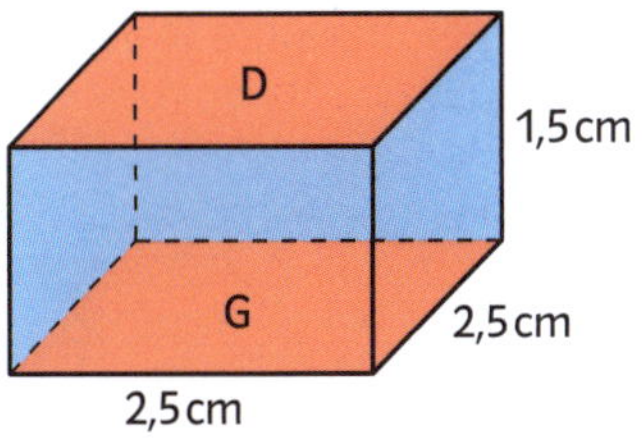

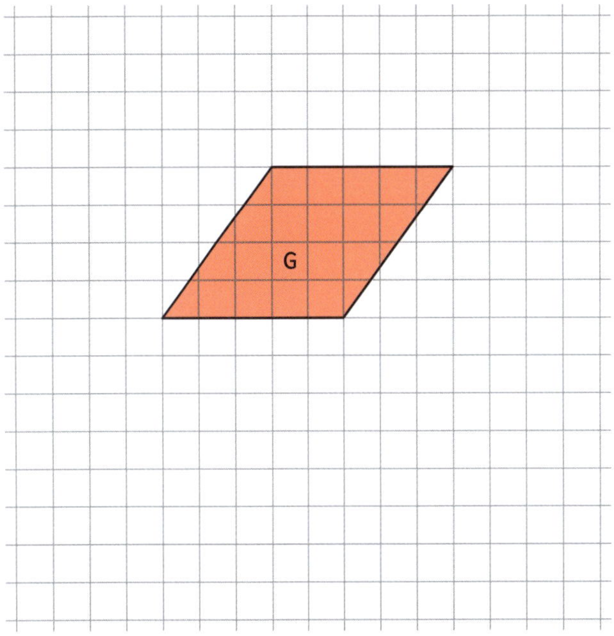

○ **3** Vervollständige das Bandnetz des Sechseckprismas.

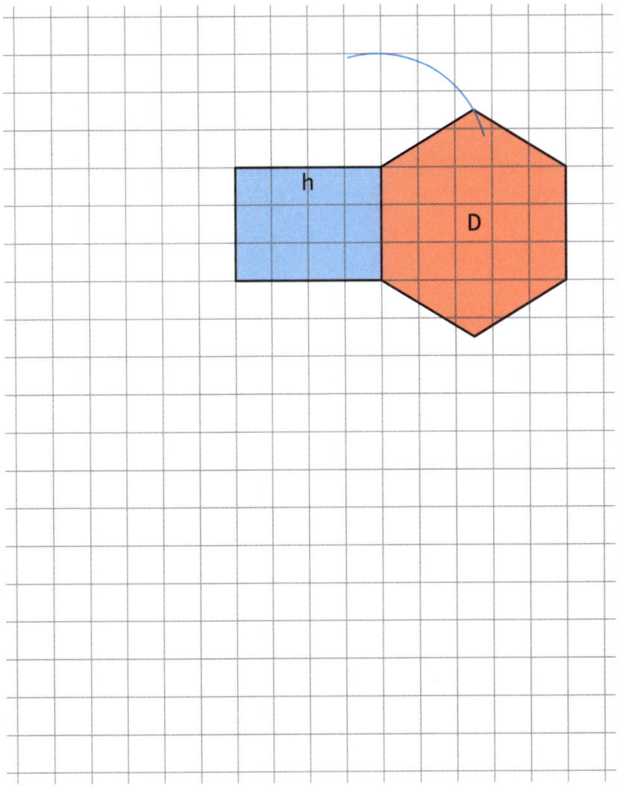

○ **3** Das Trapez ist die Grundfläche eines Prismas mit der Körperhöhe 2 cm. Zeichne das Sternnetz.

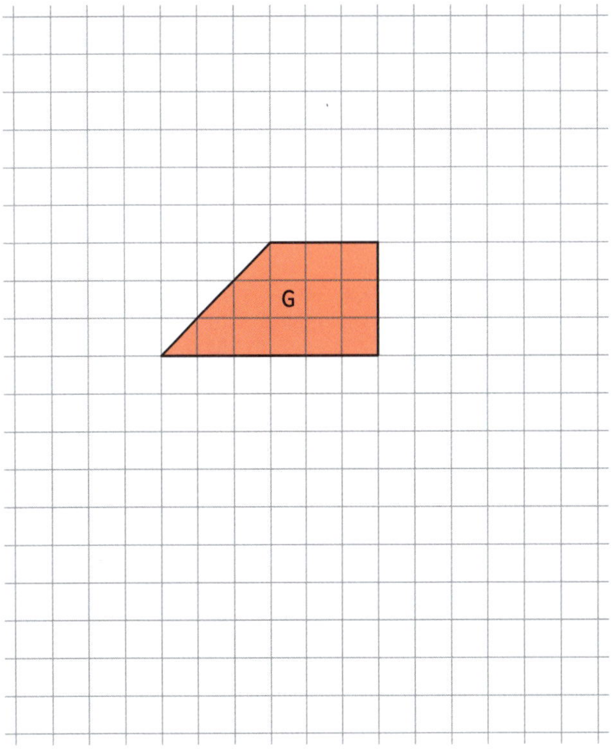

○ **1** a) Notiere die Namen der Prismen.

A ______________ B ______________ C ______________

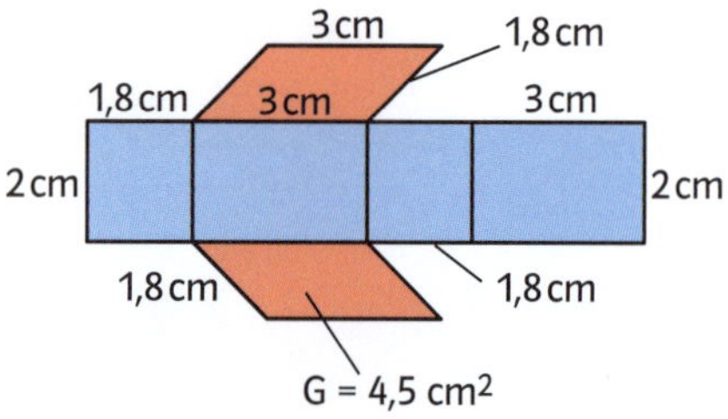

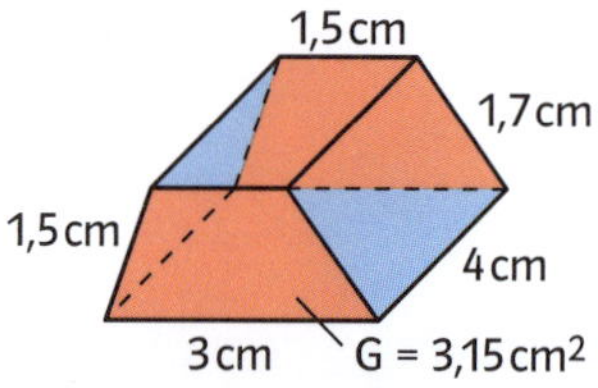

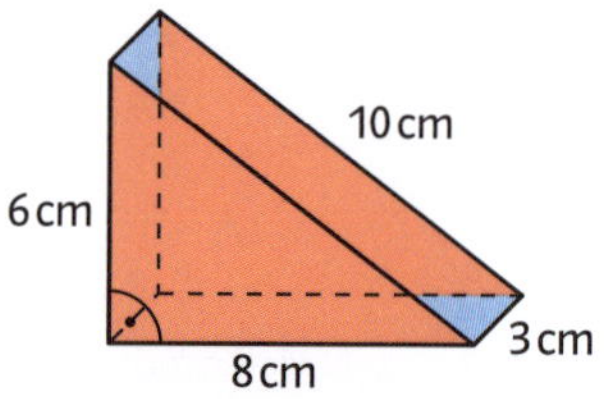

b) Berechne schrittweise den Oberflächeninhalt O des Prismas.

A:
u =
u =
u =
M = O =
M = O =
M = O =

B:
u =
u =
u =
M = O =
M = O =
M = O =

C:
G = u =
G = u =
G = u =
M = O =
M = O =
M = O =

○ **2** Berechne schrittweise den Oberflächeninhalt O des Prismas.

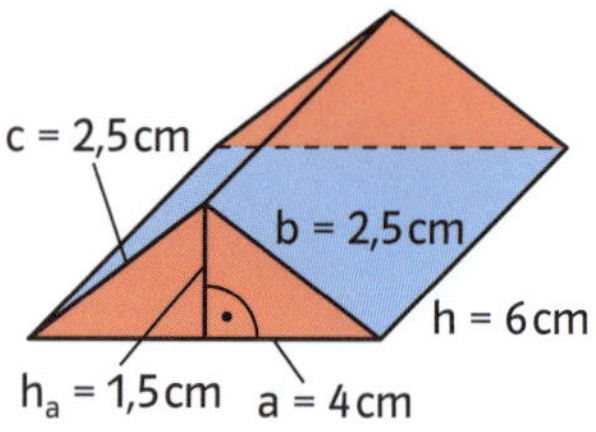

G =
G =
G =
u =
u =
u =
M = O =
M = O =
M = O =

◒ **3** Die Grundfläche eines Prismas ist ein Parallelogramm mit a = c = 3 cm; b = d = 1,8 cm und der Grundfläche G = 18 cm². Höhe des Prismas: h = 10 cm. Berechne den Oberflächeninhalt O.

u =
u =
u =
M =
M =
M =
O =
O =
O =
O =

◒ **2** Berechne den Oberflächeninhalt O des Prismas.

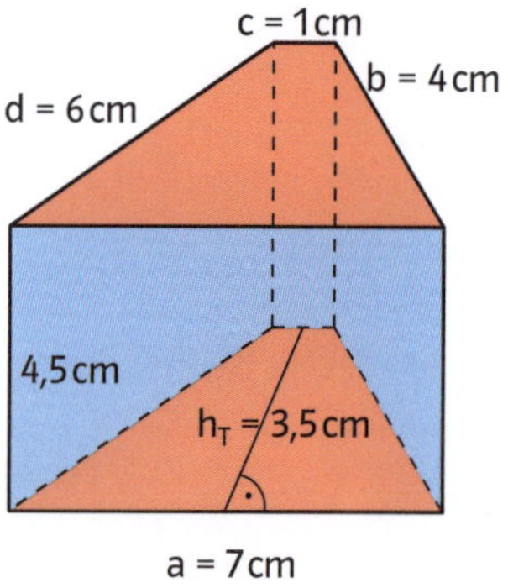

G =
G =
G =
u =
u =
u =
M = O =
M = O =
M = O =

● **3** Berechne die Oberfläche der Kuchenform.

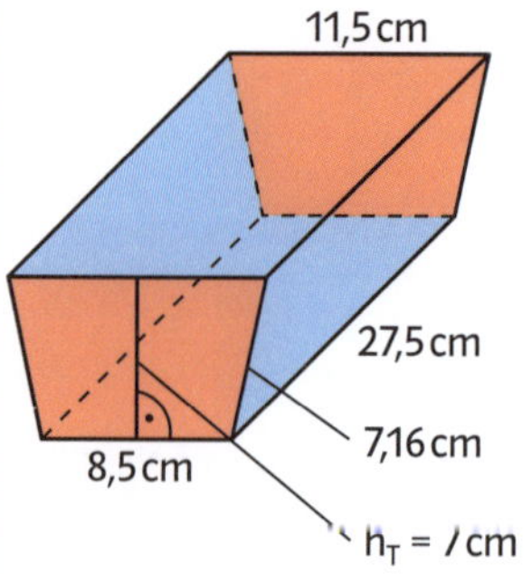

G =
G =
G =
M =
M =
M =
O =
O =
O =

○ **1** Ergänze die Figur zum Schrägbild eines Prismas, das auf einem Mantelrechteck liegt. Die Deckfläche ist bereits gezeichnet.

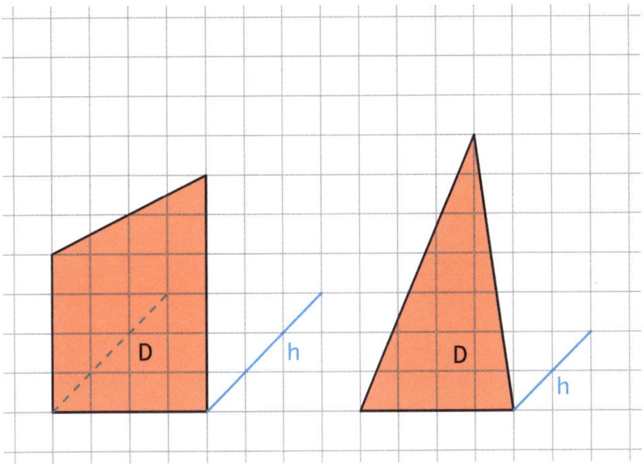

○ **2** Ergänze die Figur zum Schrägbild eines Prismas, das auf der Grundfläche steht. Die Grundfläche ist bereits im Schrägbild abgebildet.

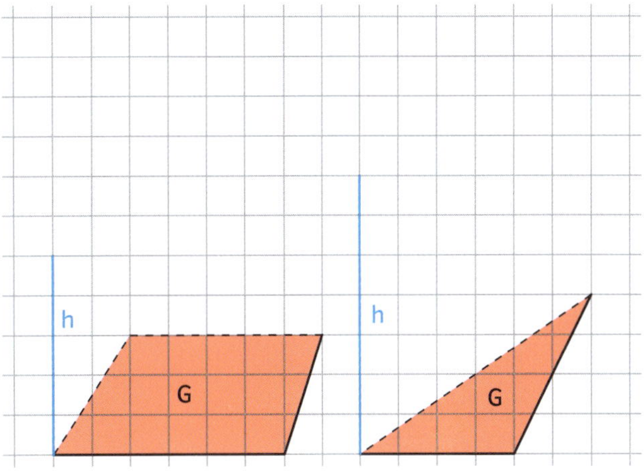

○ **3** Zeichne das Prisma im Schrägbild auf einem Mantelrechteck liegend. Die Körperhöhe beträgt h = 6 cm.

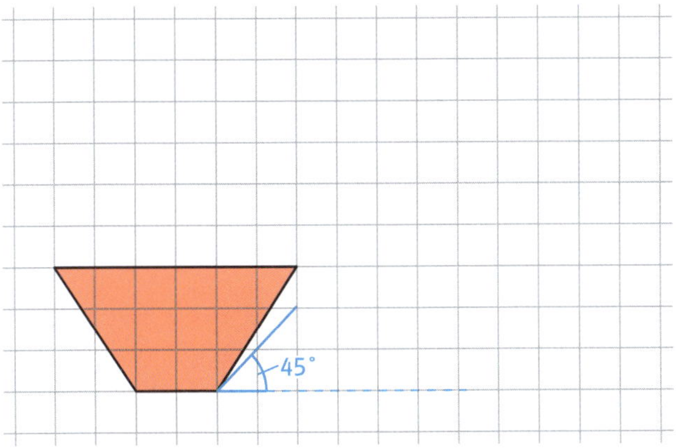

◒ **3** Zeichne das Prisma im Schrägbild auf der Grundfläche stehend. Die Körperhöhe beträgt 3 cm. Entnimm die benötigten Maße aus der Skizze.

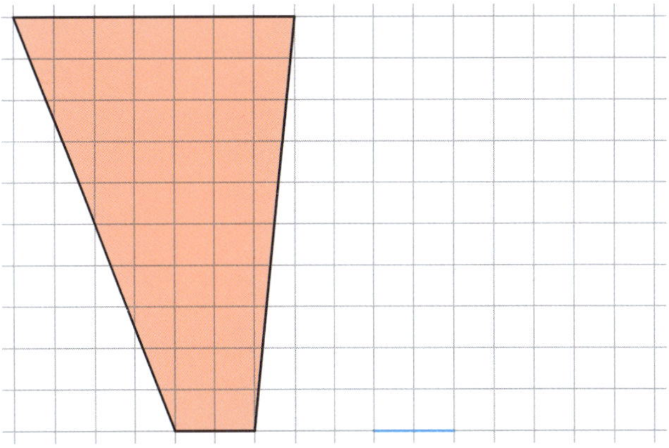

◒ **4** Beim Zeichnen der Schrägbilder des Prismas mit der Körperhöhe 2 cm sind **Fehler** gemacht worden. Ordne den passenden Fehlertext zu und zeichne das Schrägbild C des Prismas korrekt.

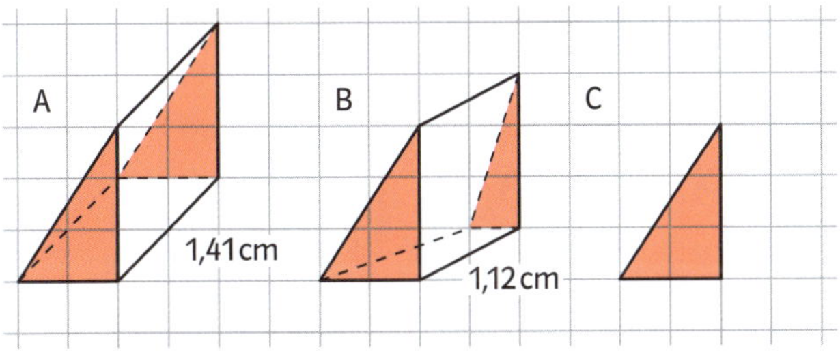

	Zur Zeichenebene senkrechte Kanten sind nicht auf die Hälfte verkürzt worden.
	Grund- und Deckfläche sind nicht deckungsgleich gezeichnet worden.
	Zur Zeichenebene senkrechte Kanten sind nicht mit 45° nach rechts oben gezeichnet worden.

● **4** Zeichne das Prisma im Schrägbild auf der Grundfläche stehend. In der technischen Zeichung sind die Maße in mm angegeben.

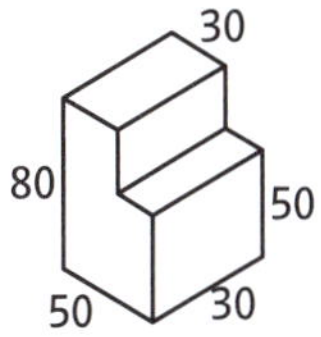

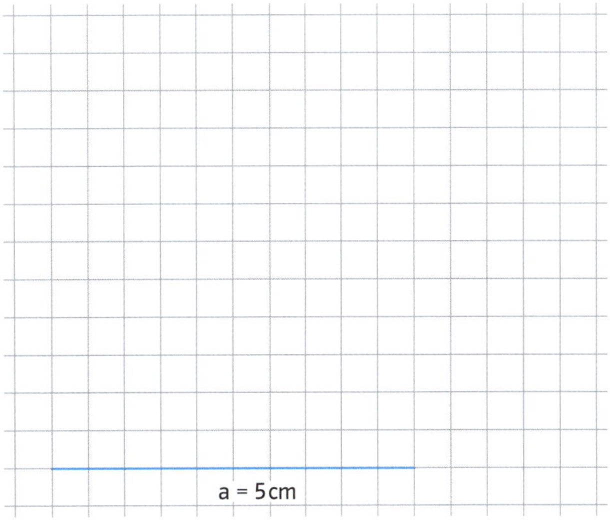

○ **1** Berechne das Volumen des Prismas.

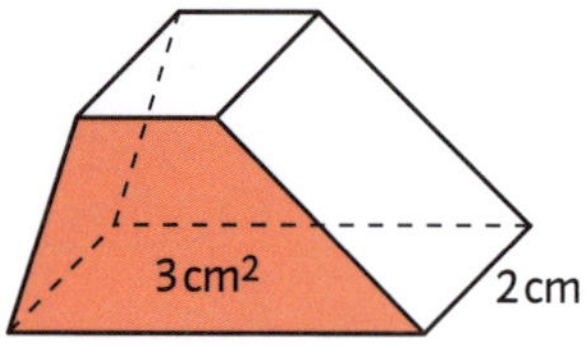

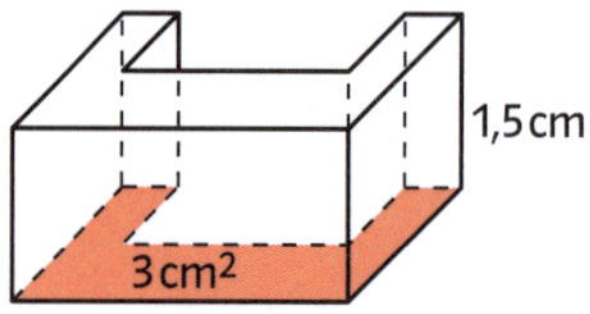

V = ____ V = ____
V = ____ V = ____
V = ____ V = ____

○ **2** Berechne den Grundflächeninhalt G und das Volumen des Prismas.

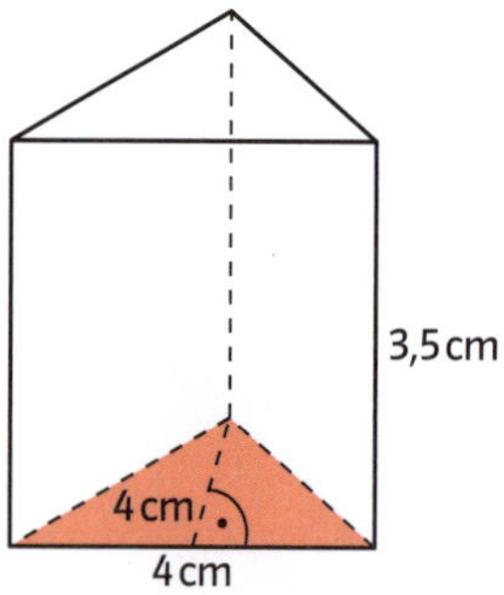

G = ____
G = ____
G = ____
V = ____
V = ____
V = ____

○ **3** Berechne den Grundflächeninhalt G und das Volumen des Prismas.

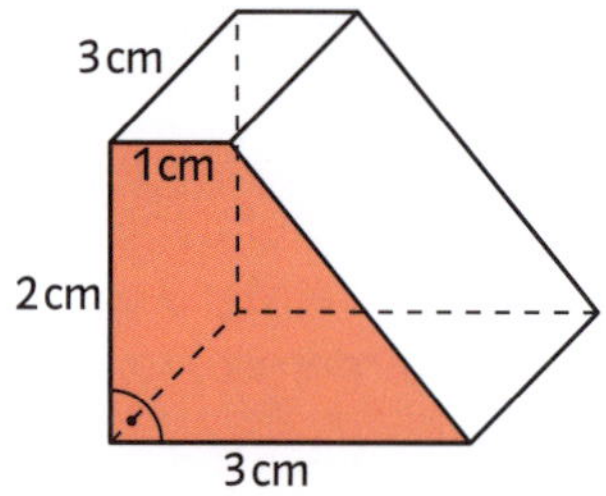

G = ____
G = ____
G = ____
V = ____
V = ____

○ **4** Von den drei Größen G, h und V sind nur zwei gegeben. Berechne die fehlende Größe.

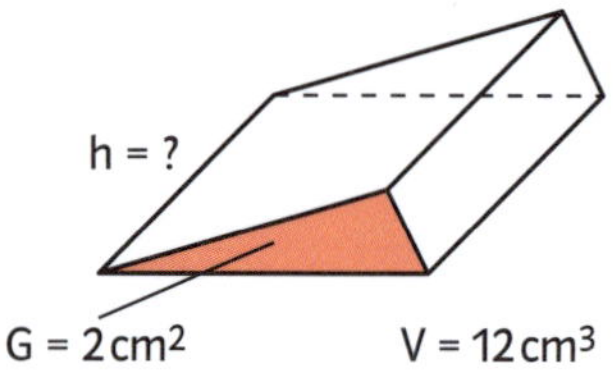

a) ____
____
h = ____

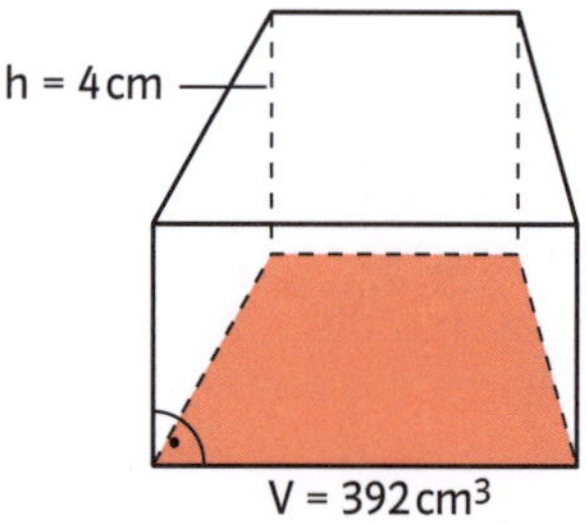

b) ____
____
G = ____

◒ **5** Der Goldschmied soll den Wert des Schmuckanhängers berechnen. 750er Gold (18 k) wiegt 15,45 g pro cm³. Der Ankaufswert liegt an diesem Tag bei 26,53 € pro Gramm [T1].

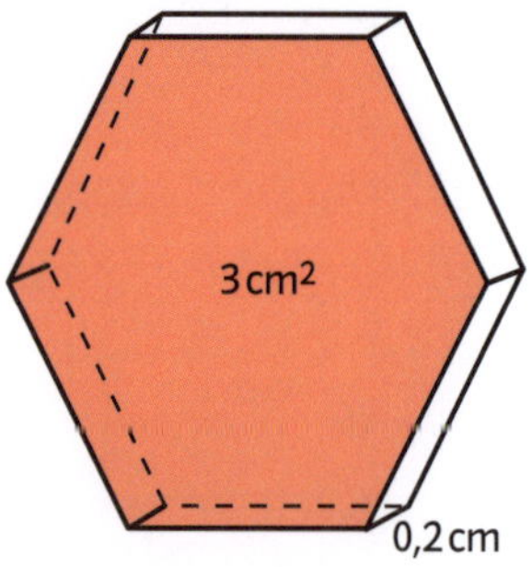

◒ **3** Berechne die fehlenden Größen des Prismas.

	a)	b)	c)
G	12 cm²	17 cm²	
h	3,5 cm		12 cm
V		119 cm³	264 cm³

● **4** Wie viel Liter Blumenerde fasst der 50 cm hohe Blumenkübel? Entnimm die Maße aus der Zeichnung. Rechne mit gerundeten Werten [T2].

Der Blumenkübel fasst ____ Liter Bumenerde.

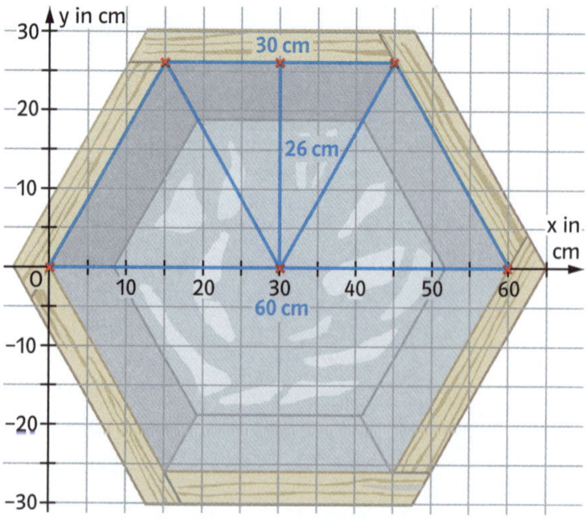

[T1] Berechne das Volumen, das Gewicht und zuletzt den Preis. [T2] 1 l = 1 dm³ = 1000 cm³

○ **1** a) Berechne den Oberflächeninhalt des Zylinders.

Grundfläche G:

G = $\pi \cdot$ ______

G = ______

G = ______ cm^2

Umfang von G

u = $2 \cdot \pi \cdot$ ______

u = ______

u = ______ cm

Mantelfläche:

M = u · ______

M = ______

M = ______ cm^2

Oberfläche:

O = 2 · ______ + ______

O = ______

O = ______ cm^2

b) Zeichne das Netz des Zylinders.

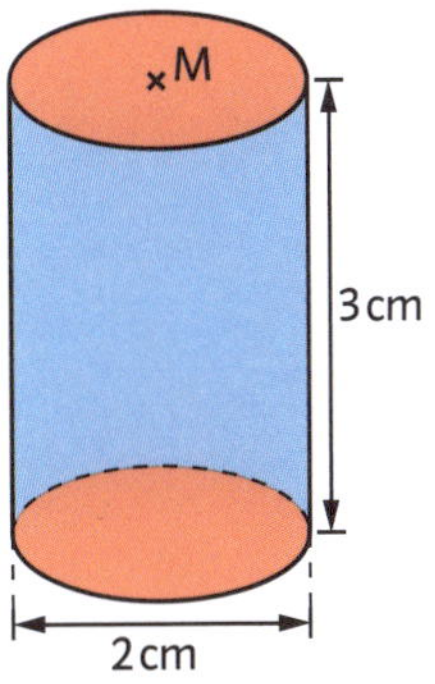

M ×

○ **2** Berechne den Oberflächeninhalt.

a) r = 4 cm; M = 150,8 cm^2

G = ______ O = ______

b) r = 5 cm; h = 8 cm

M = ______ O = ______

◒ **3** Rundballen werden 3-fach mit Folie umwickelt. Wie viel m^2 Folie werden für einen Ballen benötigt?

Es werden etwa ______ m^2 Folie je Ballen benötigt.

◒ **2** Berechne die fehlenden Werte in der Tabelle.

r	h	G	M	O
3 cm			169,6 cm^2	

◒ **3** Eine zylinderförmige Ananasdose hat die Maße h = 10 cm und d = 8,5 cm.

a) Für die Dose wurden ______ cm^2 Blech benötigt.

b) Die Dose ist mit einer Banderole aus Papier umklebt. Die Klebefalz ist 1 cm breit. Der Abstand der Banderole von der Grund- bzw. Deckfläche beträgt 2 mm. Der Flächeninhalt beträgt ______ cm^2.

○ **1** Berechne die fehlenden Werte des Zylinders.

	r	d	h	V
a)	3 cm		7 cm	
b)	4,2 cm		12 cm	
c)		8,6 cm	15 cm	

○ **2** Das Kaninchen eines Zauberers braucht mindestens 3500 cm^3 Platz. Könnte es sich im Zylinder des Magiers (d = 18 cm und h = 13 cm) verstecken?

○ **3** Berechne die Höhe des Zylinders. h = ______ cm
V = 904,78 cm^3

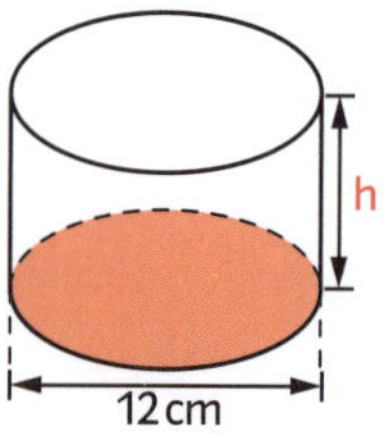

◒ **4** Ein Gartenschlauch ist 50 m lang und hat einen Innendurchmesser von 2,5 cm. Es passen etwa

______ Liter Wasser in den Schlauch. [T1]

◒ **2** Ein Gefäß hat einen Innendurchmesser von 10 cm und eine Innenhöhe von 15 cm. Beschrifte das Gefäß auf beiden Seiten. Runde auf Zehntel. [T1]

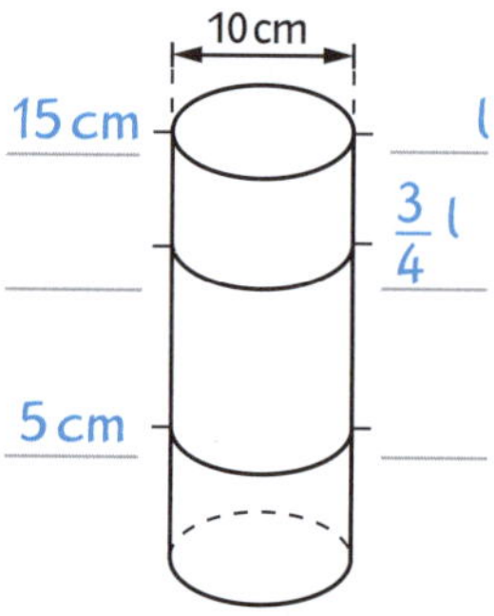

◒ **3** Zum Abstützen einer Autobahnbrücke sollen 10 Betonsäulen gefertigt werden. Jede soll eine Höhe von 3,50 m und einen Durchmesser von 1,50 m haben. Beton hat eine Dichte von 2400 kg je m^3. Der Lieferant verlangt 65 € je m^3 Beton. [T2]

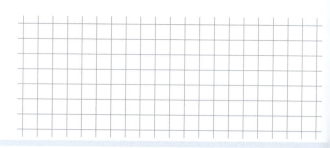

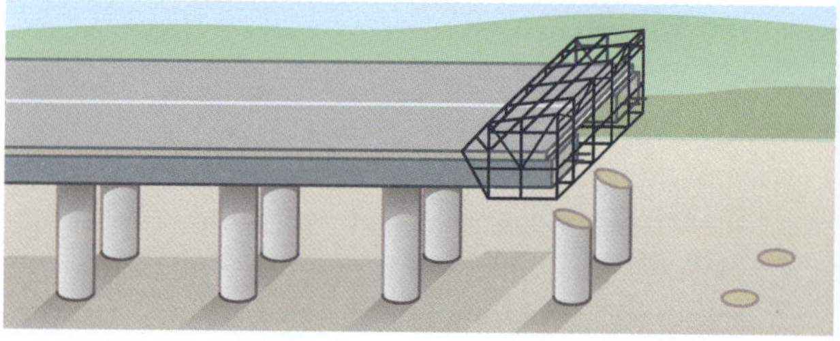

a) Es müssen rund ______ m^3 Beton bestellt werden.

b) Die Lieferung wiegt ______ kg = ______ t.

c) Der Beton kostet ______ €.

[T2] Masse (Gewicht) = Volumen · Dichte

[T1] 1000 cm^3 = 1 dm^3 = 1 l

○ **1** Der Körper besteht aus einem ____________ und einem ____________.
Berechne seinen Oberflächeninhalt.

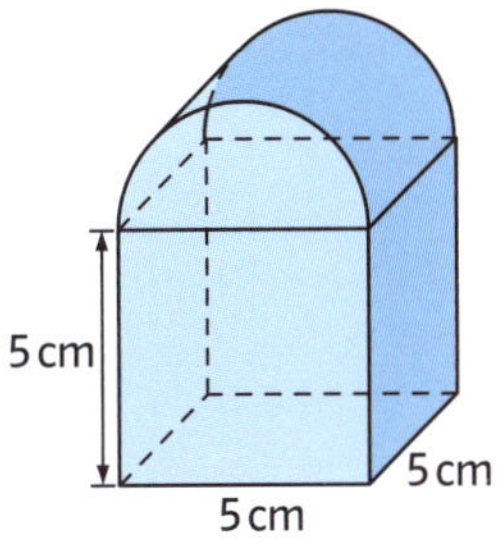

○ **2** Der Körper besteht aus einem ____________ aus dem ein ____________ ____________ herausgearbeitet wurde. Berechne sein Volumen.

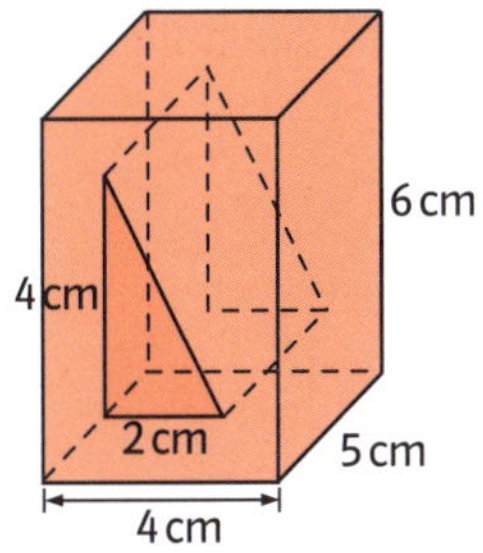

○ **3** Berechne das Volumen des Körpers.

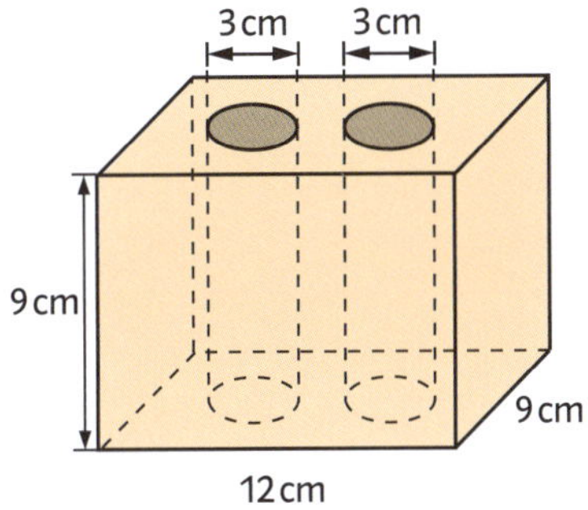

V = $V_{Quader} - 2 \cdot V$ ____________

V = $a \cdot b$ ____________

V = ____________

V = ____________ V = ______ cm³

◒ **4** a) Berechne das Volumen schrittweise.
b) Berechne die Größe der zu streichenden Fläche, ohne Berücksichtigung der Fenster und Türen.

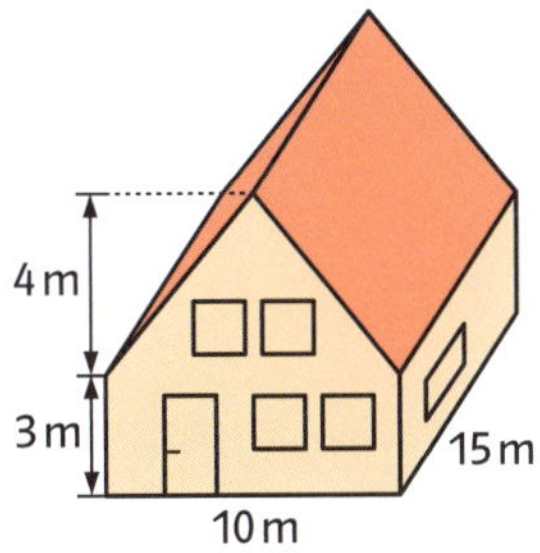

◒ **3** Berechne das Volumen und den Oberflächeninhalt des Körpers. (Maße in mm)

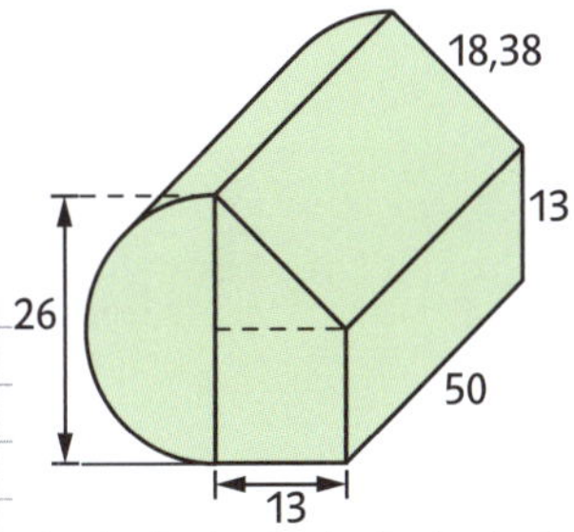

● **4** Ein Kabel von 12 mm Durchmesser und 2000 m Länge erhält eine Gummi-Ummantelung von 1 mm Wandstärke. Gummi hat eine Dichte von 0,9 g/cm³. Zeichne eine Skizze des Querschnitts und berechne das Gewicht der Ummantelung in kg.

○ **1** Färbe die Grundfläche des Körpers orange und die Höhe des Körpers grün. Benenne den Körper.

A 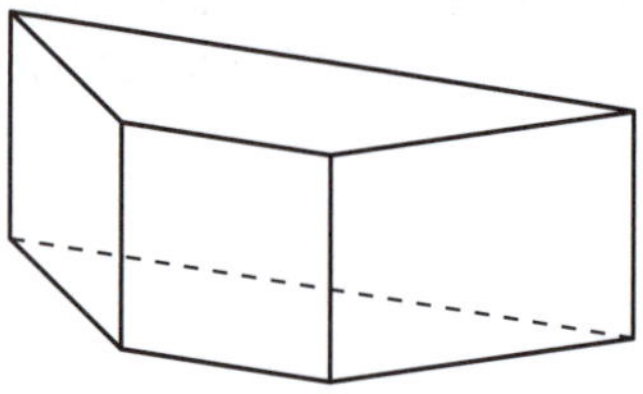 B 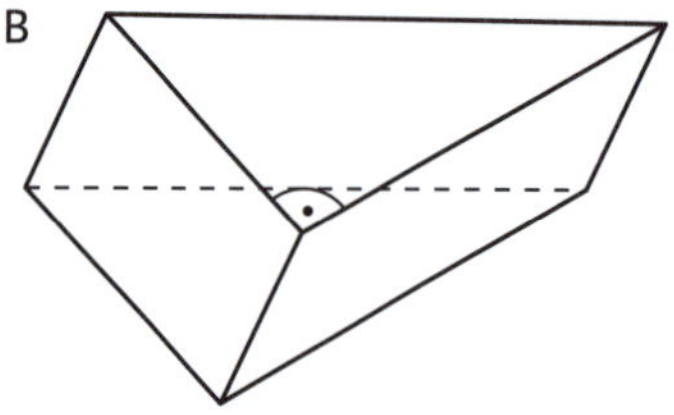 C 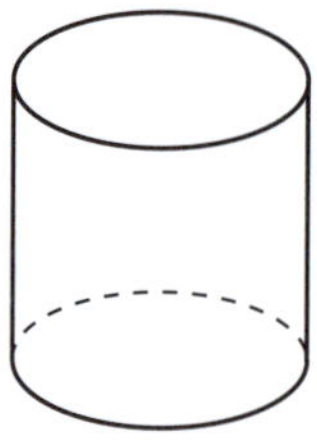 D 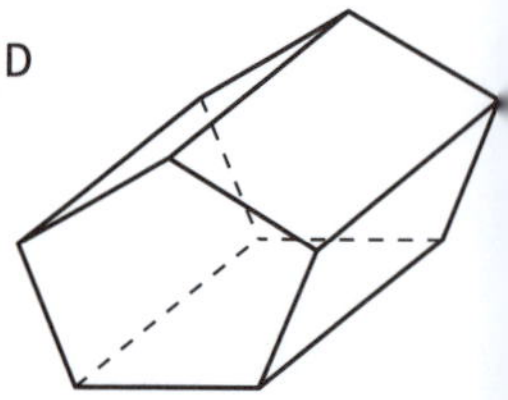

________ prisma ________ ________ ________

○ **2** Vervollständige das Bandnetz der Figur.

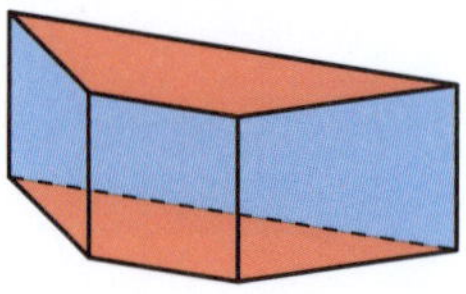

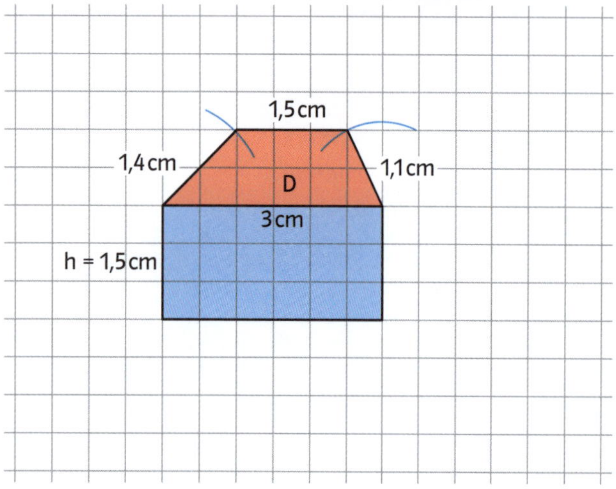

○ **3** Vervollständige das Netz der Figur.

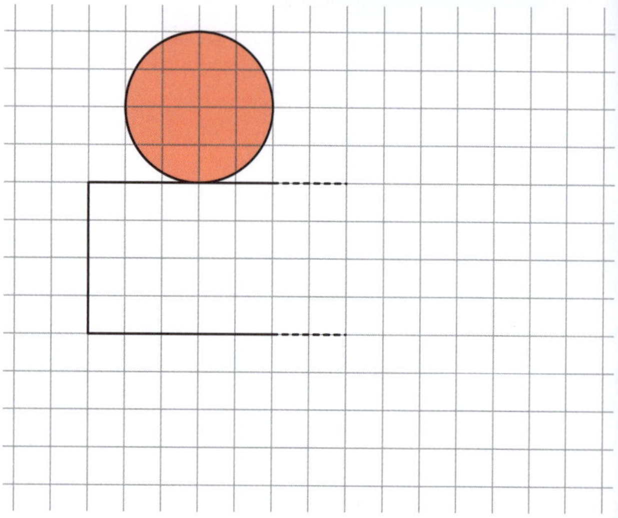

○ **4** Berechne schrittweise den Oberflächeninhalt O und das Volumen des Körpers.

a)

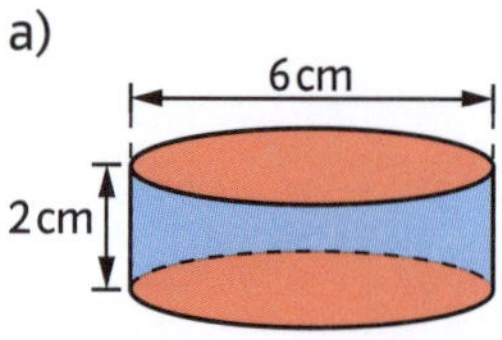

G =

G = ______ cm^2 u = ______ cm M = ______ cm^2 O = ______ cm^2 V = ______ cm^3

b)

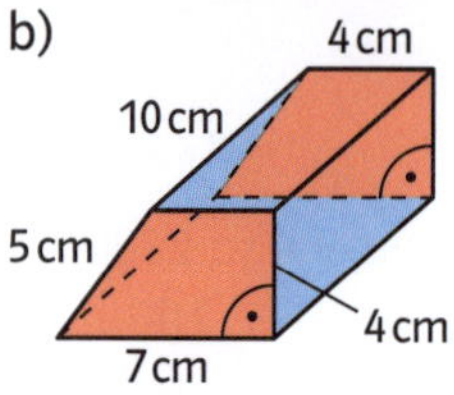

G =

G = ______ cm^2 u = ______ cm M = ______ cm^2 O = ______ cm^2 V = ______ cm^3

○ **5** Berechne das Volumen und den Oberflächeninhalt des Körpers.

Aus einem ________ wurde ein ________ herausgearbeitet.

V = $\pi \cdot 2^2 \cdot$ ____ $-$ ____ $\cdot$ ____ $\cdot$ ____ V = ______ cm^3

O = $O_{Zylinder} - 2 \cdot$ ________ $+ M_{Quader}$

O = ________

O = ________

O = ______ cm^2

Maße in cm

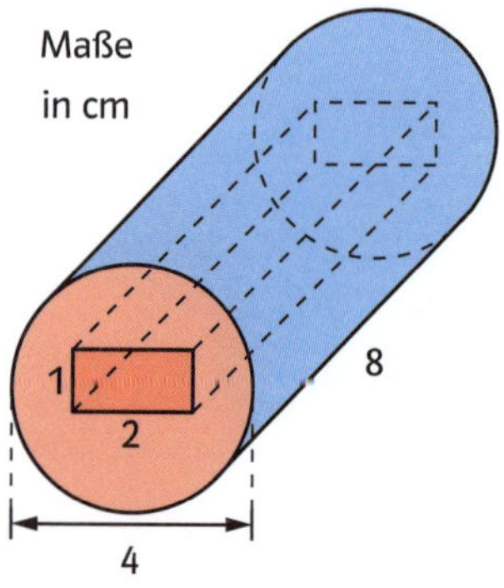

6 Der abgebildete Bahndamm kann als Prisma aufgefasst werden. Seine Grundfläche ist ein

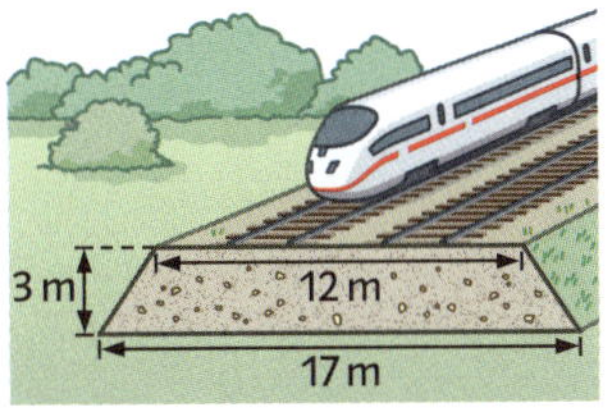

____

____________________.

Er ist 5 km lang. 5 km = ________ m. Wie viel Kubikmeter Schotter wurden für den Bau benötigt?

Es wurden __________ m^2 Schotter benötigt.

7 In einem 50 m langen und 16 m breitem Schwimmbecken sinkt die Wassertiefe gleichmäßig von 2 m auf 0,8 m. Die Grundfläche des Prismas ist ein

____________________ [T1].

Beschrifte die Skizze mit den Maßangaben und berechne, wie viel Kubikmeter Wasser in das randvoll gefüllte Becken passt.

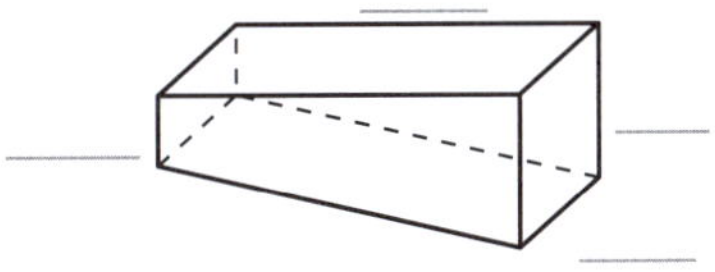

In das Becken passen __________ m^3 Wasser.

8 Berechne die fehlende Größe des Prismas.

	a)	b)	c)
G	$11\,cm^2$		$500\,dm^2$
h	4 cm	50 m	
V		$200\,m^3$	$25\,dm^3$

9 Berechne den Oberflächeninhalt und das Volumen des zusammengesetzten Körpers.

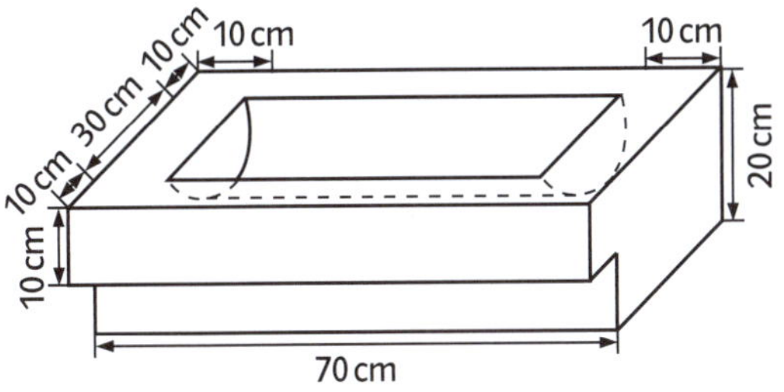

O = __________ dm^2; V = __________ dm^3

10 Eine Mantelfläche fehlt. Zeichne sie in vier möglichen Lagen in verschiedenen Farben ein.

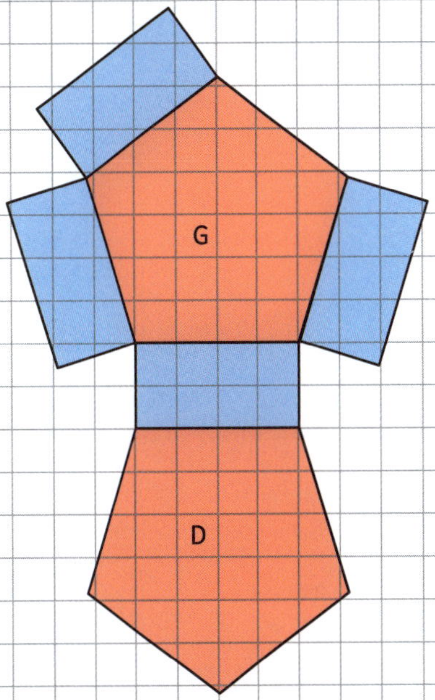

[T1] Das Prisma liegt auf einem Mantelrechteck.

○ **1** Die Klasse 8a hat eine Umfrage zum Thema: „Wie weit wohnst du von der Schule entfernt?“ durchgeführt.

Luisa: 1 km Lars: 3 km Ina: 3 km	Sarah: 3 km Henrik: 3 km Annika: 5 km	Tim: 5 km Sofie: 7 km Nina: 7 km	Moritz: 7 km Emre: 7 km Sunita: 7 km	Masuda: 9 km Pascal: 9 km Felix: 14 km

a) Fülle die Lücken auf den Kärtchen aus, verbinde mit dem entsprechenden Begriff und der Erklärung.

Den längsten Weg hat ______ mit ______ km.	Durchschnittlich wohnt eine Schülerin oder ein Schüler etwa ______ km von der Schule entfernt.	Den kürzesten Weg hat ______ mit ______ km.	Der Zentralwert beträgt ______ km.	Der Unterschied des längsten und kürzesten Wegs beträgt ______ km.
arithmetisches Mittel	Minimum	Median	Spannweite	Maximum
der Durchschnitt aller Werte	der größte Wert	der kleinste Wert	der Wert in der Mitte der Rangliste	die Differenz von Minimum und Maximum

b) Erstelle zu den Umfrageergebnissen eine Häufigkeitstabelle und ein Streifendiagramm.

◒ **2** Jens hat in einer Häufigkeitstabelle festgehalten, wie viele Tore in den insgesamt 18 Spielen der Fußball-Bundesliga während der letzten beiden Spieltage gefallen sind.

a) Stelle die absoluten Häufigkeiten in einem Säulendiagramm dar.

Tore	0	1	2	3	4	5
abs. Häufigkeit	1	3	4	7	2	1

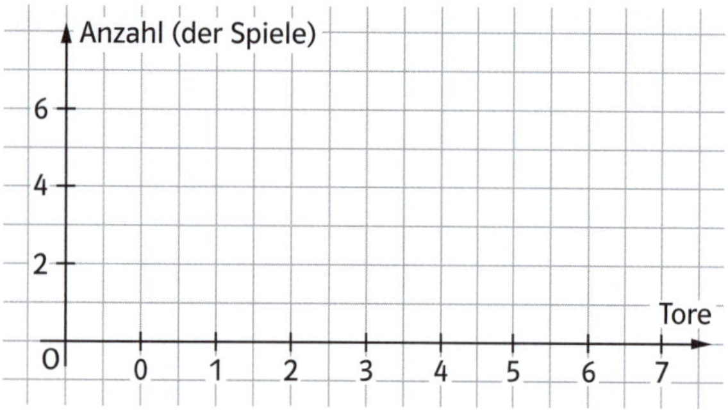

b) Bestimme die Kennwerte der Daten. [T1]

Rangliste: ______________________

____

arithmetisches Mittel: ______________________

____

Minimum: ______ ; Maximum: ______ ; Median: ______

Spannweite: ______________________

● **2** In einer Tüte Gummibärchen finden sich immer mehrere Farben. Piet hat eine Liste angefertigt:

Farbe	Rot	Gelb	Grün	Orange	Weiß
Piets Stichprobe	14	10	11	4	3
relative Häufigkeit					
erwartete Anzahl					

a) Berechne die relativen Häufigkeiten für Piets Stichprobe (gerundet auf drei Nachkommastellen).

b) Laut Herstellerfirma werden die Farben sofort gemischt. Dabei sind alle Farben gleich oft vorhanden. Nur die Menge der roten Gummibärchen ist doppelt so groß. Notiere in der Tabelle, welche Anzahl du in der Tüte von Piet erwarten würdest, wenn die Herstellerangaben stimmen. Vergleiche Piets Stichprobe mit der zu erwartenden Anzahl.

____

____

____

[T1] Notiere die Rangliste: 0; 1; 1; 1; 2; 2; 2; 2; …

1 Ein Abteilungsleiter eines Betriebs muss gegenüber der Geschäftsleitung die Gewinnhalbierung in der Luftballonsparte anhand eines Bilddiagramms erläutern.

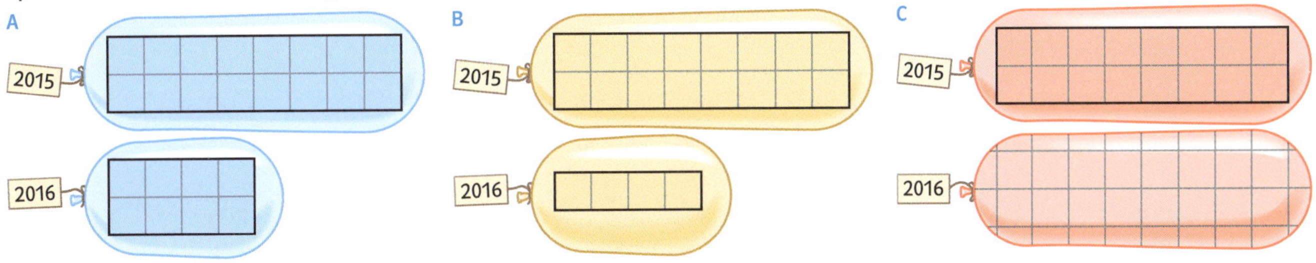

a) Mit welchem Diagramm sollte der Abteilungsleiter auf keinen Fall der Geschäftsleitung gegenübertreten?

Begründe. Mit Diagramm ☐ A ☐ B, weil ______________________________

______________________________.

b) Vervollständige Diagramm C auf eine weitere Art, sodass es den Sachverhalt richtig darstellt.

2 Der Leiter der Theater-AG möchte die Schulleiterin aufgrund der steigenden Zuschauerzahlen dazu bewegen, für das nächste Schuljahr die Stadthalle zu buchen, da dort die Technik wesentlich besser ist.

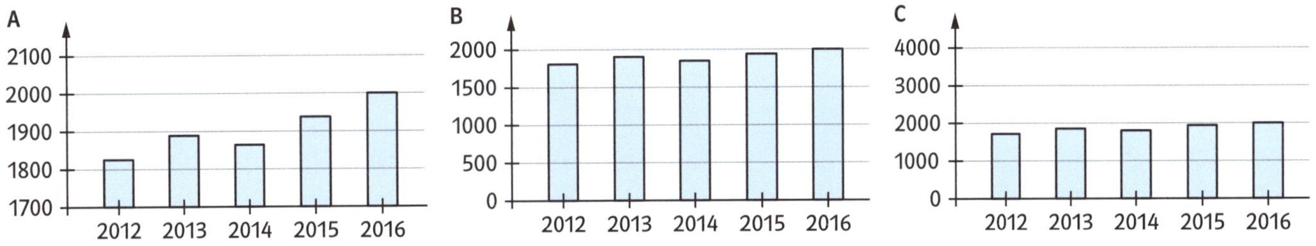

a) Ordne den geschilderten Eindrücken das entsprechende Diagramm zu.

____ | Die Zuschauerzahlen sind fast konstant und auf langanhaltend hohem Niveau.

____ | Die Zuschauerzahlen sind konstant, es ist aber noch Platz für weitere Zuschauer.

____ | Die Zuschauerzahlen sind in den letzten Jahren stark gestiegen.

b) **Begründe**, warum der Leiter der Theater-AG sein Ziel am besten mit dem Diagramm ____ verfolgen kann.

____

____

c) Wie wird diese Wirkung erzeugt? ______________________________

3 Die Tabelle zeigt das monatliche Taschengeld, welches die drei Freunde zur Verfügung haben.

Name	Tim	Kai	Ole
Euro	20	21	24

Zeichne ein Balkendiagramm, welches die Forderung von Oles Vater auf Taschengeldkürzung unterstützt.

3 Ein Spielehersteller möchte die Absatzprobleme von klassischen Brettspielen darstellen. Der Absatz ging in den letzten 10 Jahren auf ein Viertel zurück. Zeichne das entsprechende Piktogramm für 2006.

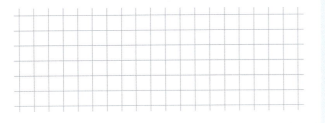

○ **1** Es sind 31 Daten gegeben. Bestimme die Rangplätze der folgenden Kennwerte.

Minimum: ______; Maximum: ______; oberes Quartil: ______; Median: ______; unteres Quartil: ______

○ **2** Petra hat im letzten Jahr die Anzahl ihrer SMS pro Monat notiert.

Monat	Jan.	Febr.	März	April	Mai	Juni	Juli	August	Sept.	Oktober	Nov.	Dez.
Anzahl	43	24	125	112	48	251	175	128	85	65	89	35
Rang												

a) Fülle die Rangzeile der Tabelle entsprechend der zu vergebenden Ränge aus.

b) Die Angabe der SMS-Anzahlen belegen in der Rangliste die Plätze 1 bis ______. Zur Bestimmung des Rangplatzes des unteren Quartils multipliziert man ______ mit $\frac{1}{4}$ und erhält ______. Deshalb muss man den Mittelwert aus den SMS-Anzahlen des Rangplatzes 3 und 4 bilden: ______.

c) Bei der Bestimmung des Medians multipliziert man ______ mit $\frac{2}{4}$ $\left(=\frac{1}{2}\right)$ und erhält ______.
Nun müssen die Werte der Rangplätze ______ und ______ gemittelt werden: ______.

d) Den Rangplatz des oberen Quartils erhält man, indem man ______ mit $\frac{3}{4}$ multipliziert, man erhält ______. Daher berechnet sich q_3 wie folgt: ______. Der Quartilabstand beträgt ______.

○ **3** Die Kärtchen geben die Zeit in Minuten an, die die Schülerinnen und Schüler der 8c für den Weg zum Kino benötigt haben:

14	13	14	12	7	9	18	4	21	26
15	24	31	36	12	5	19	25	23	30

a) Erstelle die Rangliste. ______

b) Bestimme folgende Kennwerte:

Minimum: ______; Maximum: ______; Spannweite: ______

q_1 = ______; q_3 = ______; q = ______

Median: ______; arithmetisches Mittel: ______

◒ **3** Kirsten hat die Kennwerte von drei Ranglisten aufgeschrieben. Dabei ist ihr in jeder Spalte genau ein **Fehler** unterlaufen. Finde und korrigiere ihn.

	a)	b)	c)
Median	8	2,8	21
oberes Quartil	0	3,3	32
Maximum	12	4,6	36
Minimum	1	1,7	4
unteres Quartil	5	4,7	15
Quartilabstand	5	1,4	22
Spannweite	11	2,9	32

◒ **4** Markiere „wahr" oder „falsch". Für das Lösungswort setze die Buchstaben richtig zusammen:

___ ___ ___ ___ ___ ___ ___

	wahr	falsch
Das arithmetische Mittel ist der Wert in der Mitte der Rangliste.	S	L
Die Werte des unteren und oberen Quartils liegen gleich weit vom Median entfernt.	V	I
Die Quartile sind nicht immer real vorkommende Werte einer Liste.	T	E
Die Spannweite ist fast immer größer als der Quartilabstand.	R	N
Der Median ist immer größer oder gleich dem arithmetischen Mittel.	O	A
Zwischen q_1 und q_3 liegen mindestens 50 % aller Daten.	U	B
Ein kleiner Quartilabstand bedeutet, dass auch die Spannweite klein ist.	P	Q

○ **1** a) Verbinde die Kärtchen mit der richtigen Stelle im Boxplot.

b) Fülle die Lücken. Mithilfe von Boxplots veranschaulicht man die Verteilung von Daten grafisch. Man unterscheidet vier Bereiche. In jedem liegt jeweils etwa ein Viertel der Daten. Zwischen dem

Minimum und dem ____________________ liegt die linke Antenne.

Die rechte Antenne liegt zwischen dem oberen

Quartil und dem ______________. Die ____________

liegt zwischen dem unteren und oberen Quartil und wird noch einmal durch den ________________ unterteilt.

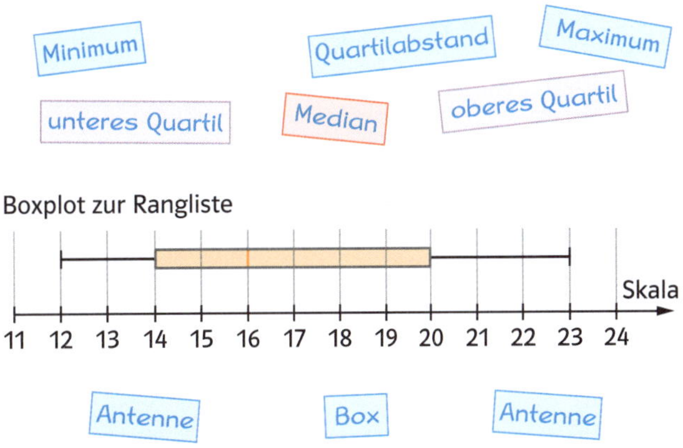

c) Gib die Kennwerte an: **Minimum**: ______ **Maximum**: ______ **Median**: ______

oberes Quartil: ______ **unteres Quartil**: ______ Quartilabstand: ____________ Spannweite: ____________

○ **2** a) Kennzeichne in den Ranglisten Minimum und Maximum blau, die Quartile grün und den Median orange.

A: 0; 0; 1; 1; 1; 2; 2; 2; 3; 3; 3; 3; 3; 4; 4; 5; 5; 5; 5; 7; 9

B: 0; 1; 2; 3; 3; 4; 5; 5; 5; 6; 6; 7; 10; 12

C: 0; 0; 1; 1; 2; 3; 3; 3; 3; 4; 4; 5; 5; 5; 6; 6; 6; 7; 7; 9; 10; 12

D: 0; 0; 1; 2; 2; 2; 3; 3; 4; 4; 5; 7; 9

b) Ordne den Boxplots die entsprechende Datenreihe zu.

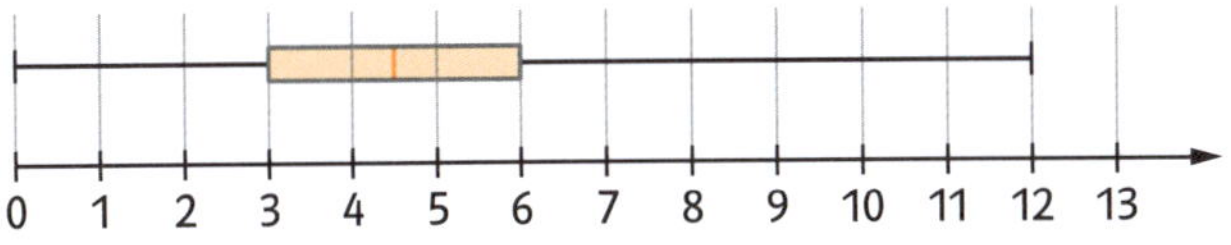

Datenreihe: ________________________________

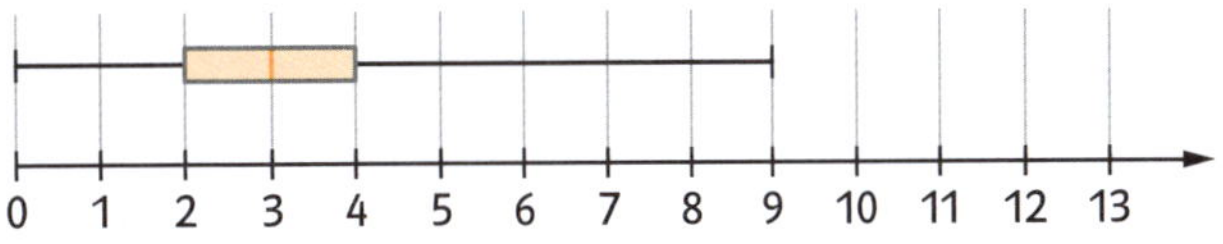

Datenreihe: ________________________________

○ **3** Die Tabelle zeigt das Ergebnis einer Umfrage über das monatliche Taschengeld in einer achten Klasse.

Taschengeld (in €)	10	12	13	14	16	18	20	22	24	40
Anzahl der Schüler/innen	1	2	1	2	4	7	3	2	1	1

a) Erstelle eine Rangliste: ____

____

b) Bestimme die Kennwerte. Minimum: __________ Maximum: __________ unteres Quartil: __________

Quartilabstand: __________ Median: __________ Spannweite: __________ oberes Quartil: __________

c) Zeichne den Boxplot.

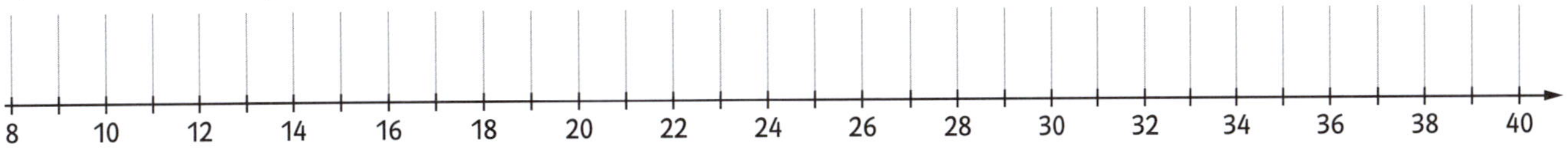

d) Nach Bekanntwerden der Umfrage kürzen die Eltern der Schülerin, die bislang 40 € bekam, das Taschengeld auf 25 €. Gib die beiden Kennwerte aus Teilaufgabe b) an, die sich durch die Kürzung verändert haben.

Ma______________ ist 25 ____________________ ist 15

4 Lies aus dem Boxplot die Kennwerte ab.

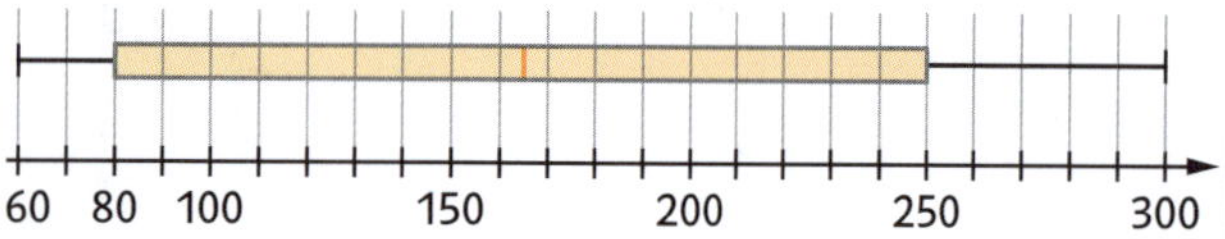

Minimum: ________ unteres Quartil: ________

Median: ________ oberes Quartil: ________

Maximum: ________ Spannweite: ________

5 In einer 8. Klasse wurde die Anzahl der Stunden ermittelt, die die Schülerinnen und Schüler in einer Woche im Internet verbracht haben. Bestimme die Kennwerte der Daten.
32; 22; 23; 21; 0; 40; 1; 28; 0; 12; 8; 2; 10; 15; 3

a) Rangliste: ________

b) Minimum: ________ unteres Quartil: ________

Median: ________ oberes Quartil: ________

Maximum: ________ Quartilabstand: ________

c) Zeichne den zugehörigen Boxplot.

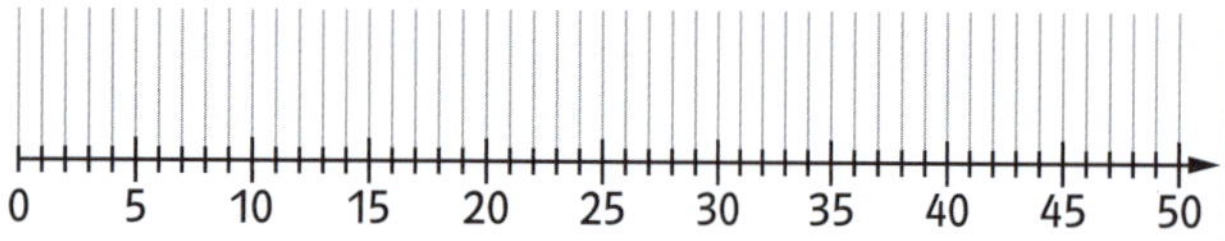

6 Die Auswertung der Punktverteilung eines Testes in der Klasse 8d liefert folgenden Boxplot:

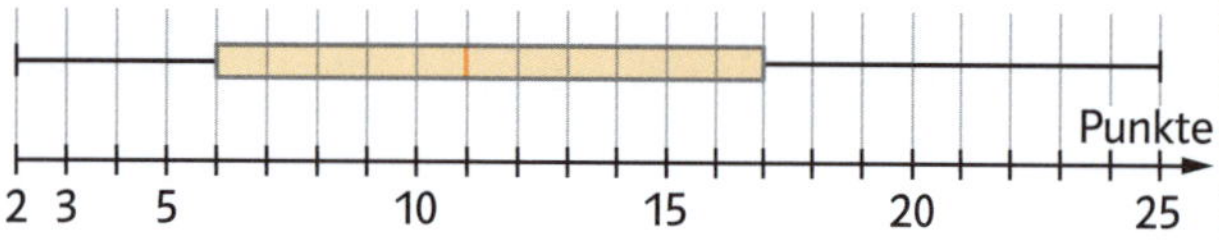

a) Lies den Median (____), das Minimum (____), das Maximum (____), das untere Quartil (____) und das obere Quartil (____) ab.

b) Kreuze die richtigen Aussagen an. Mindestens

- ☐ ein Schüler hat 0 Punkte.
- ☐ ein Schüler hat 11 Punkte.
- ☐ 25 % aller Schüler haben 6 oder weniger Punkte.
- ☐ 75 % aller Schüler haben weniger als 17 Punkte.
- ☐ die Hälfte aller Schüler hat 11 oder mehr Punkte.
- ☐ die Hälfte aller Schüler hat weniger als 11 Punkte.
- ☐ die Hälfte aller Schüler hat zwischen 6 und 17 Punkten.

4 a) Ergänze die Tabelle.

	A	B	C	D
Median	31	17	19	9
oberes Quartil		20	20	13
Maximum	42	32	40	
Minimum	12	5		1
unteres Quartil	21		16	
Quartilabstand	14	4		10
Spannweite			40	19

b) Zeichne die vier Boxplots.

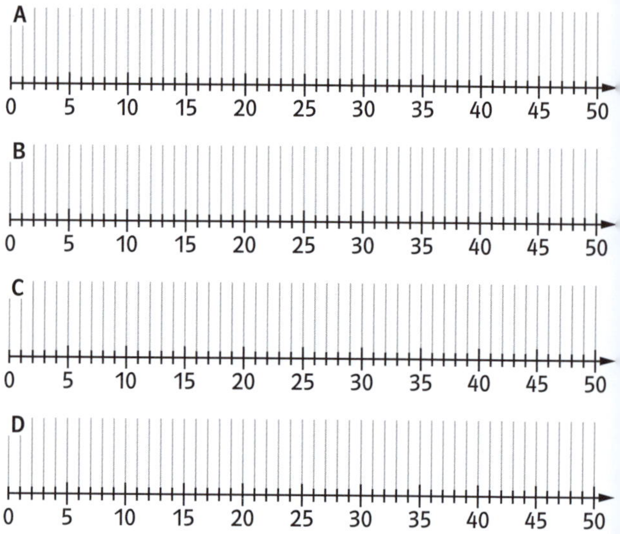

5 In unterschiedlichen Regionen Europas wurden die monatlichen Durchschnittstemperaturen im Jahr 2016 ermittelt. Nimm Stellung zu folgenden Aussagen:

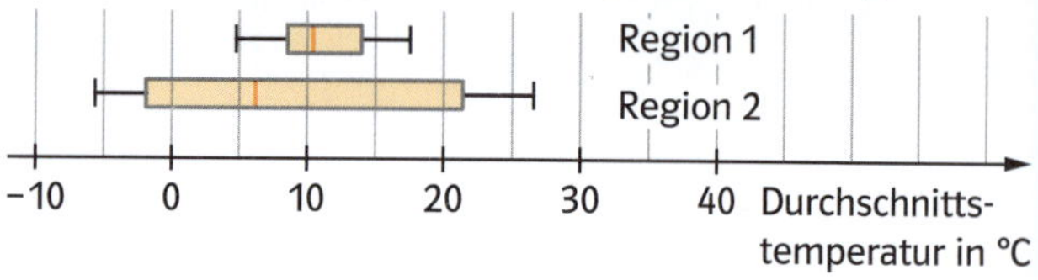

a) Die größten Temperaturunterschiede finden sich in Region 1. ________

b) In Region 1 sind mehrere Monate gleich warm. ________

1 Bei einem Sportfest erzielt Hasan beim Kugelstoßen die aufgelisteten Werte.

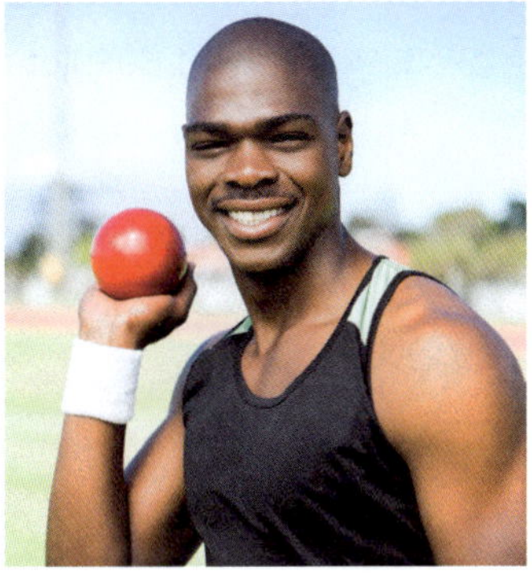

Wurf	1	2	3	4	5
Wurfweite in m	7,65	6,50	7,50	6,90	7,70

a) Erstelle die Rangliste.

b) Bestimme die Kennwerte: Minimum: ______ m, Maximum: ______ m,

Spannweite: ______ m, Median: ______ m, Mittelwert: ______ m.

2 Die Diagramme A und B stellen die Anzahl der jährlich verliehenen Ehrenurkunden im Zuge der Bundesjugendspiele an der Georges-de-Mestral-Schule zwischen den Jahren 2013 und 2017 dar.

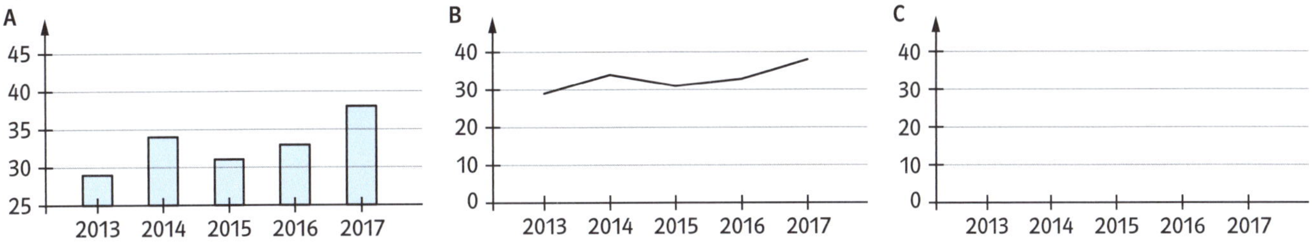

a) **Beschreibe**, warum Diagramm A und B den Sachverhalt nicht angemessen darstellen.

b) Erstelle ein Diagramm C, welches diesen Sachverhalt angemessen darstellt.

3 Pia hat sich notiert, wie viele Kilometer sie im Monat mit dem Rad unterwegs war.

Monat	1	2	3	4	5	6	7	8	9	10	11	12
Kilometer	60	100	80	180	220	260	280	240	300	120	80	80

a) Erstelle eine Rangliste:

b) Bestimme die Kennwerte.

Minimum	q_1	Spannweite	Median	arithmetisches Mittel	Quartilabstand	q_3	Maximum

c) Zeichne zu den Daten einen Boxplot.

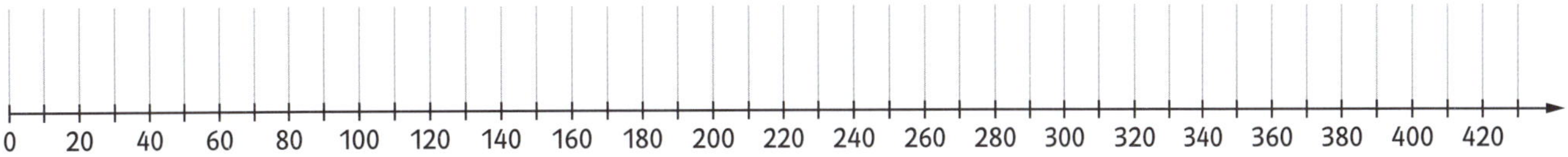

4 Lies aus dem Boxplot die Kennwerte ab.

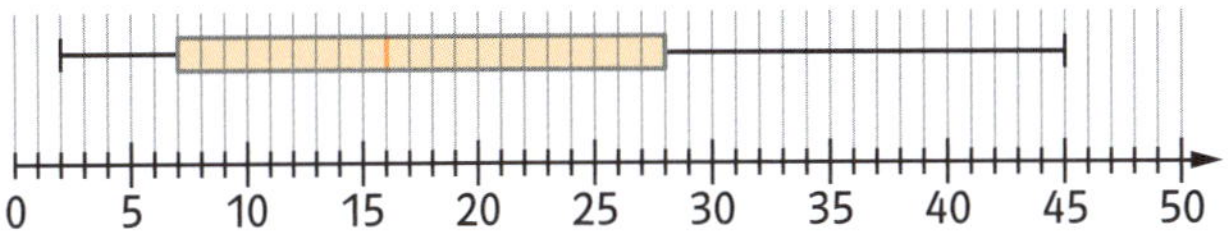

Minimum: ______ Maximum: ______

unteres Quartil: ______ oberes Quartil: ______

Median: ______

7 Daten | Training

5 Die Werte geben die Quartalsumsätze des Gasbetreibers Funkli in Millionen Euro wieder.

- 1. Q: 42 Mio. €
- 2. Q: 31 Mio. €
- 3. Q: 23 Mio. €
- 4. Q: 34 Mio. €

Zeichne zum angegebenen Sachverhalt ein angemessenes und ein nicht angemessenes Säulendiagramm.

angemessenes Säulendiagramm

nicht angemessenes Säulendiagramm

6 Im Zuge der Zeugniserstellung hat der Klassenlehrer der 8a die Fehltage in eine Rangliste eingetragen.

Mädchen	0	1	1	1	2	2	3	3	4	5	8	9	12	13	17
Jungen	2	2	3	3	4	5	5	6	7	9	12	16			

a) Ermittle die Kennwerte aus den Ranglisten (für Mädchen und Jungen getrennt, danach für die gesamte Klasse).

	Median	oberes Quartil	Maximum	Minimum	unteres Quartil	Quartilabstand	Spannweite	arithmetisches Mittel
Mädchen								
Jungen								
Klasse								

b) Zeichne die Boxplots links für Mädchen, in der Mitte für die Jungen und für die gesamte Klasse rechts ein.

c) Kreuze zutreffende Aussagen an.
- ☐ Mindestens 25 % aller Schülerinnen und Schüler haben mindestens neun Fehltage.
- ☐ Die durchschnittliche Anzahl der Fehltage liegt bei den Mädchen höher als bei den Jungen.
- ☐ Mindestens 50 % aller Mädchen haben höchstens drei Fehltage.
- ☐ Mindestens ein Viertel aller Befragten hat mehr als neun Fehltage.

7

Vater: "In der letzten Woche hat jeder von uns im Mittel 50 € für seine Hobbys ausgegeben. Das müssen wir ändern."

Mutter: "Ich hab 35 € in meinem Sportverein bezahlt."

Sohn: "Ich habe 27 € für CDs ausgegeben."

Tochter: "Ich habe ein Buch für 10 € gekauft."

a) Wie viel hat der Vater für sein Hobby ausgegeben?

b) Wie lautet der Median?

c) Welchen Wert würdest du betrachten, um die Aussage des Vaters zu entkräften? **Begründe**.